U0343381

黄河水利委员会治黄著作出版资金资助出版图书

大体积混凝土温控与防裂

彭立海　阎士勤　张春生　翟　建　编著

黄河水利出版社

图书在版编目(CIP)数据

大体积混凝土温控与防裂/彭立海等编著.—郑州:黄河水利出版社,2005.11

ISBN 7-80621-891-2

Ⅰ.大…　Ⅱ.彭…　Ⅲ.①大体积混凝土施工-温度控制②大体积混凝土施工-防裂　Ⅳ.TU755.6

中国版本图书馆CIP数据核字(2005)第011205号

出 版 社:黄河水利出版社

地址:河南省郑州市金水路11号　　邮政编码:450003

发行单位:黄河水利出版社

发行部电话:0371-66026940　　传真:0371-66022620

E-mail:yrcp@public.zz.ha.cn

承印单位:黄河水利委员会印刷厂

开本:787 mm×1 092 mm　1/16

印张:14.25

字数:324千字　　印数:1—1 500

版次:2005年11月第1版　　印次:2005年11月第1次印刷

书号:ISBN 7-80621-891-2/TU·53　　定价:30.00元

前　言

大体积或构件较厚的混凝土在施工期受外界与自身温度变化的影响，往往引起各种形式的裂缝，破坏其整体性，危及建筑物的安全，因此大体积或构件较厚的混凝土防裂问题一向受到重视。通过大量的研究与实践，科研人员提出了温度应力的计算方法及大体积混凝土的温控措施，在实际应用中取得了很好的效果。

目前，混凝土结构温度及其应力分析多采用有限元的方法进行计算，已有各类程序可以选用。本书中所介绍的解析计算方法能使读者形成一个温控的完整概念，有助于读者了解温度和应力的变化规律以及各种影响因素的互相关系，便于分析问题及进一步掌握好有限元的各种计算。

温控措施是在混凝土达到规定质量要求的基础上制定的。混凝土质量控制及温控措施的落实是温控成功的前提，因此要特别重视混凝土质量。据统计，为防止裂缝的温控费用约为工程造价的 3%，而处理裂缝的费用却达 5%～10%，还可能推迟施工进度，因此要特别重视温控措施的落实。

温控设计的主要内容是计算混凝土结构各部位的温度及应力；研究如何降低混凝土温度、降低到什么程度及如何进行表面保护，使之减小温差、降低拉应力。为适应初步涉及温控工作者的需要，书中内容基本上是按温控设计步骤编排的，设计过程中还应加入研究或了解建筑物的地质情况、设计意图、混凝土试验及施工布置、混凝土浇筑方式及进度安排等各项内容，以便考虑选择温控计算的各种数据及计算变化条件并促使温控设计更合理、更经济。书中内容以水利水电工程为主，也包括部分特殊混凝土工程。书中编入了许多工程的有关资料并总结了其温控设计与施工的实践经验以及一些问题的研究成果，并对不常见而又问题较大的课题提出了计算方法或近似的计算方法，希望能对读者今后的工作有所裨益。

在编写过程中，编者对提供工程资料的单位表示感谢，同时对黄委和黄委设计院设计二处的大力支持及一些同志的帮助，表示衷心感谢！

在本书的编写过程中，我们力求内容完善、实用、无误，但由于时间紧迫，再加上水平有限，错误难免，请参阅者注意并指正。

编　者

2004 年 2 月

目 录

第一章　温度控制的基本原理、基本资料

第一节　基本原理

由于水泥水化过程中的化学反应产生大量的热量，所以混凝土在浇筑后的温度都有一定程度的升高。随着水化热的逐渐减少及热量的散发，混凝土的温度就会慢慢地降低。水利水电工程中的混凝土大都体积庞大，其温度在浇筑后 3～5 天内呈上升趋势，以后温度逐渐下降，一般经过较长时间才能达到稳定温度。

混凝土在升温过程中体积膨胀，受到基岩(或相邻部位)的约束产生预压应力；降温过程中体积收缩，受到基岩(或相邻部位)约束产生拉应力。但由于早期混凝土弹性模量较小，受到约束后产生的预压应力也较小，后期弹性模量大，受到约束后产生的拉应力也较大，并且远大于早期的预压应力，致使混凝土开裂。温度控制的目的就是通过一定的措施，减小混凝土的降温幅度，降低温度应力，确保混凝土的完整性，从而保证工程质量。

混凝土浇筑后的温度变化见图 1-1-1。

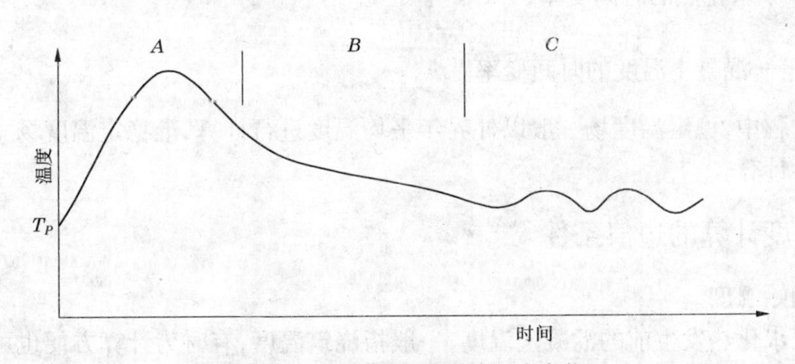

图 1-1-1　混凝土浇筑后的温度变化

从上图中可以看出，混凝土浇筑后，其温度随时间的变化大体可分为 *A*、*B*、*C* 三个阶段。*A* 为有内热源期，即水化热发生的时段，一般为 1 个月；1 个月后，由于水化热少且延续时间很长，可以忽略不再计算。*B* 为无热源期，混凝土的温度随着其内部热量的逐渐散发而降低。*C* 为随气温变化而周期变化阶段，亦即水泥水化热产生的初温已基本消失，大坝内部混凝土的温度保持稳定，外部混凝土随外界温度的变化而变化，也称为准稳定温度场，它是大坝运行期的温度状况，此时的温度作为坝体接缝灌浆的控制温度。对于尺寸小于 10～15m 的构件，则随外界温度的变化而变化，当外界温度最低时达到构件最低温度。

大体积构件的 *B* 阶段，由于其体积庞大，自然降温时间很长，一般需采用人工方法进行冷却(二期水管冷却)，使混凝土的温度在较短时间内达到 *C* 阶段的准稳定温度，以便

进行接缝灌浆。

一、各期温度变化的基本计算式

由于混凝土内部条件及外部条件的不同,各阶段温度变化的基本计算公式也不尽相同。

A 阶段的热传导方程为:

$$\frac{\partial T}{\partial \tau} = a\left(\frac{\partial^2 T}{\partial x^2} + \frac{\partial^2 T}{\partial y^2} + \frac{\partial^2 T}{\partial z^2}\right) + \frac{\partial \theta}{\partial \tau} \tag{1-1-1}$$

B 阶段的热传导方程为:

$$\frac{\partial T}{\partial \tau} = a\left(\frac{\partial^2 T}{\partial x^2} + \frac{\partial^2 T}{\partial y^2} + \frac{\partial^2 T}{\partial z^2}\right) \tag{1-1-2}$$

C 阶段稳定温度场的热传导方程为:

$$\frac{\partial^2 T}{\partial x^2} + \frac{\partial^2 T}{\partial y^2} + \frac{\partial^2 T}{\partial z^2} = 0 \tag{1-1-3}$$

式中 a——导温系数;

T——混凝土温度;

τ——时间;

θ——水化热;

$\frac{\partial \theta}{\partial \tau}$——水化热的时间变率;

$\frac{\partial T}{\partial \tau}$——混凝土温度的时间变率。

计算过程中,稳定温度场一般以外界年平均温度进行计算,准稳定温度场一般以月平均温度进行计算。

二、温度计算的边值条件

(一)初始温度

指水泥水化热发生前的混凝土温度,一般指浇筑温度,有时为计算方便也可假设它为零。

(二)边界条件

在温度计算中,构筑物的边界共分四类。

(1)第一类边界。混凝土表面温度等于介质温度,一般都是已知温度。如混凝土表面与水接触即可认为是第一类边界。

(2)第二类边界。$\frac{\partial T}{\partial x_n}=0$,一般为绝热边界,即此边界与介质不发生热传导。如柱状块对称降温的中心处满足$\frac{\partial T}{\partial x_n}=0$,即为第二类边界。$x_n$ 为边界法线方向。

(3)第三类边界。一般为混凝土与空气接触,混凝土表面热流密度与其表面温度 T_n 和介质温度 T_a 之差成正比。

$$-\lambda\left(\frac{\partial T}{\partial x_n}\right)=\beta(T_n-T_a) \tag{1-1-4}$$

式中 λ——混凝土导热系数；

β——混凝土表面放热(交换)系数；

T_n——混凝土表面温度；

T_a——介质温度。

式(1-1-4)左边“-”号表示向外散热。

当 $\beta\to 0$ 时为第二类边界；$\beta\to\infty$ 时，$T_n=T_a$，即第一类边界；$0<\beta<\infty$ 为第三类边界。β 取决于固体表面的粗糙度、流体的黏滞系数及流速，与固体本身材料无关。在温控计算中，一般取 $\beta=16\sim20$。β 取值见表 1-1-1。

表 1-1-1　混凝土在空气中的 β 值　　(单位：kcal/(m^2·h·℃))

风速(m/s)	0	0.5	1.0	2.0	3.0	4.0	5.0	6.0
光滑表面	4.41	6.85	8.54	11.80	15.0	18.32	21.53	24.66
粗糙表面	5.03	7.49	9.23	12.66	16.14	19.64	23.10	26.51
风速(m/s)	7.0	8.0	9.0	10.0	1～2	2～3	4～5	
光滑表面	27.72	30.71	33.62	36.47				
粗糙表面	2.83	33.07	36.24	39.44	13.9*	14.7*	17.3*	

注：带“*”的值为丹江口实测资料。

由于热流经紊流层混合后才等于气温，这之间还有一段距离，此段距离为 $h=\frac{\lambda}{\beta}$，h 称为第三类边界的当量混凝土厚度。如将混凝土厚度增加 h 作为计算总厚度，可将第三类边界按第一类边界计算。

(4)第四类边界。两种固体相接触的边界为第四类边界。如若两种固体接触良好，温度与热量传递都是相等的，即 $T_1=T_2$，$\lambda_1\left(\frac{\partial T_1}{\partial x_n}\right)=\lambda_2\left(\frac{\partial T_2}{\partial x_n}\right)$。

如接触不良，则两者温度不等，混凝土热量传递为 $\lambda(\frac{\partial T_1}{\partial x_n})=\frac{1}{R}(T_2-T_1)$，$R$ 为热阻，由试验确定；x_n 为法线方向。

第二节　基本资料

一、气象资料

温控设计中气象资料是非常重要的基础资料。一般应选定建筑地点附近的气象水文站资料进行整理分析。需收集的气象资料项目见表 1-2-1。

由于一般河水温和基坑水温资料相对较少，通常根据已建工程实测资料与气温的相互关系进行推算。国内部分工程水温实测资料见表 1-2-2。

当取得资料的气象站与坝址的高程、自然植被、地形有较大差别时，应与气象部门研究对气象资料进行修正。

表 1-2-1　气象资料表

月　份		1	2	3	…	12	年平均
多年平均气温(℃)							
瞬时最高气温(℃)							
瞬时最低气温(℃)							
冬季日平均气温	5～－5℃平均天数						
	＜－5℃平均天数						
	≤－10℃平均天数						
日变差	多年平均(℃)						
	极端值(℃)						
	＞15℃平均天数						
寒潮	多年出现总次数						
	年平均次数						
	1 年出现最多次数						
	1 天最大降温(℃)						
	2 天最大降温(℃)						
	3 天最大降温(℃)						
	＞3 天最大降温(℃)						
多年平均太阳辐射热(或云量、或日照时间)							
多年平均河水温(℃)							
多年平均基坑水温(℃)							
多年平均相对湿度(%)							
多年平均蒸发量(mm)							
多年平均风速(m/s)							

二、混凝土热学参数

(一)导温系数 a

导温系数反映了混凝土的导热性能，其值主要受骨料用量及其种类的影响，可由试验确定或按 $a=\frac{\lambda}{C\rho}$ 计算(ρ 为混凝土容重，C 为比热，λ 为导热系数)。

(二)导热系数 λ

导热系数也是反映混凝土导热性能的一个参数，它的主要影响因素是骨料用量及其本身的热性能。混凝土的温度和骨料含水量也对其有较大影响。

(三)比热 C

水工混凝土的比热变化范围不大，一般在 0.20～0.25kcal/(kg·℃)之间。

表 1-2-2　部分工程水温实测资料表　（单位:℃）

坝名	项目	月份 1	2	3	4	5	6	7	8	9	10	11	12	年平均
丹江口	气温	3.0	5.9	10.4	16.1	21.0	26.7	29.8	28.5	22.9	17.0	9.6	4.5	16.3
	河水温	5.6	5.2	11.7	15.5	19.2	25.2	25.1	25.3	22.2	19.6	12.6	7.8	16.3
	基坑水温	13.8	12.7	14.1	14.6	14.7	17.1	22.7	24.1	22.0	19.4	17.5	15.3	17.3
宝珠寺	气温	4.9	7.2	11.8	16.9	20.5	24.4	26.3	25.4	21.1	16.1	11.2	6.7	16.1
	河水温	5.4	7.3	11.6	15.7	17.6	20.1	21.7	21.9	17.9	15.4	10.8	6.9	14.9
乌江渡	气温	5.5	7.3	12.2	17.4	20.4	23.4	26.2	24.9	21.9	16.8	12.4	7.7	16.3
	河水温	9.4	9.8	13.5	16.9	19.6	20.9	22.1	22.4	21.1	18.1	15.1	11.2	16.6
东江	气温	6.1	7.5	12.5	17.7	22.2	25.6	28.6	27.4	23.9	18.0	12.9	7.7	17.5
	河水温	9.6	10.8	14.2	18.1	22.6	24.8	27.8	27.6	25.0	21.1	16.5	11.5	19.6
新安江	气温	5.2	7.9	11.1	16.0	20.9	25.1	28.5	28.8	25.2	18.8	13.1	7.6	17.3
	河水温	7.4	9.0	11.8	17.4	20.7	24.2	29.1	30.0	28.0	21.4	15.3	9.4	18.6

注:宝珠寺上游有碧口水库,两库之间为山间峡谷;乌江渡处于溶洞区。

λ、C 均可通过试验确定或由骨料配比计算得出。

$$\lambda = \frac{\sum \omega_i \lambda_i}{\sum \omega_i}, \quad C = \frac{\sum \omega_i C_i}{\sum \omega_i} \tag{1-2-1}$$

式中　ω_i、C_i、λ_i——各类骨料的含量、比热容及导热系数。

故县水库大坝的骨料经过仔细分类,按式(1-2-1)计算的 λ、C 及按 $a = \frac{\lambda}{C\rho}$ 计算的 a 与试验值较为接近。一些实测资料见表 1-2-3、表 1-2-4。a 对大体积混凝土降温的影响见表 1-2-5。

(四)线膨胀系数 α

线膨胀系数主要的影响因素是骨料。各类骨料的 α 值相差很大。石英、砂岩、花岗岩、玄武岩和石灰岩的 α 值依次变小。水泥浆的 α 值比骨料的要大,而富混凝土的 α 值比贫混凝土的约大 4%。湿养护的混凝土 α 值比干燥空气中养护的约小 10%。如有骨料及水泥浆的α 值,依下式可计算混凝土的 α 值。

$$\alpha = \frac{\alpha_c E_c V_c + \sum \alpha_g E_g V_g}{E_c V_c + \sum E_g V_g} \tag{1-2-2}$$

式中　α_c、E_c、V_c——水泥的线性膨胀系数、弹模、体积($1m^3$ 混凝土);

α_g、E_g、V_g——骨料的线性膨胀系数、弹模、体积($1m^3$ 混凝土)。

(五)水泥水化热

1.按水泥矿物成分计算水泥极限水化热

矿物成分完全水化产生的热量如表 1-2-6 所示。

表 1-2-3　混凝土热学性能实例

坝名	骨料主要岩性	a (m^2/h)	C (kcal/(kg·℃))	λ (kcal/(m·h·℃))	α ($10^{-5}K^{-1}$)
丹江口	砂以石英质、卵石以石灰岩为主	0.005 5	0.22	2.77	0.82
乌江渡	人工石灰岩砂岩	0.004 8	0.22	2.56	0.6~0.8
陆水	石灰岩	0.003 5			0.70
刘家峡	石英岩、花岗岩、石英砂岩	0.004 0	0.23	2.25	0.8~0.9
故县	石英岩、安山岩、玄武岩	0.004 8	0.213	2.55	
三门峡	玄武岩、辉绿岩、安山岩、石英岩	0.003 5	0.272	2.37	
胡佛(美)	石英岩、花岗岩	0.004 4	0.225	2.48	0.8~0.95
大苦力(美)	玄武岩	0.002 7	0.231	1.61	0.8
俄马(美)	砂岩	0.004 6	0.232	2.54	1.0~1.1
黄尾(美)	石灰岩、安山岩	0.003 9	0.239	2.26	0.77
夏斯塔(美)	安山岩、板岩	0.003 3	0.233	1.95	0.86

由表 1-2-6 可知,水化热主要来自 C_3A 及 C_3S,为降低水泥水化热产生的温升,水工大体积混凝土用的水泥应限制它们的含量。

2.按经验公式计算

维尔巴克等以 27 种水泥试验其水化热,并用最小二乘法取得多元回归的经验公式。最终水化热 Q_0 为

$$Q_0 = a \cdot P_{C_3S} + b \cdot P_{C_2S} + c \cdot P_{C_3A} + d \cdot P_{C_4AF} \tag{1-2-3}$$

式中　P_{C_3S}——C_3S 的百分含量;

P_{C_2S}——C_2S 的百分含量;

P_{C_3A}——C_3A 的百分含量;

P_{C_4AF}——P_{C_4AF}的百分含量;

a、b、c、d——回归系数。

回归系数 a、b、c、d 见表 1-2-7。

表 1-2-4　混凝土骨料热学性能

骨料类别	λ(kcal/(m·h·℃)) 21℃	32℃	43℃	54℃	C(kcal/(kg·℃)) 21℃	32℃	43℃	54℃	a (m^2/h)	α ($10^{-5}K^{-1}$)
水	0.516	0.516	0.516	0.516	1.0	1.0	1.0	1.0		
普通水泥	1.062	1.097	1.131	1.162	0.109	0.128	0.158	0.197		2.26
石英岩	2.658	2.651	2.640	2.636	0.167	0.178	0.190	0.207		
玄武岩	1.646	1.641	1.638	1.633	0.183	0.181	0.187	0.200	0.003 0	0.95
白云岩	3.710	3.645	3.586	3.424	0.192	0.196	0.204	0.212	0.004 6	1.00
花岗岩	2.509	2.500	2.494	2.479	0.171	0.169	0.175	0.185	0.004 0	0.95
石灰岩	3.470	3.390	3.324	3.262	0.179	0.181	0.187	0.196	0.004 7	0.74
石英岩	4.039	4.007	3.974	3.935	0.165	0.173	0.181	0.189	0.005 4	1.28
流纹岩	1.617	1.627	1.639	1.646	0.183	0.185	0.191	0.193	0.003 3	
长石			2.00			0.194			0.004 1	1.67
大理石			2.11			0.209			0.003 7	0.44
砂岩						0.170			0.004 2	
基岩 花岗岩			2.50			0.197			0.005 0	
基岩 石英岩						0.220				
基岩 石灰岩						0.220			0.005 7	
基岩 砂岩							0.210			
基岩 玄武岩			2.60			0.266				

表 1-2-5　不同 a 值对大体积混凝土降温 90% 所需时间

$a(m^2/h)$	混凝土厚度(m)					
	3	6	15	30	60	120
0.002 5	41d	166d	2.8a	11a	45a	181a
0.003 3	32d	128d	2.2a	9a	35a	141a
0.005 0	22d	89d	1.5a	6a		98a

表 1-2-6　水泥矿物成分水化热表　　(单位:kcal/kg)

矿物成分	龄期				备注
	3d	7d	28d	1a	
$C_3A(3CaO \cdot Al_2O_3)$	1.70	1.88	2.02	2.54	每 1% 矿物的热量
$C_3S(3CaO \cdot SiO_2)$	0.98	1.10	1.14	1.60	
$C_4AF(4CaO \cdot Al_2O_3 \cdot Fe_2O_3)$	0.29	0.60	0.90	1.36	1 年即完全水化
$C_2S(2CaO \cdot SiO_2)$	0.19	0.18	0.44	0.79	

表 1-2-7　回归系数取值

龄期	3d	7d	28d	91d	1a
a	0.58±0.08	0.53±0.11	0.90±0.07	1.04±0.05	1.17±0.07
b	0.12±0.05	0.10±0.07	0.25±0.04	0.42±0.03	0.54±0.04
c	2.12±0.28	3.72±0.39	3.29±0.23	3.11±0.17	2.79±0.23
d	0.69±0.27	1.18±0.37	1.18±0.22	0.98±0.16	0.90±0.22

经验算,某坝 Q_0 值与试验值较接近。

3. 水化热试验

一般用蓄热法对水泥做水化热试验。目前只能测试 7d。将 7d 的资料进行整理即可推出 Q_0。

目前水化热有两种数学表达式:

指数经验式

$$Q_\tau = Q_0(1 - e^{-m\tau}) \tag{1-2-4}$$

双曲线经验式

$$\frac{\tau}{Q_\tau} = \frac{n}{Q_0} + \frac{\tau}{Q_0} \tag{1-2-5}$$

式中　m——发热速率,1/d;

τ——龄期,d;

n——类似 m 的试验常数。

式(1-2-5)比较符合试验过程。式(1-2-4)中的 m 是一个平均值。虽然成果与试验过程有一定的偏离,但最终结果较为接近。

(1)按式(1-2-5)整理试验资料再计算出 $Q_0(Q_0=Q_\tau(n+\tau)/\tau)$。以横坐标 τ 绘出 $\frac{\tau}{Q_\tau}$—τ 直线图,在竖轴上的截距即为$\frac{n}{Q_0}$。取某一天的$\frac{\tau}{Q_\tau}$及$\frac{n}{Q_0}$代入式(1-2-5)计算出 Q_0。

(2)一元线性回归计算。令 $y=\frac{\tau}{Q_\tau}, A=\frac{n}{Q_0}, B=\frac{1}{Q_0}$,则式(1-2-5)可改为 $y=A+B\tau$,按表1-2-8计算。

表1-2-8　水泥水化热一元线性回归计算

顺序	龄期 τ(d)	试验值 Q_τ	$y=\tau/Q_\tau$	$\tau-\bar{\tau}$	$y-\bar{y}$	$(\tau-\bar{\tau})^2$	$(y-\bar{y})^2$ $(\times10^{-4})$	$(\tau-\bar{\tau})\times(y-\bar{y})$	式(1-2-4)计算的 Q_τ
1	1	37.65	0.026 6	−3	−0.042 1	9	17.72	0.126	35.85
2	2	46.49	0.043 0	−2	−0.025 7	4	6.60	0.051	48.20
3	3	54.56	0.055 0	−1	−0.013 7	1	1.88	0.014	54.41
4	4	58.29	0.068 6	0	−0.000 1	0	0.01	0	58.22
5	5	60.68	0.082 4	1	0.013 7	1	1.88	0.014	60.74
6	6	62.57	0.095 9	2	0.027 2	4	7.40	0.054	62.55
7	7	64.10	0.109 2	3	0.040 5	9	16.40	0.122	63.91
合计	28		0.480 7			28	51.89	0.381	

可得出:

$$B=\frac{\sum[(\tau-\bar{\tau})(y-\bar{y})]}{\sum(\tau-\bar{\tau})^2}=\frac{0.381}{28}=0.013\ 6$$

$$A=\bar{y}-B\bar{\tau}=0.068\ 7-0.013\ 6\times4=0.014\ 3$$

回归方程为:

$$y=0.014\ 3+0.013\ 6\tau \tag{1-2-6}$$

相关系数为:

$$f=\frac{\sum(\tau-\bar{\tau})(y-\bar{y})}{\sqrt{\sum(\tau-\bar{\tau})^2\sum(y-\bar{y})^2}}=\frac{0.381}{\sqrt{28\times51.89\times10^{-4}}}\approx1.0$$

(3)掺有混合料(如粉煤灰)的水泥水化热,不符合式(1-2-5)的直线规律,一般可由经验公式 $Q_0'=Q_0(1-0.55P)$求得(Q_0 为纯水泥求得的最终绝热温度),亦可将水化热试验值按 τ—Q_τ 在坐标纸画成曲线再配成公式,按回归方程计算 Q_0'。

例:掺30%粉煤灰的水泥水化热试验值于下表

τ(d)	1	2	3	4	5	6	7
Q_τ(kcal/kg)	39.06	47.94	51.31	53.42	55.21	56.52	57.69

取数学表达式 $Q_\tau = Ae^{B/\tau}$。两边取对数。

$$\ln Q_\tau = \ln A + \frac{B}{\tau}$$

令 $y = \ln Q_\tau$, $A' = \ln A$, $x = \frac{1}{\tau}$。上式改为 $y = A' + Bx$。此方程为直线方程,按表 1-2-8 进行回归计算,可求得 $B = -0.442\,98$, $A' = 4.100\,7$,反求 $A = 60.385$,回归方程 $Q_\tau = 60.385e^{-0.443/\tau}$。按此计算 Q_τ 与试验值接近。$\tau = 30$d 时计算的 $Q_0' = 59.5$kcal/kg,按经验公式计算的 Q_0' 为 59.7kcal/kg。

4.混凝土绝热温升试验

直接试验出某种混凝土配比的 Q_0^c,然后按式(1-2-7)反求水泥的 Q_0。

$$Q_0^c = \frac{WQ_0}{C\rho} \tag{1-2-7}$$

式中 Q_0^c——混凝土的绝热温升;

W——水泥用量,kg/m^3;

C——比热;

ρ——容重。

一般情况下,比热 C 及容量 ρ 均同时做试验,以提高成果精度。

5.发热速率 m 的计算

求得 Q_0 后按式(1-2-8)计算 m。

$$m = \frac{-\lg(1 - Q_\tau/Q_0)}{\lg e \cdot \tau} \tag{1-2-8}$$

此式是由式(1-2-4)移项取对数而成。每一个 τ 值有一个 m 值对应。式(1-2-4)的 m 是平均值,其值随浇筑温度的不同而发生变化(见表 1-2-9)。

表 1-2-9 m 值随浇筑温度的不同而发生的变化情况

T_P(℃)	5	10	15	20	25
m(1/d)	0.295	0.318	0.340	0.362	0.384

混凝土的热学性能均随温度提高而提高(见表 1-2-10)。温控主要发生在夏季,其数据可取自 25～30℃。

表 1-2-10 水化热随混凝土温度变化情况 (单位:kcal /kg)

温度	4℃	24℃	32℃	41℃
Ⅰ	36.9	68.0	73.9	80.0
Ⅲ	52.9	83.2	85.3	93.2
Ⅳ	25.7	45.8	46.6	51.2

注:Ⅰ、Ⅲ、Ⅳ为不同的水泥品种编号。

热学性能是温度计算的基础资料,其中尤以 Q_0、m 更为重要。由于各种推算方法有时出入很大,故应采用多种方法推算并参考其他工程资料、水泥品种选择、现场测试等多种手段进行比较确定。重大工程最好进行混凝土绝热温升试验。

三、混凝土力学及变形指标

温控所需的力学指标包括混凝土的抗压强度(R)、抗拉强度、弹模(E_c)、混凝土成熟度(M)与强度关系。

(一)抗压强度与龄期、成熟度的关系

抗压强度与龄期、成熟度的关系式为

$$R = G\lg\tau + H \tag{1-2-9}$$

$$R = g\lg M + h \tag{1-2-10}$$

$$M = \sum_{i=1}^{n}(10 + T_i\tau_i) \tag{1-2-11}$$

式中 τ_i——养护时间;

T_i——i 时段内混凝土温度的平均值;

G、H、g、h——试验常数;

其他符号意义同前。

(二)抗拉强度

轴心抗拉强度(σ)与劈裂抗拉强度(σ_P)的关系为:

$$\sigma = (1.22 \sim 1.37)\sigma_P \tag{1-2-12}$$

轴心抗拉强度(σ)与抗压强度(R)关系式为:

$$\lg\sigma = \lg K + m\lg R \tag{1-2-13}$$

式中 K——取0.3~0.4;

m 约等于0.7。

一般 $\sigma=(1/8\sim1/10)R$。当受荷弯曲时,考虑塑性变形,弯曲抗拉强度(σ_R)可以适当提高。一般 $\sigma_R = r\sigma$(r 为拉力区塑性系数,可取1.3~1.6)。

根据梁的抗弯试验,梁的各点强度按 Weibull 分布函数分布。

试验结果 m 取值7~13,受压时可取13,受拉时可取7。按 Weibull 公式(未做抗弯试验)计算的 r 见表1-2-11。

表1-2-11 拉力区塑性系数 r

V^*		取全部拉区体积			取纯弯段拉区体积		
m		7	10	13	7	10	13
加载方式	纯弯	1.48	1.36	1.29	1.48	1.36	1.29
	四分点弯曲	1.58	1.45	1.35	1.64	1.46	1.36
	三分点弯曲	1.68	1.50	1.39	1.74	1.52	1.41
	中心点加载	2.00	1.73	1.58	2.16	1.79	1.61

从试验和表1-2-11可归纳出：①受拉比受压强度变异性大，故 $m_{拉} < m_{压}$。②大试件强度离散性小于小试件。梁高的增加减小了梁的应变梯度，m 值应选大些，即 r 应选小些。③混凝土标号越高，强度离散性越小。大体积混凝土截面大，主要根据强度变差选定 m 值。框架梁与日气温变化寒潮及年气温变化的拉力区的 r 值应依次减小；可以选用不同的 r 值。

(三)弹模(E_c)

E_c 与 R 的关系式为：

$$E_c = \frac{1}{A + B/R} \times 10^5 \quad (\mathrm{MPa}) \tag{1-2-14}$$

式中　A、B——试验常数，A 一般为2.0左右，B 约为300。

如试验龄期间隔较大，可用式(1-2-15)内插公式插补，增加数据点，以便绘制出更适用的曲线。

$$E_{\tau 2} = E_{\tau 1} + (E_{\tau 3} - E_{\tau 1}) \frac{\lg\tau_2 - \lg\tau_1}{\lg\tau_3 - \lg\tau_1} \tag{1-2-15}$$

式中　τ_1、τ_2、τ_3——相邻的三个龄期，τ_2 是插补龄期。

(四)混凝土变形

混凝土变形包括混凝土初期的凝缩变形(塑性收缩)、自生体积变形、受力弹性变形、温度变形、徐变、干缩、碳化收缩、碱反应膨胀，以及其他化学反应(如硫化物反应)变形等约11种。其中直接影响温控计算的有以下4种。

1. 极限拉伸值(ε_P)

影响极限拉伸值的因素主要有水泥用量、骨料弹模及粒径、加荷速度等。ε_P 随水泥量增加而提高；骨料表面粗糙(如碎石)及骨料弹模低者 ε_P 较高；大骨料比小骨料 ε_P 要小；慢加荷比快加荷 ε_P 提高1～2倍。

σ 在1～3MPa范围内时

$$\varepsilon_P = (0.29 + 0.032\sigma) \times 10^{-4} \tag{1-2-16}$$

水泥用量 C 在200～400kg/m^3 时

$$\varepsilon_P = 0.65 + 0.008C - 0.000\,01C^2 \tag{1-2-17}$$

水灰比 $\frac{W}{C} = 0.5$ 时

$$\varepsilon_P = (0.4 + 0.21\lg\tau) \times 10^{-4} \tag{1-2-18}$$

上述试验常数可根据各工程的试验推求修正。

考虑混凝土塑性变形时

$$\varepsilon_P' = 1.28 \frac{\sigma_P}{E_c} \tag{1-2-19}$$

式中：数值1.28为塑性变形系数。构件受荷弯曲的极限拉伸值高于轴心受拉的极限拉伸值，据一些试验统计，有时可以高达1倍。

2. 干缩变形(S_c)

混凝土浇筑后表面水分蒸发可产生(200～1 000)×10^{-6}mm的表面收缩而引起裂

缝。水泥用量多、单位用水量大的混凝土干缩也大，另外，水泥品种及骨料组成对 S_c 也有影响。水泥浆和骨料与 S_c 的关系式为

$$S_c = S_P(1-A)^n \tag{1-2-20}$$

$$n = \frac{3(1-\mu)}{1+\mu+\dfrac{2(1-\mu)E_c}{E_A}} \tag{1-2-21}$$

式中 S_P——水泥浆干缩率；

A——骨料的绝对体积；

μ——混凝土泊松比；

E_c——混凝土弹模；

E_A——骨料弹模；

n 值一般取 1.2～1.7。

当建坝地点的风速大或湿度低时，要特别注意干缩问题。某坝夏季水分蒸发量大于降雨量 6 倍，混凝土表面产生了很多网状裂缝。如蒸发速度接近 1.0kg/(m²·h)时，必须注意防止干缩裂缝。蒸发速度可查图 1-2-1 得到。风速对蒸发影响见表 1-2-12。

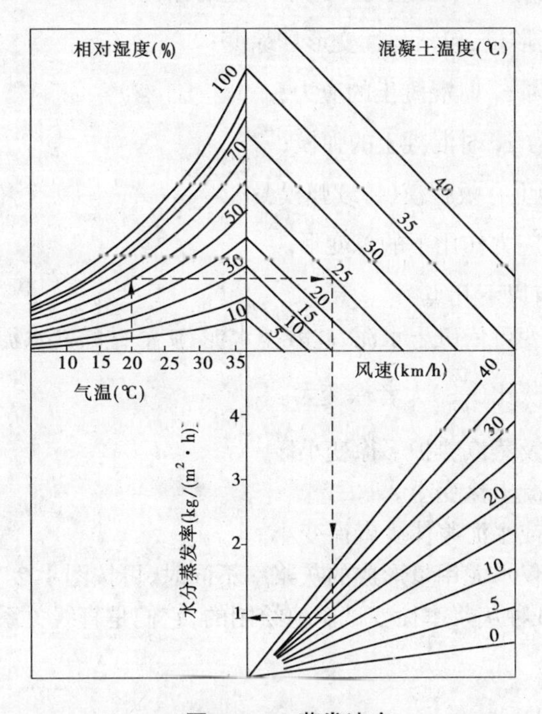

图 1-2-1　蒸发速度

表 1-2-12　风速与水分蒸发率关系

风速(m/s)	0	8	10	24	32	40
水分蒸发率(kg/(m²·h))	0.074	0.186	0.304	0.417	0.539	0.662

3. 自身体积变形

混凝土使用水泥品种不同,有的产生收缩,有的膨胀。一般情况下,膨胀作为安全储备,可不考虑。收缩时,以当量5℃参与温控计算。

4. 混凝土徐变及松弛系数(K_P)

混凝土是一种弹性徐变体,在某龄期施荷并持荷下去,混凝土经过瞬时弹性变形后随持荷龄期继续增加而变形,该部分变形即为徐变变形。若 τ_1 龄期加荷,持荷至 t,其总变形为

$$\varepsilon_{x(t,\tau_1)} = \frac{\sigma_{x(\tau_1)}}{E_{(\tau_1)}} + \sigma_{x(\tau_1)} C_{(t,\tau_1)} = \sigma_{x(\tau_1)} \cdot \delta_{(t,t_1)} \tag{1-2-22}$$

$$\delta_{(t,\tau_1)} = \frac{1}{E_{(\tau_1)}} + C_{(t,\tau_1)}$$

$\delta_{(t,\tau_1)}$的倒数称为有效弹模

$$E^*_{(t,\tau_1)} = \frac{1}{\delta_{(t,\tau_1)}}$$

式中 $C_{(t,\tau_1)}$——徐变度,即单位应力作用下产生的徐变;

$\varepsilon_{x(t,\tau_1)}$——总变形量,包括弹性变形和徐变;

$\sigma_{x(\tau_1)}$——龄期为 τ_1 时混凝土的应力;

$E_{(\tau_1)}$——龄期为 τ_1 时混凝土的弹模;

$E^*_{(t,\tau_1)}$——混凝土有效弹模(持续弹模);

$\delta_{(t,\tau_1)}$——单位应力作用下的总变形。

影响徐变的因素有以下几点:

(1)水泥品种。徐变可依矾土水泥、硅酸盐水泥、矿渣硅酸盐水泥顺次提高。

(2)水泥用量与水灰比($\frac{W}{C}$)大者徐变大。

(3)处于潮湿环境及蒸汽养护下徐变小。

(4)掺混合料后混凝土徐变小。

(5)骨料粒径大者或水泥浆体少者徐变小。

当其他条件相同,仅水泥用量形成的灰浆率不同时,可按图1-2-2进行修正。该图是根据31d龄期加荷的3种灰浆率徐变试验值绘制的,它们是直线关系,不同龄期加荷亦应修正。

1)徐变计算公式

徐变试验时间较长,在温控设计中可借用条件类似的工程试验资料加以修正或根据短时间徐变试验资料、弹模推算,并配成徐变计算公式来进行徐变应力计算。

徐变计算公式很多,仅列几种如下:

(1)近似计算公式

$$C_{(t,\tau)} = C_0\left(1 + \frac{A}{\tau}\right)\left[1 - e^{-K(t-\tau)}\right] \times 10^{-5} \tag{1-2-23}$$

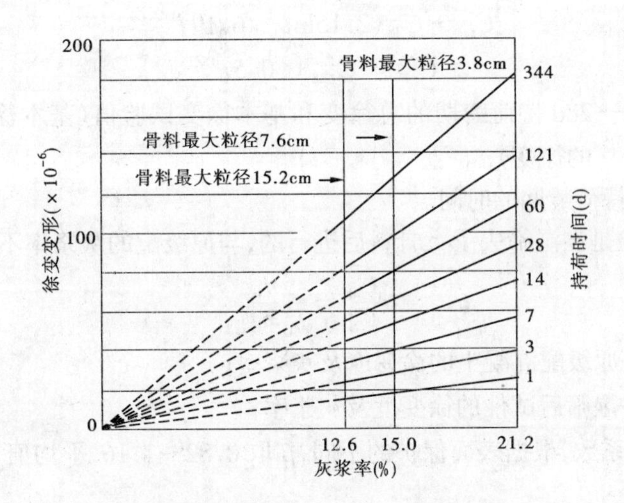

图 1-2-2　灰浆率与混凝土徐变关系

式中　C_0——常数，$C_0=\dfrac{1}{E_{90}}$，E_{90}为 90d 龄期混凝土弹模；

　　τ——龄期；

　　A、K——常数。

本式虽计算简单，但与试验数据偏离稍大。

(2)朱伯芳公式

$$C_{(t,\tau)}=C_a(1+9.2\tau^{-0.45})[1-e^{-0.3(t-\tau)}]+C_b(1+1.7\tau^{-0.45})[1-e^{-0.005(t-\tau)}]\quad(10^{-6}/\text{MPa})\tag{1-2-24}$$

式中　C_a、C_b——常数，$C_a=2.3/E_0$，$C_b=5.2/E_0$，$E_0\approx1.05E_{360}$或$E_0\approx1.2E_{90}$，其中E_{360}、E_{90}分别表示龄期为 360d、90d 的混凝土弹模；

　　τ——龄期；

　　t——持荷时间。

(3)由瞬时弹模推求

$$C_{(t,\tau)}=\frac{1}{R(\tau)}[A(t')+C(t')-D(t')+B(t')]\tag{1-2-25}$$

式中　$R(\tau)$——混凝土 τ 龄期时折算强度，$R(\tau)=36E_\tau/(10^{-6}-1.7E_\tau)$；

　　$A(t')$——混凝土基本变形函数，$A(t')=151\ln(t'+1)$，$t'=t-\tau$；

　　$C(t')$——加荷龄期变形修正函数，$C(t')=\dfrac{133(28-\tau)}{\tau+50}\sin0.438\cdot\ln(t'+1)$；

　　$D(t')$——持荷衰减变形函数，$D(t')=\dfrac{550t'\tau^{-0.5}}{320+[t'-4(t')^{2.616}\times10^{-7}]}$；

　　$B(t')$——附加初期变形修正函数，$B(t')=0.99^{1/t'}\times\dfrac{33.5(t'+120)}{(t'-1.5)^2+121}(1+\dfrac{11.7}{\tau^2})$。

上式不适于掺煤灰混凝土，初设估算时只考虑 $A(t')$ 一项即可。

(4)由 28d 徐变试验值推求(鲍罗克斯 J.J.Brooks)

总徐变 $$C_t = C_{28}(2.15\ln t - 6.19)^{1/2.64} \tag{1-2-26}$$

基本徐变 $$C'_t = C'_{28} \times 0.5t^{0.21}$$

式中 C_{28}、C'_{28}——28d 持荷龄期的总徐变和基本徐变试验值(基本徐变为绝湿养护下的徐变);

t——推求持荷龄期的时间。

小件徐变试验是在湿筛去了大骨料后进行的,与原级配的灰浆率不同。

$$\frac{C_0}{C_S} = \beta \frac{n_0}{n_S} \tag{1-2-27}$$

式中 C_0、n_0——原级配混凝土的徐变度及灰浆率;

C_S、n_S——湿筛后试件的徐变度及灰浆率;

β——试验系数,根据表面保护的不同,β 取 0.82~1.16,平均值为 0.99。

2)徐变内插

当徐变试验 τ 或 t 需内插时按下式计算。

加荷龄期内插

$$C_{(t,\tau_m)} = C_{(t,j)} + [C_{(t,j+1)} - C_{(t,j)}]\frac{\lg\tau_m - \lg j}{\lg\tau_{(j+1)} - \lg j} \tag{1-2-28}$$

持荷龄期内插

$$C_{(t_m,\tau)} = C_{(i,\tau)} + [C_{(i+1,\tau)} - C_{(i,\tau)}]\frac{\lg t_m - \lg i}{\lg t_{(i+1)} - \lg i} \tag{1-2-29}$$

式中 τ_m——加荷龄期内插时间;

j、$(j+1)$——τ_m 前后试验加荷龄期;

t_m、i——持荷龄期,意义与加荷龄期内插相同。

3)松弛系数计算

松弛系数反映了由于混凝土徐变引起的应力松弛,一般可根据徐变资料计算松弛系数 K_P。K_P 的计算公式较多,这里仅就与试验成果较接近及工程常用的方法介绍如下。

(1)列维尔根据试验回归的公式

$$K_{P(t,\tau)} = a\mathrm{e}^{-b} \tag{1-2-30}$$

式中 a——常数,取 0.91;

b——$b=0.686\varphi$,φ 为徐变系数($\varphi = E_\tau C_{(t,\tau)}$)。

(2)继效流动理论公式

$$K_{P(t,\tau)} = \frac{1}{1+\varphi_{d(t,\tau)}}\mathrm{e}^x \tag{1-2-31}$$

$$x = -\int_\tau^t \overline{E}_t C'_{f(t,\tau)}\,\mathrm{d}t \tag{1-2-32}$$

式中 $\varphi_{d(t,\tau)}$——可恢复徐变变形的徐变系数;

$\overline{E}_t$——可恢复徐变变形,$\overline{E}_t = \frac{E_t}{1 + C_d \cdot E_t}C_d$;

$C'_{f(t,\tau)}$——不可恢复徐变变形函数对时间 t 的导数。

(3)叠加法

$$K_{P(t,\tau)} = 1 - \sum_{i=1}^{n} \Delta\sigma_i \tag{1-2-33}$$

式中　$\Delta\sigma_i$——i 时段的应力增量。

分析徐变的两个原则:①徐变变形与应力成正比,无论抗压或抗拉,其比例常数大体相等;②同一种混凝土单位应力徐变曲线变化基本一致,不同加荷龄期徐变曲线基本平行。

实际的温度应力都是随时变化的。持荷 t 时的总变形为:

$$\varepsilon_t = \frac{\sigma_{\tau_0}}{E_{\tau_0}} + \sigma_{\tau_0} \cdot C_{(t,\tau_0)} + \int_{\tau_0}^{t} \left[\frac{1}{E_\tau} + C_{(t,\tau)}\right] d\tau \tag{1-2-34}$$

变形受到约束,$\varepsilon_t = C$,由于混凝土的徐变性质,应力 σ_τ 将不断调整。$\varepsilon_t = \dfrac{\sigma_{\tau_0}}{E_{\tau_0}} = \varepsilon_0 = C$,则

$$\sigma_{\tau_0} C_{(t,\tau_0)} + \int_{\tau_0}^{t} \left[\frac{1}{E_\tau} + C_{(t,\tau)}\right] d\sigma_\tau = 0 \tag{1-2-35}$$

以 $\sigma_{\tau_0} = 1$ 代入式(1-2-35),算出 σ_τ 即为徐变应力。式(1-2-35)用数值解,将整个龄期划分为 n 个时段,设在时段的中点龄期上发生一应力增量 $-\Delta\sigma_i$,则式(1-2-35)改为

$$C_{(t,\tau_0)} - \sum \Delta\sigma_i \left[\frac{1}{E_{\bar{\tau}_i}} + C_{(t,\bar{\tau}_i)}\right] = 0$$

$$C_{(t,\tau_0)} - \sum \Delta\sigma_i \delta_{(t,\bar{\tau}_i)} = 0 \tag{1-2-36}$$

$t = \tau_1$ 时

$$C_{(\tau_1,\tau_0)} = \Delta\sigma_1 \delta_{(\tau_1,\bar{\tau}_1)}, \Delta\sigma_1 = \frac{C_{(\tau_1,\tau_0)}}{\delta_{(\tau_1,\bar{\tau}_1)}}$$

$t - t_2$ 时

$$C_{(\tau_2,\tau_0)} = \Delta\sigma_1 \delta_{(\tau_2,\bar{\tau}_1)} - \Delta\sigma_2 \delta_{(\tau_2,\bar{\tau}_2)}$$

则

$$\Delta\sigma_2 = \frac{\Delta\sigma_1 \delta_{(\tau_2,\bar{\tau}_1)} - C_{(\tau_2,\tau_0)}}{\delta_{(\tau_2,\bar{\tau}_2)}}$$

类推至 $t = \tau_i$

$$\Delta\sigma_i = \frac{C_{(\tau_i,\tau_0)} - \sum_{j=1}^{i\ 1} \Delta\sigma_j, \delta_{(\tau_i,\bar{\tau}_j)}}{\delta_{(\tau_i,\bar{\tau}_i)}} \tag{1-2-37}$$

按式(1-2-37)列表计算如表 1-2-13 所示。$K_{P(t,\tau)} = 1 - \sum_1^n \Delta\sigma_i$,$K_P$ 早期变化大,早期时段 $\Delta\tau$ 应取小些。可考虑表 1-2-14 的取值。

某工程徐变度 C 试验值见表 1-2-15。

表 1-2-13　松弛系数 $K_{P(t,\tau)}$ 计算表

(1) τ_i	(2) $C_{(\tau_i,\tau_0)}$	(3) $\delta_{(\tau_i,\bar{\tau}_i)}$	(4) $\Delta\sigma_i\delta_{(\tau_i,\bar{\tau}_j)}$						(5) $(2)-\sum$	(6) $\Delta\sigma_i=\frac{(5)}{(3)}$	(7) $K_P=1-\sum(6)$
τ_1	$C_{(\tau_1,\tau_0)}$	$\delta_{(\tau_1,\bar{\tau}_1)}$	$\sum_1=0$	$\Delta\sigma_1\delta_{(\tau_2,\bar{\tau}_1)}$	$\Delta\sigma_1\delta_{(\tau_3,\bar{\tau}_1)}$	$\Delta\sigma_1\delta_{(\tau_4,\bar{\tau}_1)}$	$\Delta\sigma_1\delta_{(\tau_5,\bar{\tau}_1)}$	…	$C_{(\tau_1,\bar{\tau}_0)}-0$	$\Delta\sigma_1$	$1-\Delta\sigma_1$
τ_2	$C_{(\tau_2,\tau_0)}$	$\delta_{(\tau_2,\bar{\tau}_2)}$	$\delta_{(\tau_2,\bar{\tau}_1)}$	$\sum_2$	$\Delta\sigma_2\delta_{(\tau_3,\bar{\tau}_2)}$	$\Delta\sigma_2\delta_{(\tau_4,\bar{\tau}_2)}$	$\Delta\sigma_2\delta_{(\tau_5,\bar{\tau}_2)}$	…	$C_{(\tau_2,\bar{\tau}_0)}-\sum_2$	$\Delta\sigma_2$	$1-(\Delta\sigma_1+\Delta\sigma_2)$
τ_3	$C_{(\tau_3,\tau_0)}$	$\delta_{(\tau_3,\bar{\tau}_3)}$	$\delta_{(\tau_3,\bar{\tau}_1)}$	$\delta_{(\tau_3,\bar{\tau}_2)}$	$\sum_3$	$\Delta\sigma_3\delta_{(\tau_4,\bar{\tau}_3)}$	$\Delta\sigma_3\delta_{(\tau_5,\bar{\tau}_3)}$	…	$C_{(\tau_3,\bar{\tau}_0)}-\sum_3$	$\Delta\sigma_3$	$1-(\Delta\sigma_1+\Delta\sigma_2+\Delta\sigma_3)$
τ_4	$C_{(\tau_4,\tau_0)}$	$\delta_{(\tau_4,\bar{\tau}_4)}$	$\delta_{(\tau_4,\bar{\tau}_1)}$	$\delta_{(\tau_4,\bar{\tau}_2)}$	$\delta_{(\tau_4,\bar{\tau}_3)}$	$\sum_4$	$\Delta\sigma_4\delta_{(\tau_5,\bar{\tau}_4)}$	…	$C_{(\tau_4,\bar{\tau}_0)}-\sum_4$	$\Delta\sigma_4$	$1-(\Delta\sigma_1+\Delta\sigma_2+\Delta\sigma_3+\Delta\sigma_4)$
τ_5	$C_{(\tau_5,\tau_0)}$	$\delta_{(\tau_5,\bar{\tau}_5)}$	$\delta_{(\tau_5,\bar{\tau}_1)}$	$\delta_{(\tau_5,\bar{\tau}_2)}$	$\delta_{(\tau_5,\bar{\tau}_3)}$	$\delta_{(\tau_5,\bar{\tau}_4)}$	$\sum_5$	…	$C_{(\tau_5,\bar{\tau}_0)}-\sum_5$	$\Delta\sigma_5$	$1-\sum\Delta\sigma_i$
例:混凝土 3d 龄期遭遇 4d 寒潮 K_P 计算											
3	1.34	8.36	$\sum_1=0$	1.51	1.61	1.75			1.34−0=1.34	0.16	0.84
4	2.40	6.98	9.42	$\sum_2=1.51$	1.02	1.11			2.40−1.51=0.89	0.13	0.71
5	3.06	6.28	10.08	7.84	$\sum_3=2.63$	0.49			3.06−2.63=0.49	0.07	0.64
6	3.89	5.84	10.91	8.51	7.02	$\sum_4=3.35$			3.89−3.35=0.54	0.09	0.55

表 1-2-14　各时段 $\Delta\tau$ 取值参考表

$t\sim\tau$	0～1d	1～7d	7～30d	30～180d	180～360d
$\Delta\tau$	≤0.5d	1～2d	5～10d	10～30d	30～50d

由于影响徐变的因素多,各种混凝土又没有统一的计算公式,一般须根据试验数据拟合成符合精度的公式。

表 1-2-15　某工程徐变度 C 试验值　　（单位：$\times10^{-6}cm^2/kg$）

龄期 τ(d)		3	7	28	90	180	360	备注
抗压强度(MPa)		6.12	10.54	15.9	16.46	19.1	23.23	
$E(\times10^4MPa)$		1.73	2.04	2.65	3.14	3.43	3.65	
强模比例		0.65	0.77	1.00	1.18	1.19	1.38	以 28d 弹模 E 为 1.0
$t-\tau$	0	0	0	0	0	0	0	混凝土为四级配,混凝土级配为1:3.4:12.81,水灰比 $\frac{W}{C}=$ 0.65,灰浆率11.52%
	0.5	0.90	0.718	0.43	0.28	0.24	0.19	
	1.0	1.40	1.134	0.70	0.462	0.38	0.30	
	2.0	2.02	1.648	1.04	0.680	0.56	0.44	
	3.0	2.50	1.880	1.22	0.85	0.66	0.53	
	7.0	3.34	2.58	1.80	1.15	0.89	0.71	
	14	4.09	3.19	2.26	1.47	1.12	0.90	
	28	4.98	3.83	2.71	1.79	1.36	1.09	
	60	5.94	4.47	3.25	2.20	1.66	1.36	
	90	6.26	4.70	3.52	2.44	1.84	1.52	
	180	6.70	4.99	3.93	2.82	2.17	1.85	
	250	6.84	5.14	4.12	3.00	2.36	2.02	
	360	7.01	5.26	4.35	3.21	2.57	2.27	
	540	7.17	5.41	4.68	3.56	2.86	2.55	
	730	7.56	5.51	4.98	3.83	3.17	2.74	
	910			5.17			2.89	
	1 095			5.32			2.99	
	1 275			5.46			3.07	
	1 460			5.59				

四、混凝土断裂参数

(一)断裂韧度(K_c)

当混凝土已裂缝时,其缝端有一定的破损宽度,此时应力在缝尖的奇异性已消除,但当混凝土达到某一强度后,其应力强度因子 K 将超过其临界值 K_c 时,裂缝将扩展。K_c 即被称为断裂韧度。

混凝土裂缝扩展有 3 种形态:

(1)单向拉伸。应力与缝面垂直拉裂。断裂韧度称 $K_{Ⅰc}$。

(2)剪应力在缝方向沿其面剪切。断裂韧度称 $K_{Ⅱc}$。

(3)剪应力作用在缝方向的垂直撕裂。断裂韧度称 $K_{Ⅲc}$。

建筑物在施工期的裂缝主要是由单向拉伸拉裂,运用期的裂缝多为 3 种裂缝的复合型。

1. 影响 K_c 的因素

(1)K_c 与混凝土强度成正比。

(2)K_c 随$\frac{W}{C}$增大而减小,当$\frac{W}{C}>0.6$时,K_c 随$\frac{W}{C}$增大减小很少。

(3)碎石比卵石混凝土的 K_c 大,尤以早期显著。

(4)加载速度提高,K_c 有提高的趋势。

(5)粗骨料粒径大,有止缝作用。有资料认为粗骨料粒径为 40mm 时 K_c 最大。粗骨料的含量大者 K_c 大,但也有一个最佳含量。据美国混凝土学会 224 专题报告的资料,粗骨料含量与 K_c 关系见表 1-2-16。

表 1-2-16 粗骨料含量与 K_{Ic} 关系

G(%)	0	24	33	40	42	47
K_{Ic}比例	1.00	1.17	1.22	1.23	1.47	1.35

2. K_c 的尺寸效应

建筑物的实际尺寸比试件大得多,而试件尺寸越大,K_c 也增大,此即尺寸效应。试件高度在 2.0m 以上时 K_c 趋于常数。根据田明伦等做的试验,不同试件高度与 K_{Ic} 值关系见表 1-2-17。

表 1-2-17 试件高度与 K_{Ic} 关系

试件高度(cm)	20	40	80	120	160	200
K_{Ic}(kg/cm$^{3/2}$)	78.87	85.35	93.96	118.96	127.00	126.21
尺寸效应系数 ξ	1.00	1.08	1.19	1.51	1.61	1.60

尺寸效应系数 ξ 是以梁高 20cm 为 1.0 作为参数。由于试件标准尺寸为 10cm×10cm,故实际的 ξ 应更大。有的专家认为 $\xi=1.7\sim2.0$,有的专家认为大试件试验做得少,偏于安全 ξ 取 1.2(故县大坝 K_c 试验者推荐)。东江拱坝核算裂缝 ξ 采用 2.0,柘溪采用 1.7。

若试件大小不同,可以按下式进行换算。

$$K_{Ic}^{i}=K_{Ic}^{1}\sqrt{\frac{h_i}{h_1}}\left(\frac{V_1}{V_i}\right)^{1/\alpha}$$

式中 h——试件高度;

V——试件体积;

α——Weibull 模数。

带角标 1 的项目为已试验的资料,带角标 i 的项目为换算另一种试件尺寸的计算数据;Weibull 模数 α 由已试验的 K_{Ic} 离差系数 C_v 求出。

$$\frac{\gamma\left(1+\frac{2}{\alpha}\right)}{\gamma^2\left(1+\frac{1}{\alpha}\right)} = 1 + C_v^2 \tag{1-2-38}$$

式中　γ——伽马函数。

3. $K_{\mathrm{I}c}$与混凝土强度及龄期的关系

$$K_{\mathrm{I}c} = (2.4 \sim 2.86)\sigma_P, K_{\mathrm{I}c} = 0.23R_{10} \tag{1-2-39}$$

式中　R_{10}——10cm×10cm 标准试件的抗压强度；

σ_P——混凝土的劈裂强度。

对于低标号混凝土，$K_{\mathrm{I}c}$与σ_P有着良好的线性关系；对于高标号混凝土则σ_P与$K_{\mathrm{I}c}/R$呈良好的线性关系。

东江双曲拱坝R_{90}350号混凝土(10cm×10cm)$K_{\mathrm{I}c}$试验结果如表1-2-18所示。

表1-2-18　东江双曲拱坝R_{90}350号混凝土$K_{\mathrm{I}c}$试验值

龄期(d)	5	10	20	30	40	50	70	90
σ(kg/cm^2)	16	19	24	26	27	27.5	28	28.5
$K_{\mathrm{I}c}$(kg/cm$^{3/2}$)	32	46	56	61	63	64	66	67

故县大坝三种混凝土配比A(R_{90}200号外部)、B(R_{90}200号基础内部)、C(R_{90}150号内部)$K_{\mathrm{I}c}$试验结果见表1-2-19。

表1-2-19　故县大坝断裂参数与龄期关系

项目	配比	龄期(d)				备注
		7	14	28	90	
抗压强度(MPa)	A	12.82	17.87	23.90	33.96	3d龄期试验结果不准确，故未列出；A的配合比为1∶2.72∶9.13，水灰比$\frac{W}{C}$=0.55采用荆门水泥；B的配合比为1∶2.26∶9.03，水灰比$\frac{W}{C}$=0.5，采用洛普水泥；C的配合比为1∶3.13∶11.77，水灰比$\frac{W}{C}$=0.64，采用洛普水泥；B、C掺20%粉煤灰
	B	16.66	17.20	22.37	25.96	
	C	10.32	12.32	15.04	21.00	
轴拉强度(MPa)	A	1.77	2.20	2.24	3.04	
	B	1.63	2.02	2.03	2.40	
	C	1.18	1.38	1.74	1.86	
$K_{\mathrm{I}c}$(MN/m$^{3/2}$)	A	0.313 9	0.363 3	0.432 5	0.669 8	
	B	0.261 1	0.291 8	0.345 1	0.563 3	
	C	0.208 9	0.244 1	0.286 7	0.483 0	
G_F(N/m)	A	47.48	80.15	113.75	172.42	
	B	39.80	73.99	94.53	156.10	
	C	37.22	65.70	91.70	149.21	

（二）断裂能（G_F）

混凝土从发生裂缝到完全断裂需要一定的能量 G_F。当混凝土达到弹性极限强度（f_t）时，也达到其极限变形（ε_s），裂缝开始进入破损阶段，但还能有一定强度。随着大于 ε_s 的变形增加，σ 逐渐减少。当变形达到断裂变形（ε_u）时，$\sigma=0$，混凝土完全断裂，不能再承担应力。此过程有两种形式，见图 1-2-3。图中 ε 为位移，ε_u 为达到断裂时的位移。图 1-2-3(a)的 ε_u 为：

$$\varepsilon_u = 2G_F/(f_t \cdot h) \tag{1-2-40}$$

式中　h——缝端破损宽度，一般为 6cm。

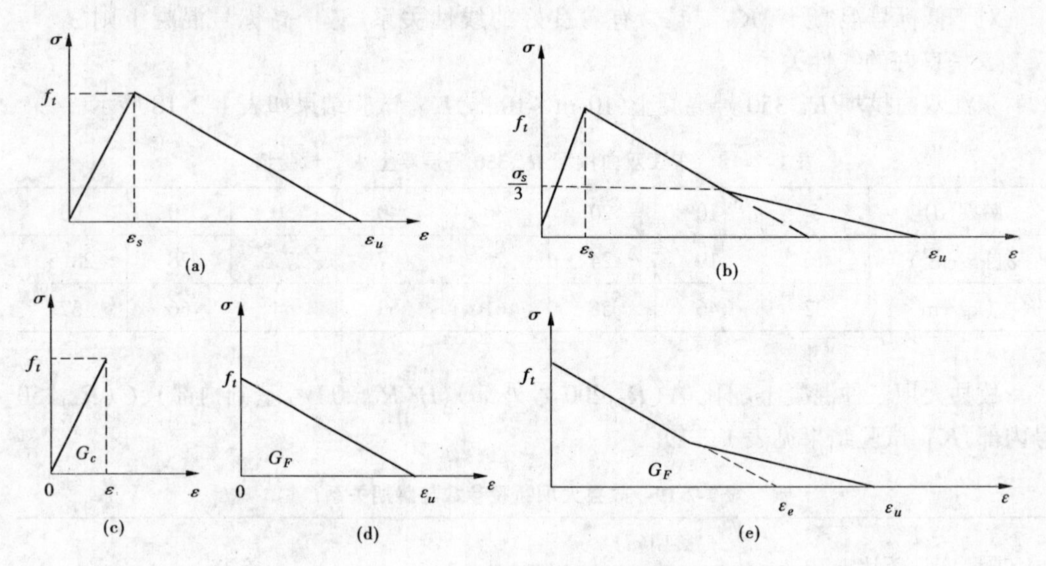

图 1-2-3　混凝土断裂过程示意图

图 1-2-3(b)更符合实测资料，为计算简便，一般以图 1-2-3(a)代表断裂参数。G_c 为裂缝的临界断裂能，当混凝土断裂能达到 G_c 时混凝土开始裂缝。

C_F 的属性与 K_c 类似，也有尺寸效应问题。根据某些试验资料，G_F 与梁高的关系参见表 1-2-20。

表 1-2-20　G_F 与梁高的关系

项目	梁高（cm）	G_F	梁高（cm）	G_F	梁高（cm）	G_F
大连理工大学	15	1.0	50	2.53		
河海大学	10	1.0	40	3.20	80	5.8
国外资料	10	1.0	30	1.30		
建议故县大坝采用						4.0

故县 G_F 值见表 1-2-19。G_F 与龄期 τ 的关系，对配比 A，$G_F=20.2\tau^{0.49}$；配比 B，$G_F=16.7\tau^{0.51}$；配比 C，$G_F=14.7\tau^{0.53}$。

五、膨胀混凝土性能

水电工程目前推广的补偿收缩混凝土(微膨胀混凝土)有两种。一种为提高水泥中的氧化镁(MgO)含量;另一种为掺膨胀水泥(也称膨胀剂),利用水化后的钙矾石产生早期膨胀,明矾石产生中期膨胀。二者均用于实际工程的某些部位,但属推广阶段,故在施工前必须进行试验,研究其适应性。

(一)MgO 混凝土

在拌和时掺入 MgO,须控制其掺量。如掺量过大会因膨胀量过大而破坏混凝土,故水泥熟料规范中规定 MgO 的含量不大于 5%。国内除少数几个厂家的水泥 MgO 含量接近 5%外,其他厂家 MgO 含量都很低,均可考虑掺 MgO。

氧化镁混凝土除进行与普通混凝土相同的试验项目外,还须进行不同养护温度、不同掺量的自由膨胀及约束膨胀试验。MgO 混凝土一般从龄期 7d 开始膨胀,7～28d 产生膨胀变形,28～180d 膨胀率达$(100\sim150)\times10^{-6}$,以后膨胀量稳定不变。MgO 混凝土的徐变较普通混凝土大,持荷 3～360d,加荷龄期 3、7、28d 的徐变比普通混凝土平均分别大 1.14、1.16、1.15 倍。

MgO 混凝土的膨胀量随养护温度的提高而增大。某些试验资料见表 1-2-21。

表 1-2-21　不同养护温度的混凝土自生体积变形

氧化镁掺量(%)	养护温度(℃)	自生体积变化($\times10^{-6}$)							
		3d	5d	7d	14d	28d	40d	63d	90d
0	50	5.3	6.0	6.0	-2.0	-0.9	-0.9	-7.6	-2.5
4	20	10.8	11.8	19.4	26.0	35.6	39.2	46.9	54.0
4	30	9.4	15.8	19.0	28.2	41.2	51.1	60.2	74.4
4	40	17.1	28.0	30.6	47.8	65.1	76.9	90.2	97.0
4	50	26.4	37.5	47.9	64.1	82.6	86.1	107.2	117.5

根据试验数据可以拟合成公式

$$\varepsilon_0(T,\tau) = (A_1 + B_1T + C_1T^2)(1 - e^{-D_1\tau}) + (A_2 + B_2T + C_2T^2)(1 - e^{-D_2\tau}) \quad (1\text{-}2\text{-}41)$$

式中　T——温度;

τ——龄期;

A_1、B_1、C_1、D_1、A_2、B_2、C_2、D_2——待定系数;

ε_0——膨胀量计算值。

则计算误差为

$$\Delta = \sum_{j=1}^{n}[\varepsilon_{0(T_j,\tau_j)} - \bar{\varepsilon}_{0(T_j,\tau_j)}]^2 \quad (1\text{-}2\text{-}42)$$

式中　$\bar{\varepsilon}_0$——试验值;

n——试验点。

若使 Δ 为极小，可求出 A_1、B_1、C_1、D_1、A_2、B_2、C_2、D_2，若混凝土自生体积不受温度影响，则 $B_1=C_1=B_2=C_2=0$。

（二）膨胀水泥（UEA）

膨胀水泥与 MgO 的膨胀机理不同，但其阻裂作用是一致的。一般膨胀水泥的掺量为 8%～12%。在限制膨胀下的混凝土的抗压强度比自由膨胀混凝土高 10%～20%，徐变大 1.5 倍左右。某试验的自由膨胀率见表 1-2-22、表 1-2-23。

表 1-2-22　自由膨胀率试验值 1

项目		抗压强度(MPa)		自由膨胀率 $\varepsilon(\times10^{-4})$						坍落度
龄期		7d	28d	1d	3d	7d	14d	28d	60d	(cm)
UEA 掺量(%)	0	27.2	37.3	0.59	1.0	1.19	2.12	0.23	−0.63	6
	12	34.3	43.2	1.0	2.9	3.5	3.9	4.4	4.9	

表 1-2-23　自由膨胀率试验值 2

水泥品种	水泥净浆自由膨胀率(%)						备　注
	3d	7d	28d	180d	1a	3a	
U 型膨胀水泥	0.380	0.532	0.824	0.936	0.950	0.985	掺 10%U
K 型膨胀水泥	0.420	0.426	0.426	0.431	0.425	0.430	掺 10%CSA
明矾石膨胀水泥	0.810	0.910	0.990	1.040	1.050	1.150	

（三）限制膨胀率

利用钢筋或固定边界限制混凝土膨胀，可以获得预压应力，从而抵消混凝土的部分收缩应力。因此，需试验限制膨胀率，并在设计中选定所需的限制膨胀率。某试验的膨胀率见表 1-2-24。

表 1-2-24　各种板需要的棱柱体试件膨胀率

体积/表面积(cm)	试件种类	膨胀率($\times10^{-6}$)		
		$\mu=0.18\%$	$\mu=1.0\%$	$\mu=2.0\%$
3.8	限制	470	830	940
	自由	960	1 730	2 090
7.6	限制	390	690	780
	自由	800	1 440	1 740
11.4	限制	320	560	640
	自由	600	1 180	1 420

注：μ 为含筋率。

限制膨胀的受压混凝土徐变比自由膨胀混凝土小。限制程度愈大，徐变值愈小。在 1.5MPa 压力、含筋率 $\mu=0.45\%$时，其徐变值低 20%（210d）。受拉徐变亦是如此。徐变随持荷时间的增加，受拉比受压的大。

补偿收缩混凝土是目前水电工程推广的新技术，应根据设计的不同要求进行有关的各种试验，以满足计算需要。

六、混凝土原材料

（一）骨料

骨料对混凝土的热学性能、热膨胀、干缩及弹模均起主要作用。一般来说，高密度及低吸水率的骨料会显示低收缩。各种岩性骨料的线性膨胀系数 α 值及 1 年的收缩率见表 1-2-25。

表 1-2-25　骨料 α 值及收缩率

骨料岩性	石英岩	石灰岩	花岗岩	白云岩	玄武岩	砂岩	燧石
$\alpha(\times10^{-6})$	8.6	6.3	7.1	9.5	6.3	11.6	6.3
1 年收缩率（%）	0.040	0.050	0.063		0.068	0.097	

低收缩型的骨料是石英岩、石灰岩、花岗岩、燧石、闪长石等；高收缩型的骨料是砂岩、板岩及某些玄武岩、角闪岩等。高导热性的骨料是石英岩、石灰岩、白云岩及花岗岩等；低弹模的骨料是砾岩、石灰岩、闪长岩、玄武岩等。但要注意，由于岩性复杂，即使是同一种岩石（如玄武岩），其矿物成分也并不完全相同，其性能也不一样。考虑到水工混凝土的要求，骨料弹模 E_g 以 $(2\sim3)\times10^4$ MPa 较合适。一般说石灰岩是可以满足这个要求的，因其 α 值低，导热性能好，是一种较理想的材料。

当水灰比 $\frac{W}{C}$ 不变时，骨料用量多，骨料粒径大者可以使水泥用量减少，此时的混凝土绝热温升低。对于软弱骨料，由于吸水性大，坚固性差，尤其对抗冲、抗冻有较大影响，所以骨料中的软弱物质含量应有适当的限制。骨料的不安定性是指遇水后产生膨胀或不能保持其坚固性，其与吸水率的关系见图 1-2-4。

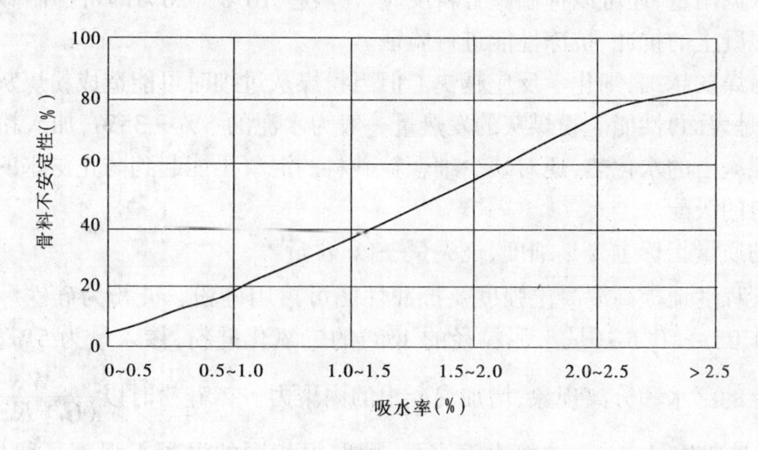

图 1-2-4　骨料不安定性与吸水率关系

骨料吸水多了，也易造成混凝土碳化及钢筋锈蚀。

含有无定形 SiO_2 的骨料称为碱骨料。SiO_2 与水泥中的碱吸水后形成碱硅凝胶反应，使混凝土发生膨胀破坏。现已查明的碱骨料有蛋白石、玉髓及隐晶质流纹岩等一二十种岩石。

(二)水泥及掺合料

水泥矿物成分对混凝土性能的影响见表 1-2-26。水泥的含碱量($Na_2O+0.658K_2O$)一般不超过 1%，如有碱骨料反应则应小于 0.6%。根据第五届国际碱骨料会议的意见，每立方米混凝土含碱量不应大于 2.45kg。据此，当不用含碱的拌和水及外加剂时，含碱量为 0.6%或 1%的水泥用量极限值分别为 408kg/m³ 或 244kg/m³；如果水泥用量必须增加，应研究防止碱反应的措施。

表 1-2-26　水泥矿物成分及混凝土性能

矿物名称	含量(%)	水化速度	水化热	强度	抗蚀	干缩	耐磨
C_3S	37～60	快	大	高	中等	中等	良好
C_2S	15～37	慢	小	早期低 后期高	良好	中等	不好
C_3A	7～15	最快	最大	低	不好	不好	中等
C_4AF	10～18	快	中等	较高	良好	良好	中等

碱硅反应随活性骨料含量和混凝土含碱量之比(碱硅化)而变化。碱硅比有一个安全值，超过此比例就会因产生危害性膨胀而引起裂缝。活性骨料含量高则混凝土含碱量亦可高而无破坏膨胀之虞。因此，在混凝土碱反应试验时，应以混凝土配比中活性骨料量的多少为依据与不同的碱含量进行试验为宜。

为降低水化热或降低高标号水泥用量，在大体积混凝土中常掺加惰性混合材料，如凝灰岩(粉)、火山灰、矿渣、粉煤灰等，尤以粉煤灰掺用较多。粉煤灰不仅可以降低水化热和减少高标号水泥用量，还可以抑制碱骨料反应，一般掺 10%～20%即可抑制碱性膨胀，但掺用后应对混凝土的抗冲、抗冻性能进行验证。

水泥及粉煤灰越细，则化学反应越快。但当粉煤灰过细时可能造成粉煤灰上浮，影响混凝土(尤其是表面)性能。粉煤灰的发热量一般为水泥的 5%～35%，加入粉煤灰后，不仅可以降低混凝土的水化热，还对缺少细颗粒砂料的混凝土能起到防止泌水的作用，并可以改善细骨料的级配。

粉煤灰的质量指标主要是细度、烧失量、SO_3 含量等。

为了更大程度地提高混凝土强度及抗冲性能可掺用硅粉。硅粉为硅铁厂的副产品，颗粒直径为 $0.05\mu\sim0.5\mu$(是水泥粒径的 1%)的二氧化硅粉，掺入量为 5%～10%。它能减轻混凝土的泌水和分离现象，增加混凝土的内聚力。掺硅粉时以 $\frac{W}{(C+KS)}$ 计算水灰比，其中 S 为硅粉重量；K 为硅粉水泥当量，即取得相同的混凝土强度可取代水泥的重量，一般 $K\approx3$，C 为水泥重量。硅粉与水泥的水化热相近，但由于用量减少，实际上水化热仅为水泥的1/3。

七、基岩弹模(E_g)及基岩热学性能

基岩弹模对基础混凝土的温度应力影响很大。由于基岩地质情况往往非常复杂,需以坝段或浇筑柱块范围分别提出。E_g 与岩石层理有关,垂直与平行层理的 E_g 往往不同,应选定平行于建筑物基础接触方向的 E_g 作为设计值。当有多层不同基岩弹模时,应以接触面附近的 E_g 为主。

基岩的热学性能可参考基岩岩性及有关的热学指标资料拟定。如有必要还应进行试验,但由于地质条件复杂及温控计算的精度的要求,一般可假定与混凝土相同。

第二章　建筑物运用期的温度场分析

第一节　边界温度与基岩计算范围

边界温度包括库水温、气温及基岩温度。水库水温多用半经验公式推算，现已有人着手研究平面有限元程序计算，但尚不完善，尤其是泥沙淤积等问题较难处理。

一、上游库水温

主要的影响因素有水库来水量、泄水量及其温度、大气辐射、水面与大气热交换、水库形态和泥沙淤积等。

1. 库表面水温（T_w）

库表面水温一般比年平均气温稍高。计算方法有：

(1)当冬季各月平均气温是负温，且河水不结冰时，水温取0℃，然后与其他各月的气温平均求得年平均水面温度。

(2)以建库前的水温及流量加权平均计算。但当水库较小、汛期泄量大时，本法结果偏高。

(3)以建库前的气温加一温度差值或直接与库表面水温联系。

$$T_w = \overline{T}_a + \Delta b \tag{2-1-1}$$

式中　$\overline{T}_a$——年平均气温；

Δb——日照等的影响温度差，一般地区（$\overline{T}_a = 10 \sim 20$℃），$\Delta b = 2 \sim 4$℃，炎热地区（$\overline{T}_a > 20$℃），$\Delta b = 0 \sim 2$℃，寒冷地区（$\overline{T}_a < 10$℃），$\Delta b = 5 \sim 6$℃。若有冰盖时表面水温仍在0℃左右，可按月均气温为零摄氏度对年平均气温进行修正，Δb 仍为2℃。

$$T_w = a + bT_{200} \tag{2-1-2}$$

式中　T_{200}——水面以上200cm高处的气温；

a、b——参数，利用水库实测资料点绘在米厘纸上找出。

(4)水库表面热量平衡法。计算较烦琐，可参考有关海洋湖泊等水温计算文献。

2. 库底水温（T_b）

根据库底水温（T_b）实测资料分析，年平均库底水温在一定条件下，可以形成一个稳定的水温层（月库底水温变幅也很小），它基本上不随外界气温呈周期变化。这些条件是：水库回水较长，使上游来水不致影响坝前水温（还须注意坝前支流来水情况）；库水深度大于60～70m；泄水口高度在25～30m以上；汛期泥沙不会冲淤至坝前。如满足不了这些条件，则 T_b 将随外界条件而改变，长期形不成稳定层水温。刘家峡由于坝前支流汛期大量泥沙淤积使库底水温提高达12～13℃(原设计6.0℃)。丹江口1969～1978年实测 T_b 多年平均为11.5～13.5℃,接近年平均气温15.7℃;它的死水深约25m,蓄水深度也仅45m左右,使之不能有较低的稳定库底水温。此时的 T_b 可依下述条件而定:水库水面不结冰时,T_b 可采用当地最低温度月的平均气温加1～2℃或最低3个月的平均气温;库水面结冰时间不长时,T_b 接近于密度最大的水温4℃;如冰盖时间很长,则 T_b<4℃。

据国内实测资料统计,T_b 的值大致可归纳为:北方4～7℃,中部地区7～10℃,南方10～14℃,西北区列于北方区内。国内外实测设计的库底及表面水温见表2-1-1。

3. 变温区水温(T_y)

在 T_w 与 T_b 之间为水温变化区,水温呈曲线分布。可以参照类似水库的实测资料选定或按统计分析公式计算。

$$T_y = T_b + (T_w - T_b)\left(1 - 2.08\frac{y}{y_0} + 1.16\frac{y^2}{y_0^2} - 0.08\frac{y^3}{y_0^3}\right) \tag{2-1-3}$$

式中 T_y——从水面算起的 y 处水温;

y_0——变温区深度,m;

T_b——库底水温;

T_w——库表面水温;

y——水深,m。

$$T_{(y,\tau)} = T_{my} + A_y \cos w(\tau - \tau_0 - \varepsilon) \tag{2-1-4}$$

式中 ε——水温与气温变化的相位差(滞后时间);

τ——水温计算月份;

τ_0——气温计算月份;

T_{my}——水深 y 处年平均水温;

A_y——水深 y 处水温变幅;

w——年温度变化频率,$w=\frac{\pi}{6}$;

其他符号意义同前。

τ、τ_0、ε 关系见图2-1-1。

$$\begin{aligned} T_{my} &= C + (T_w - C)e^{-0.04} \\ C &= (T_b - T_{wg})/(1 - g) \\ g &= e^{-0.04H} \\ A_y &= A_0 e^{-0.018y} \\ A_0 &= \frac{1}{2}(T_7 + T_1) \\ \varepsilon &= 2.15 - 1.3e^{-0.085y} \end{aligned} \tag{2-1-5}$$

表 2-1-1　水库水温

坝名		坝高(m)	气温(℃)			河流水温(℃)		水库水温(平均)(℃)								$T_w-\overline{T}_a$	$T_w-\overline{T}_w$	最低灌浆温度(℃)	备注
			年平均$\overline{T}_a$	月平均最低	≤0℃月数	年平均$\overline{T}_w$	最低	水深0(m) T_w	40	50	60	70	80	90	库底T_b				
云峰	(吉林)	105	6.1		5			10.5					3~5		3~5	4.4			1977~1981年实测
丰满	(吉林)	90.5	5.1					11.8	8.0	8.0	6.2				6.2	6.7			1954~1956年实测
柘溪	(湖南)	104	15.8					20.0	15.2	14.0	11.7				11.7	4.2			1973~1975年实测
新安江	(浙江)	105	19.6			20.0		22.0		10.4		10.1			10.1	2.4	2.0		1960~1981年实测
佛子岭	(安徽)	75	14.5					14.9	8.0	7.0		7.0			7.0	0.4			实测
新丰江	(广东)	105	21.7	14.0				21.4	13.2	12.5	12.0				12.0	-0.3			1962~1964年实测
刘家峡	(甘肃)	148	9.6	-5.9	3	10.0	0.2	11.0							11~13	1.4	1.0	6~7	实测夏季水深40m，T_b = 16~20℃，冬季水深60~70m，T_b≤4℃(淤积面上的水温)
丹江口	(湖北)	97	15.7			18.0	5.6	18.7	11.5~13.5						13.5	3.0	0.7		已淤45m，泥沙中温度11~13℃
龚嘴	(四川)	90	17.2	7.5		14.7									13~14				1971~1979年实测，日调节。因纵缝未灌浆，降低水位运用
白山	(吉林)	149.5	4.2	-17.8	5	8.2	0.2	12.0							4.0	7.8	3.8	4.5~8.0	设计 T_w = 水温×流量的年平均计算值

续表 2-1-1

坝名	坝高(m)	气温(℃)			河流水温(℃)		水库水温(平均)(℃)								$T_w-\overline{T}_a$	$T_w-\overline{T}_w$	最低灌浆温度(℃)	备注
		年平均 $\overline{T}_a$	月平均最低	≤0℃月数	年平均 $\overline{T}_w$	最低	水深 0(m) T_w	40	50	60	70	80	90	库底 T_b				
潘家口(河北)	107.5	9.9	−8.1	3	11.0		13.0				6.0			6.0	3.1	2.0	7.0	设计
龙羊峡(青海)	178.0	5.8	−9.3	5	7.8		10.0				4.0	4.0		4.0	4.2	2.2	4~4.5	设计 T_w = 各月气温 + 结冰月的0℃平均
凤滩(湖南)	112.5	16.6	4.5		17.7		17.8			8.0				8.0	1.2	0.1		设计,河水来自湖北
乌江渡(贵州)	165.0	16.3	5.5		16.6	9.4	16.0				9.0			9.0	−0.3	−0.6	10.0	设计
紧水滩(浙江)	102.0	17.3	7.5		19.3	7.5	20.3	10.3		9.0				9.0	3.0	1.0		设计
安莎(福建)	92.0	19.2	9.3				19.2				10.0			10	0			设计
方坦那(美)	146.0	15.3	5.0				13.9							6~7				水深 131m, T_w 为设计值, T_b 为实测值
鲍尔德(美)		22.3	12.0											11.0				实测,水深 170m
海瓦西(美)		14.2	4.0				15.0							6.4				T_w 为设计值, T_b 为实测值
乌斯季依里姆(苏)		−3.9		6.5										2~3				实测,水深 65~87m
克拉斯诺雅尔斯克(苏)		0.4		5.0										3~5				实测,水深 90~100m

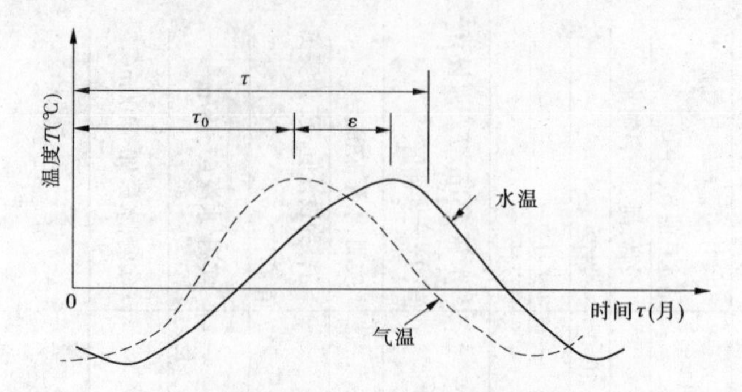

图 2-1-1　τ、τ₀、ε 关系曲线

式中　H——水库深度,m;

T_7——7 月份平均气温;

T_1——1 月份平均气温,如为寒冷地区冬季结冰,则 T_1 取日照温度增量,$T_1 = \Delta a = 1 \sim 2℃$。

库底水温的上部高程应选定在最低泄水孔洞进口高程以下。

4. 泥沙淤积对库底水温的影响

坝前泥沙淤积将影响库底水温。如果水库回水较长,从上游输入的泥沙沿库程推移以及非汛期低温泥沙淤积将不致显著提高 T_b。但坝前支流或库岸支沟汛期如有高温泥沙淤积,而且年复一年,则将长期提高库底水温,直至泥沙淤满后才会改变。由于泥沙淤积对库底水温的影响问题涉及泥沙淤积过程,计算比较复杂,一般进行粗估。

设库水温、泥沙与地基的温度变化仅按库水铅直、多种物质热传导单向差分计算。计算时段 $\Delta\tau$ 为 1 个月。详细计算应依淤积过程计算至淤积完毕,粗算淤积时水温从汛期开始,差分次数不大于 12 次。

$$T_{(0,\tau+\Delta\tau)} = T_{(0,\tau)} + \frac{a\Delta\tau}{\Delta x^2}\left[T_{(1,\tau)} + T_{(2,\tau)} - 2T_{(0,\tau)}\right] \tag{2-1-6}$$

按从下往上将地基、泥沙、库水划分为 Δx_1、Δx_2、Δx_3,相应导温系数为 a_1、a_2、a_3,相应导热系数为 λ_1、λ_2、λ_3。水与泥沙及泥沙与地基的接触点 A、B 为第四类边界条件。按 $\frac{a\Delta t}{\Delta x_1^2} \leqslant \frac{1}{2}$ 的条件,选定 Δx_1,再按 $\Delta x_2 = \Delta x_1\sqrt{\frac{a_2}{a_1}}$,$\Delta x_3 = \Delta x_2\sqrt{\frac{a_3}{a_2}}$ 计算出 Δx_2、Δx_3,而 $\Delta\tau$ 在三种物质中的式(2-1-6)计算时不变,则:

A 点温度

$$T_A = \frac{\zeta_1 \Delta x_1 T_{A+1} + \Delta x_2 T_{A-1}}{\zeta_1 \Delta x_1 + \Delta x_2},\quad \zeta_1 = \frac{\lambda_2}{\lambda_1}$$

B 点温度

$$T_B = \frac{\zeta_2 \Delta x_2 T_{B+1} + \Delta x_3 T_{B-1}}{\zeta_2 \Delta x_2 + \Delta x_3},\quad \zeta_2 = \frac{\lambda_3}{\lambda_2}$$

水		泥　沙		基　岩
$B+1$	B	$B-1 \cdots A+1$	A	$A-1$
Δx_3		$\Delta x_3 \cdots \Delta x_2$		Δx_1

T_b 包括泥沙淤积及其以上水温 T_b，某库计算的 T_b 提高 4～5℃（粗算），淤积温度长时才能稳定。

初始温度的取值。地基计算深度取 30m。若该处为第一类边界，则初始温度为年平均气温，A 点为泥沙温度，二者之间呈直线变化。B 点为泥沙温度与库水初温的平均值。库水初温为无泥沙淤积时的库底水温。每计算一个 $\Delta\tau$ 后的结果为下一个 $\Delta\tau$ 计算的初温，泥沙影响库水温以外的范围初温改用该月的无泥沙库底水温，其接触点为二者的平均值。推算后确定泥沙外温的范围及平均提高值。

5.引（泄）水对建筑物前的水温影响

出水口位置的高低或库内泥沙淤积在建筑物前的冲刷漏斗均将搅混该处水流，其水温将不同于库内水温的分布规律。此种情况尤其在泄水建筑物远离主坝时更为突出。出口泄流如图 2-1-2 所示。

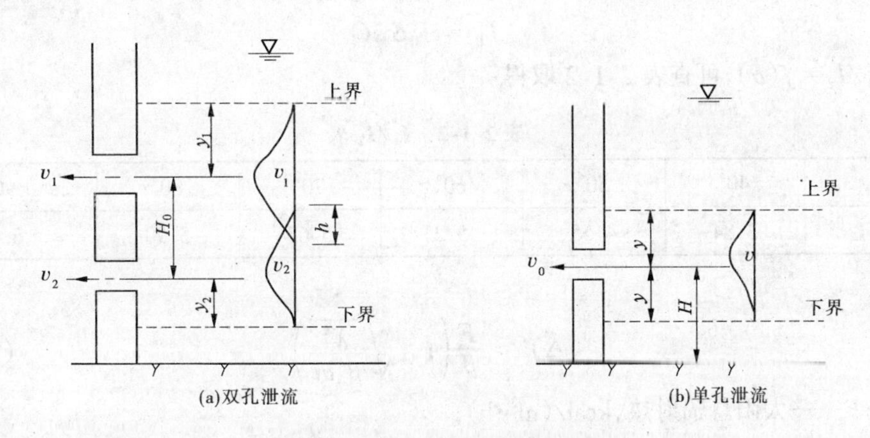

图 2-1-2　引水建筑物出口泄流

根据试验，单孔出流影响水流的界限为

$$y = (v_0 A_0)^{2/5} \Big/ \left(\frac{\Delta\rho}{\rho_0} g\right)^{1/5} \tag{2-1-7}$$

式中　v_0——孔口流速；

A_0——孔口面积；

$\Delta\rho$——孔口中心至上界之间水的密度；

ρ_0——孔口中心线的水密度；

g——重力加速度。

如为双孔时，可分别算出 y_1、y_2，如 H_0 不大，则影响的界限有部分重叠，重叠范围为 h。如下界 $y_2 > H$，可视 H 为下界。

孔口中线与上界之间水的密度，在水温差别不大，且 y 值不是很大时，$\frac{\Delta\rho'}{\rho_0} \approx 1.0$，如在水未被搅拌时存在水温差别，$\Delta\rho'$ 可按水温 T 影响进行计算，计算式为：

$$\Delta\rho' = 999.87 - 0.006\,7T^2 + 0.07T \tag{2-1-8}$$

孔口出流界限算出后，如有冲刷漏斗，以上界 y 平行漏斗至泥沙淤积平台即计算的有泥沙的库水温剖面，此范围的库水温度平均值即为孔口出流界限内的建筑物前水温。如无泥沙淤积，则亦以界限 $2y$ 对应的库水温平均值为建筑物前水温。建筑物的其他部分仍用库水温的计算值。

二、建筑物与空气接触的表面温度（T_d）

$$T_d = \overline{T}_a + \Delta T \tag{2-1-9}$$

式中 ΔT——太阳辐射热增加的温度；

$\overline{T}_a$——年平均气温。

计算公式有以下3种：

(1)考虑建筑物表面坡度：

$$F = I_1 + I_2 \tag{2-1-10}$$

$$I_1 = I_0 \cos Q$$

$I_1/I_2 = f(\alpha)$，可查表2-1-2取得

表2-1-2 I_1/I_2 表

α	40°	50°	60°	70°	80°	90°
I_1/I_2	3.84	4.55	5.2	5.63	5.90	6.10

$$\Delta T = \frac{F}{\beta}\left(1 - \sqrt{\frac{\lambda^2}{\beta^2 at}}\right) \tag{2-1-11}$$

式中 F——太阳总辐射热，kcal/(m^2·h)；

I_0——晴天太阳辐射热，可查表2-1-3；

Q——太阳辐射线与坝坡法线的夹角；

I_1——太阳直接辐射热；

I_2——太阳散射热；

a——混凝土导温系数，m^2/h；

λ——混凝土导热系数，kcal/(m·h·℃)；

β——混凝土表面放热系数；

t——年平均每日辐射时间，h，无资料时，可取 $t = 4$h。

α 计算式为

$$\sin\alpha = \sin\Phi\sin\delta + \cos\Phi\cos\delta\cos\omega \tag{2-1-12}$$

式中 α——太阳高度角；

Φ——建筑物地址纬度；

δ——太阳与地球赤道的角距，春分及秋分时 $\delta = 0$，夏至时 $\delta = 23°27'$，冬至时 $\delta = -23°27'$，为日变化函数；

ω——太阳时角。

δ、ω 均可在天文年历中查出。

表 2-1-3　晴天太阳辐射热 I_0 的月平均值　（单位：kcal/(cm²·月)）

纬度(°)	1月	2月	3月	4月	5月	6月	7月	8月	9月	10月	11月	12月	年平均
80	0	0	2.5	9.6	17.9	20.3	18.9	10.8	3.6	0.4	0	0	7.0
75	0.1	0.6	4.0	11.2	18.7	20.9	19.7	12.3	5.3	1.7	0.2	0	7.9
70	0.2	1.4	5.8	12.7	19.4	21.4	20.3	13.7	7.0	3.0	0.2	0	8.8
65	0.8	2.5	7.6	14.1	20.1	21.9	21.0	15.1	8.8	4.5	1.5	0.4	9.9
60	1.7	3.9	9.6	15.4	20.8	22.3	21.6	16.4	10.5	6.1	2.6	1.2	11.0
55	3.0	5.6	11.5	16.6	21.5	22.7	22.1	17.7	12.3	7.7	4.1	2.3	12.3
50	4.7	7.5	13.5	17.8	22.1	23.0	22.5	18.8	14.2	9.6	5.8	3.8	13.6
45	6.6	9.4	15.4	19.0	22.6	23.3	22.9	20.1	16.0	11.6	7.7	5.7	15.0
40	8.7	11.5	17.0	20.0	22.9	23.5	23.2	21.1	17.6	13.4	9.7	7.7	16.4
35	10.8	13.6	18.5	21.0	23.0	23.5	23.3	21.8	18.8	15.1	11.8	9.6	17.6
30	12.7	15.2	19.5	21.6	23.0	23.5	23.3	22.2	19.8	16.5	13.6	11.4	18.6
25	14.3	16.5	20.3	21.8	22.9	23.4	23.1	22.3	20.5	17.6	15.0	13.1	19.3
20	15.5	17.5	20.8	21.3	22.6	22.9	22.7	20.2	21.0	18.5	16.3	14.5	19.7
15	16.6	18.3	21.0	21.5	22.0	22.2	22.1	21.8	21.1	19.2	17.3	15.7	19.9
10	17.4	19.0	21.0	21.3	21.2	21.2	21.2	21.2	21.1	19.6	18.0	16.6	19.9
5	18.0	19.5	20.8	20.8	20.4	19.8	20.1	20.5	20.8	19.9	18.6	17.3	19.7
0	18.5	19.8	20.4	20.2	19.2	18.0	18.7	19.6	20.4	20.0	19.0	18.0	19.3

式(2-1-11)中$\sqrt{\frac{\lambda^2}{\beta^2 at}} < 3.0$时，$\Delta T$ 用式(2-1-13)计算。

$$\Delta T = \frac{F}{\beta}\left\{1 - e^{\beta^2 at/\lambda^2}\left[1 - \mathrm{erf}\left(\sqrt{\frac{\beta^2 at}{\lambda^2}}\right)\right]\right\} \tag{2-1-13}$$

$\mathrm{erf}(x)$为高斯误差函数，$\mathrm{erf}(x) = \frac{2}{\pi}\int_0^x e^{-x^2}\,dx$，可查表 2-1-4 得到。

表 2-1-4　erf(x)表

x	erf(x)	x	erf(x)	x	erf(x)	x	erf(x)	x	erf(x)
0	0	0.35	0.379 38	0.70	0.677 80	1.05	0.862 44	1.40	0.952 29
0.01	0.011 28	0.36	0.389 33	0.71	0.684 67	1.06	0.866 14	1.41	0.953 85
0.02	0.022 56	0.37	0.399 21	0.72	0.691 43	1.07	0.869 77	1.42	0.955 38
0.03	0.033 84	0.38	0.409 01	0.73	0.698 10	1.08	0.873 33	1.43	0.95 686
0.04	0.045 11	0.39	0.418 74	0.74	0.704 68	1.09	0.876 80	1.44	0.958 30
0.05	0.056 37	0.40	0.428 39	0.75	0.711 16	1.10	0.880 21	1.45	0.959 70
0.06	0.067 62	0.41	0.437 97	0.76	0.717 54	1.11	0.883 53	1.46	0.961 05
0.07	0.078 86	0.42	0.447 47	0.77	0.723 82	1.12	0.886 79	1.47	0.962 37
0.08	0.090 08	0.43	0.456 89	0.78	0.730 01	1.13	0.889 97	1.48	0.963 65
0.09	0.101 28	0.44	0.466 23	0.79	0.736 10	1.14	0.893 08	1.49	0.964 90
0.10	0.112 46	0.45	0.475 48	0.80	0.742 10	1.15	0.896 12	1.50	0.966 11
0.11	0.123 62	0.46	0.484 66	0.81	0.748 00	1.16	0.899 10	1.51	0.967 28
0.12	0.134 76	0.47	0.493 75	0.82	0.753 81	1.17	0.902 00	1.52	0.968 41
0.13	0.145 87	0.48	0.502 75	0.83	0.759 52	1.18	0.904 84	1.53	0.969 52
0.14	0.156 95	0.49	0.511 67	0.84	0.765 14	1.19	0.907 61	1.54	0.970 59
0.15	0.168 00	0.50	0.520 50	0.85	0.770 67	1.20	0.910 31	1.55	0.971 62
0.16	0.179 01	0.51	0.529 24	0.86	0.776 10	1.21	0.912 96	1.56	0.972 63
0.17	0.189 99	0.52	0.537 90	0.87	0.781 44	1.22	0.915 53	1.57	0.973 60
0.18	0.200 94	0.53	0.546 46	0.88	0.786 69	1.23	0.918 05	1.58	0.974 55
0.19	0.211 84	0.54	0.554 94	0.89	0.791 84	1.24	0.920 51	1.59	0.975 46
0.20	0.222 70	0.55	0.563 32	0.90	0.796 91	1.25	0.922 90	1.60	0.976 35
0.21	0.233 52	0.56	0.571 62	0.91	0.801 88	1.26	0.925 24	1.61	0.977 21
0.22	0.244 30	0.57	0.579 82	0.92	0.806 77	1.27	0.927 51	1.62	0.978 04
0.23	0.255 02	0.58	0.587 92	0.93	0.811 56	1.28	0.929 73	1.63	0.978 84
0.24	0.265 70	0.59	0.595 94	0.94	0.816 27	1.29	0.931 90	1.64	0.979 62
0.25	0.276 33	0.60	0.603 86	0.95	0.820 89	1.30	0.934 01	1.65	0.980 38
0.26	0.286 90	0.61	0.611 68	0.96	0.825 42	1.31	0.936 06	1.66	0.981 10
0.27	0.297 42	0.62	0.619 41	0.97	0.829 87	1.32	0.938 07	1.67	0.981 81
0.28	0.307 88	0.63	0.627 05	0.98	0.834 23	1.33	0.940 02	1.68	0.982 49
0.29	0.318 28	0.64	0.634 59	0.99	0.838 51	1.34	0.941 91	1.69	0.983 15
0.30	0.328 63	0.65	0.642 03	1.00	0.842 70	1.35	0.943 76	1.70	0.983 79
0.31	0.338 91	0.66	0.649 38	1.01	0.846 81	1.36	0.945 56	1.71	0.984 41
0.32	0.349 13	0.67	0.656 63	1.02	0.850 84	1.37	0.947 31	1.72	0.985 00
0.33	0.359 28	0.68	0.663 78	1.03	0.854 78	1.38	0.949 02	1.73	0.985 58
0.34	0.369 36	0.69	0.670 84	1.04	0.858 65	1.39	0.950 67	1.74	0.981 63

续表 2-1-4

x	erf(x)	x	erf(x)	x	erf(x)	x	erf(x)	x	erf(x)
1.75	0.986 67	1.95	0.994 18	2.15	0.997 64	2.35	0.999 11	3.00	0.999 98
1.76	0.987 19	1.96	0.994 43	2.16	0.997 75	2.36	0.999 15	∞	1.000 00
1.77	0.987 69	1.97	0.994 66	2.17	0.997 85	2.37	0.999 20		
1.78	0.988 17	1.98	0.994 89	2.18	0.997 95	2.38	0.999 24		
1.79	0.988 64	1.99	0.995 11	2.19	0.998 05	2.39	0.999 28		
1.80	0.989 09	2.00	0.995 32	2.20	0.998 14	2.40	0.999 31		
1.81	0.989 52	2.01	0.995 52	2.21	0.998 22	2.41	0.999 35		
1.82	0.989 94	2.02	0.995 72	2.22	0.998 31	2.42	0.999 38		
1.83	0.990 35	2.03	0.995 91	2.23	0.998 39	2.43	0.999 41		
1.84	0.990 74	2.04	0.996 09	2.24	0.998 46	2.44	0.999 44		
1.85	0.991 11	2.05	0.996 26	2.25	0.998 54	2.45	0.999 47		
1.86	0.991 47	2.06	0.996 42	2.26	0.998 61	2.46	0.999 50		
1.87	0.991 82	2.07	0.996 58	2.27	0.998 67	2.47	0.999 52		
1.88	0.992 16	2.08	0.996 73	2.28	0.998 74	2.48	0.999 55		
1.89	0.992 48	2.09	0.996 88	2.29	0.998 80	2.49	0.999 57		
1.90	0.992 79	2.10	0.997 02	2.30	0.998 86	2.50	0.999 59		
1.91	0.993 09	2.11	0.997 15	2.31	0.998 91	2.60	0.999 76		
1.92	0.993 38	2.12	0.997 28	2.32	0.998 97	2.70	0.999 87		
1.93	0.993 66	2.13	0.997 41	2.33	0.999 02	2.80	0.999 92		
1.94	0.993 92	2.14	0.997 53	2.34	0.999 06	2.90	0.999 96		

(2)根据云量资料计算：

$$F = MI_0[1-(1-K)n],\quad \Delta T = F/\beta \tag{2-1-14}$$

式中：M 为混凝土吸热系数，可取 0.65；K 值可查表 2-1-5 得到，其他符号同前。

表 2-1-5　*K* 值表

纬度(°)	75	70	65	60	55	50	45	40	35	30	25	20	15	10.5	0
K	0.55	0.50	0.45	0.40	0.38	0.36	0.34	0.33	0.32	0.32	0.32	0.33	0.33	0.34	0.35

(3)翁笃鸣根据金波尔(Kimball)公式提出的计算式：

$$(Q+q) = (Q+q)_0(aS+b) \tag{2-1-15}$$

式中　$(Q+q)_0$——太阳直射与散射热的总和，同式(2-1-10)或采用实测资料；

S——日照率；

a、b——随地区而变的参数，见表 2-1-6。

表 2-1-6　日照参数表

地区	华南	华中	华北	西北
a	0.625	0.475	0.708	0.390
b	0.130	0.205	0.105	0.344

$$\Delta T = \frac{(Q + q)}{\beta R} \quad (R\text{ 为安全系数,取 }1.5) \tag{2-1-16}$$

式(2-1-14)、式(2-1-16)未考虑坝坡的影响。在高山峡谷中,建坝的日照可能减少20%～30%,坝面朝南时将使吸热更多。选定 ΔT 时应考虑这些因素。某些工程选定的 ΔT 见表 2-1-7。

表 2-1-7　ΔT 值表

坝名	白山	刘家峡	丹江口	新安江	安莎	龚嘴	乌江渡	故县
地点	吉林	甘肃	湖北	浙江	福建	四川	贵州	河南
ΔT(℃)	0.8	3.0	2～4	6.0	3.0	2.4	1.3	2.0
地势	朝北		宽河谷	朝南			高山峡谷	高山峡谷

白山坝上游面朝南 ΔT 为 3.8℃,故县坝面朝北 $\Delta T = 2.0$℃,龙羊峡坝轴南北向(高山峡谷)$\Delta T = 2.8$℃。

三、宽缝坝的宽缝内温度

缝内温度(T_m)为

$$T_m = \frac{\dfrac{I_d}{b_d}T_d + \dfrac{I_u}{b_u}T_u}{\dfrac{I_d}{b_d} + \dfrac{I_u}{b_u}} \tag{2-1-17}$$

式中:各符号如图 2-1-3 所示。实际上 T_u、T_d、b_u、b_d 都是变数。I_d 一般较浅,宽缝范围内的下游还应有一部分空气接触,如需精度高一些可按热量平衡加权计算。

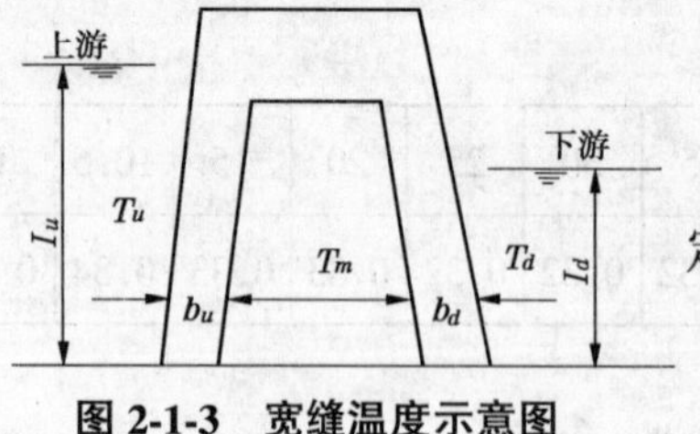

图 2-1-3　宽缝温度示意图

四、建筑物内孔洞及下游水下边界温度

根据其运用情况及上游取水口的水温等情况确定,详细情况略。

五、基岩的计算范围及边界温度

基岩深度一般取 1 倍坝高,该处为已知地温。坝上下游基岩亦取 1 倍坝高的长度。该铅直边界的上端为水温(岩面温度),底部即已知地温,如不采用有限元法计算稳定温度场,为了减少手算工作量,基岩深度可取 30m,此处基岩温度为年平均气温。上下游岩石长度亦可适当减短,可参考已建工程的稳定温度场的基岩部分等温线图,将水平向等温线无大变化的段落减除,铅直边界为上述的已知温度。

根据地热钻探资料分析地温变化,大致是地表下 30m 左右为年平均气温,往下每增深30m地温增加1℃。地表下30m处为恒温区,其上部受外界温度影响,其下部受地心热影响。

六、与发电厂房接触的坝体边界温度

此温度由机电要求确定,详细情况略。

第二节 稳定温度场计算

平面及三维稳定温度场均可用有限元计算。手算时,将式(1-1-3)的传导方程改为平面差分计算。其计算式为

$$T_1 + T_2 + T_3 + T_4 - T_0 = 0 \tag{2-2-1}$$

将坝体划分为若干正方形($\Delta x = \Delta y$)网格,网格中间点的温度为 T_0,周围四个角点的温度分别为 T_1、T_2、T_3、T_4。边界温度为已知,首先设一初温(接近稳定温度场温度以减少工作量),按式(2-2-1)计算,结果不为零的差值(Δ)。全区算一遍后,均从 T_0 减$\frac{1}{4}\Delta$,以此作为下一次计算的已知温度。如此算下去直至满足式(2-2-1)为止。

坝体边界网格若不能画成正方形,可按式(2-2-2)计算。

$$\frac{1}{\delta_1 + \delta_3}\left(\frac{T_1}{\delta_1} + \frac{T_3}{\delta_3}\right) + \frac{1}{\delta_2 + \delta_4}\left(\frac{T_2}{\delta_2} + \frac{T_4}{\delta_4}\right) - \left(\frac{1}{\delta_1 \cdot \delta_3} + \frac{1}{\delta_2 \cdot \delta_4}\right)T_0 = 0 \tag{2-2-2}$$

对三维结构,如采用三向差分法计算,则工作量太大,可以粗略视为平面问题:当孔洞面积小时,可以忽视孔洞的影响;当孔洞面积超过与孔洞同高度的坝体面积的40%~50%时,可依孔洞上下两个平面区域来计算,对灌浆温度来说,误差不太大。

如库底水温很低,坝体下部的灌浆温度也很低,由于二期冷却水温度不能低于2~4℃,小于6℃的灌浆温度很难达到,故需提高灌浆温度。提高温度的差值在水工设计时考虑进去。如苏联布拉茨克平均气温-2.6℃,灌浆温度提到4~10℃;白山的计算灌浆温度为4℃,施工时提高到9℃。

第三节 构件最低温度

以最低的边界温度依自由墙的计算式计算。具体计算参见第三章第四节。

第四节 半无限体的稳定温度场

基岩上有一定厚度的混凝土,可与基岩一起视为半无限体。在混凝土厚度很厚的情况下,外界温度影响的深度(可参见表2-4-1)远远小于混凝土厚度,亦可视为半无限体。

外界气温为第三类边界,设气温作正弦变化。混凝土的准稳定温度场计算式为

$$T_{x,t} = A_0 e^{-\sqrt{\omega/2a}} \sin\left[\omega\tau - \left(x\sqrt{\frac{\omega}{2a}} + M\right)\right] + T_{cp} \tag{2-4-1}$$

$$A_0 = A\left(1 + \frac{2\lambda}{\beta}\sqrt{\frac{\omega}{2a}} + \frac{\omega\lambda^2}{a\beta^2}\right)^{-1/2}$$

$$M = t_{an}^{-1}\left[\frac{1}{1 + \frac{\beta}{\lambda}\sqrt{2a/\omega}}\right]$$

边界条件:顶面 $x=0, \lambda\frac{\partial T}{\partial x}=\beta(A\sin\omega t - T), x=\infty, T=0$。

式中 A——气温变幅;

A_0——混凝土表面温度变幅;

ω——气温变化频率,$\omega=\frac{2\pi}{p}$;

p——气温变化周期,年变化 12 月,月变化 30 天,日变化 24 时;

M——混凝土表面温度变化的相位差(比气温滞后);

T_{cp}——年平均气温;

a——导温系数。

如果外界是水温则为第一类边界,水温亦为正弦变化,计算公式同式(2-4-1),其中 $M=0$,将 $M=0$ 代入式(2-4-1),推导出混凝土平均温度 T_m 为

$$T_m = \frac{A}{L}\sqrt{\frac{2ap}{\pi}} \tag{2-4-2}$$

设 x 处的温度变幅为 A_T,则

$$\frac{A_T}{A_0} = e^{-x\sqrt{\pi/(ap)}} \tag{2-4-3}$$

表 2-4-1 气温变化的影响深度

λ/β	影响深度变幅	1d	15d	365d
0.1m	0.10A	0.32m	1.49m	7.73m
	0.01A	0.73m	3.07m	15.60m
0.2m	0.10A	0.25m	1.40m	7.65m
	0.01A	0.68m	3.00m	15.5m

注:0.10A 指影响深度 L 处的变幅。

第三章　一般大体积混凝土施工期温度应力分析

第一节　混凝土浇筑温度

浇筑温度(T_P)为混凝土入仓并经过平仓振捣后在表面下5cm处测得的温度，为温升计算中的初温。它的大小取决于混凝土的出机温度和运输浇筑过程中的温度回升或降低。

混凝土拌和后出机口温度按式(3-1-1)计算。

$$T_0 = \frac{(C_s + C_w q_s)W_s T_s + (C_g + C_w q_g)W_g T_g + C_c W_c T_c + 350 + }{C_s W_s + C_g W_g + } \rightarrow$$

$$\leftarrow \frac{(1-P)C_w T_w(W_w - q_s W_s - q_g W_g) - 80 \times 0.8P(W_w - q_s W_s - q_g W_g)}{C_c W_c + C_w W_w} \tag{3-1-1}$$

式中　C_s、C_g、C_c、C_w——砂、石、水泥及水的比热；

q_s、q_g——砂、石含水率，无资料时可用0.03及0.01；

P——加冰率；

W_s、W_g、W_c、W_w——砂、石、水泥及水在每立方米混凝土中的重量；

T_s、T_g、T_c、T_w——相应材料的温度；

80——冰的潜热，kcal/kg；

0.8——潜热的利用率；

350——搅拌混凝土产生的机械热，kcal。

骨料温度一般可按月平均气温或预冷骨料温度采用。冬季施工可不计350kcal加工热。

骨料温度与料堆高度有直接关系。据实测资料，当料堆高度在5～6m以上，堆存时间3天以上，地垄出料时，其温度才可达到月平均气温，否则要高于月平均气温。某些实测资料表明，料堆顶下1m深处骨料温度等于当日平均气温；骨料表层温度高于日平均气温10℃以上。

混凝土出机后经过运输、平仓、振捣，夏天其温度将回升，冬天将会降低。非冬季浇筑的 T_P 计算式为

$$T_P = T_0 + (T_a - T_0)(K_1 + K_2 + K_3 + \cdots) \tag{3-1-2}$$

式中　T_a——气温，设计时可用月平均气温；

K_1、K_2、K_3、…——各种工序的冷损系数；

T_0——混凝土拌和后出机口温度。

混凝土装卸或转运一次 $K_1 = 0.032$；平仓振捣的 $K_2 = 0.003\tau$，τ 为平仓振捣历时(min)；运输 $K_3 = A\tau_0$，τ_0 为运输时间(min)，A 取值见表 3-1-1。

表 3-1-1　混凝土运输热量损失系数

运输工具	混凝土量	A	运输工具	混凝土量	A
自卸汽车	1.0	0.004 0	长方形吊斗	1.6	0.001 3
	1.4	0.003 7	圆柱形吊斗	1.6	0.000 9
	2.0	0.003 0	双轮手推车*	0.15	0.007 0
长方形吊斗	0.3	0.002 2	手推斗车*	0.75	0.010

注："*"者为加盖保温或车保温。

一般 $\sum K \approx 0.4$。其中以平仓震捣热量损失最大，一般占总损失的 70%～80%。近来国内采用"保温被"随浇随盖，大大减少了损失。据葛洲坝实测，采用聚氨酯薄膜套棉被覆盖可减少仓面温度回升 40%～60%，保温效果很显著。

冬季浇筑混凝土时采取保温措施可使浇筑温度 T_0 的损失降低。当混凝土温度与气温相差 1℃时，1min 运输过程其温度损失为：手推车 0.015℃，双轮手推车 0.012℃，0.6m^3 斗车 0.005℃，吊罐每升高 1m 损失 0.001℃。浇筑及转运温度损失见表 3-1-2。

表 3-1-2　冬季混凝土浇筑及转运温度损失

混凝土与气温温差(℃)	5	10	15	20	25	30
浇筑损失(℃)	0.6	1.3	2.0	2.5	3.0	3.5
一次转运损失(℃)	0.15	0.30	0.45	0.60	0.75	0.90

桓仁在气温 -3℃时，热损为 $0.22(T_0 - T_a)$。某坝用 2m^3 汽车转运混凝土，外用 15cm 厚木板，7cm 稻草，一层油纸组合保温并利用汽车废气(在箱柜上每 50cm 绕一圈管子)加温，当气温为 -15℃运混凝土 700m(历时 3min)时，热损 1～2℃，混凝土从 20～40m 溜槽入仓的最大热损为 3～5℃。

第二节　混凝土温度的徐变应力

混凝土温度弹性应力在一定的边界条件下，由于徐变作用，将随时间的延续而衰减，其衰减程度依建筑物的形式而定。

一、弹性徐变体应力应变四定理

定理一：泊松比 $\mu = c$(常数)的均质弹性徐变体处于四周自由边界中，只有外力及体积力而无温度变化，则弹性应力与徐变应力相同，但二者应变不同。

定理二：泊松比 $\mu = c$ 的均质弹性徐变体处于四周给定边界(如洞填混凝土)中，无任何外力及体积力，只有温度变化，则二者的位移相等(变位相容)而应力不同。

定理三：徐变泊松比为常量的均质弹性徐变体或满足比例变形 $C_1 : C_2 = \frac{1}{E_1} : \frac{1}{E_2}$ 的非均质弹性徐变体，无温度变化，部分边界给定外力，部分边界位移为零(全约束)，则二者应力相同而应变不同。

定理四:若定理三的物体,无体积力及部分边界外力,只有温度变化(如柱状块),则二者应变相同而应力不同。

建筑物可按边界条件及负荷情况,依此四定理分别或组合不同条件考虑徐变影响。对于非刚性基础,可认为基础远嵌(无穷远),若二者符合比例变形等条件,定理三、定理四亦适用。

二、徐变应力(σ^*)的计算方法

1.松弛系数法

线性叠加适用于大体积混凝土的水化热及 T_P 的计算。

$$\sigma_t^* = \sum \Delta\sigma_i K_{P(t,\bar{\tau})}$$

$$\Delta\sigma_i = \frac{E_i \cdot \alpha \Delta T_i}{1-\mu} \tag{3-2-1}$$

式中 K_P——松弛系数;

t——持荷龄期;

τ——加荷龄期;

$\bar{\tau}$——中点龄期;

ΔT_i——i 时段温度增量;

$\Delta\sigma_i$——i 时段应力增量;

α——混凝土热膨胀系数。

计算水化热时采用中点龄期及其弹模,$\bar{\tau}_i = \frac{\tau_{i-1}+\tau_i}{2}$,$\bar{E}_i - \frac{E_i + E_{i-1}}{2}$。徐变应力计算可按表 3-2-1 进行,当简化计算时,根据经验,最后徐变应力可按最终弹性温度应力乘以 $0.5K_P$ 值;与基岩面接触处可用 $K_P = 0.7$,K_P 计算见表 1-2-13。

2.初应变法

适用于不符合比例变形的非均质体,也可用于大体积混凝土。在有限元计算中,因初应变法比松弛系数法更适于编制程序,往往使用前者。钢筋混凝土是不符合比例变形的非均质体,但温度应力只能使钢筋承担 200～300kg/cm^2 的拉应力,远远低于其允许抗拉强度,所以可以不计算钢筋的徐变应力。由于钢筋往往布置在混凝土紧靠拉力区外边,它有一个影响范围需要处理,计算比较麻烦,可参考文献[1]。

以持荷时间 t_i 的累计徐变值作为初应变,将 t_i 的温度增量变形值与之相减,计算该时间的徐变应力增量而后累加求得 t_n 的徐变应力。可按表 3-2-2 的格式进行计算。

表 3-2-1、表 3-2-2 均是按单向徐变计算的。

三、超静定结构的徐变应力计算

超静定结构厚构件的徐变应力计算受结构形式的影响及应力分析方法不同而有异,但总的原则是将结构的变形与徐变变形一并考虑进去,举例如下。结构及负荷如图 3-2-1

表 3-2-1　徐变应力 σ^* 计算表(松弛系数法)

τ_{i-1}	τ_i	$\overline{\tau}_i$	$\sigma_{(t)}$	$\Delta\sigma_i$	$\sigma_t^* = \sum\Delta\sigma_i K_{P(t,\tau_i)}$	t_1	t_2	t_3	t_4
τ_0	τ_1	$\overline{\tau}_1$	σ_0	$\Delta\sigma_1$	$\Delta\sigma_1 K_{P(\tau_1,\bar{\tau}_1)}$	$\Delta\sigma_1 K_{P(\tau_1,\bar{\tau}_1)}$	$K_{P(\tau_1,\bar{\tau}_1)}$	$K_{P(\tau_2,\bar{\tau}_1)}$	$K_{P(\tau_3,\bar{\tau}_1)}$
τ_1	τ_2	$\overline{\tau}_2$	σ_1	$\Delta\sigma_2$	$\Delta\sigma_1 K_{P(\tau_2,\bar{\tau}_1)} + \Delta\sigma_2 K_{P(\tau_2,\bar{\tau}_2)}$	$\Delta\sigma_1 K_{P(\tau_2,\bar{\tau}_1)}$	$\Delta\sigma_2 K_{P(\tau_2,\bar{\tau}_2)}$	$K_{P(\tau_2\bar{\tau}_2)}$	$K_{P(\tau_3\bar{\tau}_2)}$
τ_2	τ_3	$\overline{\tau}_3$	σ_2	$\Delta\sigma_3$	$\Delta\sigma_1 K_{P(\tau_3,\bar{\tau}_1)} + \Delta\sigma_2 K_{P(\tau_3,\bar{\tau}_2)} + \Delta\sigma_3 K_{P(\tau_3,\bar{\tau}_3)}$	$\Delta\sigma_1 K_{P(\tau_3,\bar{\tau}_1)}$	$\Delta\sigma_2 K_{P(\tau_3,\bar{\tau}_2)}$	$\Delta\sigma_3 K_{P(\tau_3,\bar{\tau}_3)}$	$K_{P(\tau_3,\bar{\tau}_3)}$
τ_3	τ_4	$\overline{\tau}_4$	σ_3	$\Delta\sigma_4$	$\Delta\sigma_1 K_{P(\tau_4,\bar{\tau}_1)} + \Delta\sigma_2 K_{P(\tau_4,\bar{\tau}_2)} + \cdots + \Delta\sigma_4 K_{P(\tau_4,\bar{\tau}_4)}$	$\Delta\sigma_1 K_{P(\tau_4,\bar{\tau}_1)}$	$\Delta\sigma_2 K_{P(\tau_4,\bar{\tau}_2)}$	$\Delta\sigma_3 K_{P(\tau_4,\bar{\tau}_3)}$	$\Delta\sigma_4 K_{P(\tau_4,\bar{\tau}_4)}$

注：$\Delta\sigma_1 = \sigma_0 - 0, \Delta\sigma_2 = \sigma_1 - \sigma_0 \cdots$。

表 3-2-2　徐变应力 σ^* 计算表(初应变法)

τ_i	t_i	ΔT	初应变 $\Delta\varepsilon_i$(徐变累计)	$\Delta\sigma_i$	$\sum\Delta\sigma_i = \sigma_i^*$
0	0	ΔT_0	$\Delta\varepsilon_0 = 0$	$\Delta\sigma_0 = E_0 \alpha \Delta T_0$	$\Delta\sigma_0$
1	1	ΔT_1	$\Delta\varepsilon_1 = \Delta\sigma_0 C_{(t_1,t_0)}$	$\Delta\sigma_1 = E_1(\alpha\Delta T_1 - \Delta\varepsilon_1)$	$\sigma_1 = \Delta\sigma_0 + \Delta\sigma_1$
2	2	ΔT_2	$\Delta\varepsilon_2 = \Delta\sigma_0[C_{(t_2,\tau_0)} - C_{(t_1,\tau_0)} + \Delta\sigma_1[C_{(t_2,\tau_1)} - C_{(t_1,\tau_1)}]$	$\Delta\sigma_2 = E_2(\alpha\Delta T_2 - \Delta\varepsilon_2)$	$\sigma_2 = \Delta\sigma_1 + \Delta\sigma_2$
3	3	ΔT_3	$\Delta\varepsilon_3 = \Delta\sigma_0[C_{(t_3,\tau_0)} - C_{(t_2,\tau_0)}] + \Delta\sigma_1[C_{(t_3,\tau_1)} - C_{(t_2,\tau_1)}] + \Delta\sigma_2[C_{(t_3,\tau_2)} - C_{(t_2,\tau_2)}]$	$\Delta\sigma_3 = E_3(\alpha\Delta T_3 - \Delta\varepsilon_3)$	$\sigma_3 = \Delta\sigma_2 + \Delta\sigma_3$
⋮	⋮	⋮	⋮	⋮	⋮
τ_n	t_n	ΔT_n	$\Delta\varepsilon_n = \sum_{n=0}^{n-1}\Delta\sigma_n[C_{(t_n,\tau_i)} - C_{(t_{n-1},\tau_i)}]$	$\Delta\sigma_n = E_n(\alpha\Delta T_n - \Delta\varepsilon_n)$	$\sigma_n = \Delta\sigma_{n-1} + \Delta\sigma_n$

注：当 ΔT 为负值时，$\Delta\sigma_i = E_i[\alpha(-\Delta T) + \Delta\varepsilon_i]$。

所示。

徐变应力由两部分组成,一部分为去掉 B 点支座的梁内温度分布的自生应力,采用松弛系数法计算;另一部分为 B 点支座的约束应力,不符合比例变形的非均质体,采用初应变法计算。

梁内温度的平均温度只影响 L 间的变形,等效线性温度影响梁的角变位。B 点位移包括角度变位及结构负荷变位。

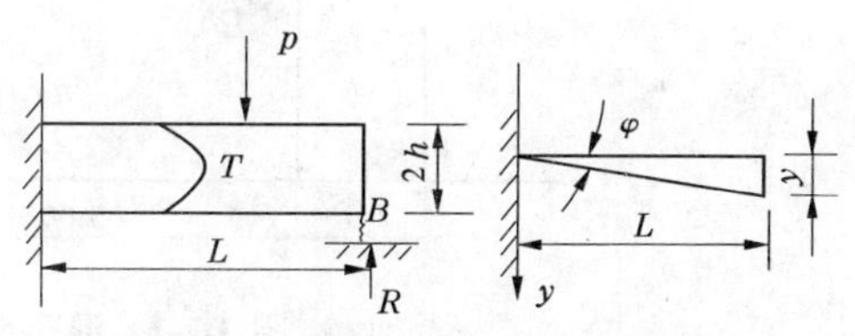

图 3-2-1　超静定结构及其负荷示意图

松弛系数法的计算如上所述,位移法计算具体步骤如下:

(1)设 $\tau=\tau_0$,B 点弹性结构变位 $w_{1\tau_0}=\dfrac{\beta_{i_0}}{E_{\tau_0}}$($\beta_{i_0}$ 为 B 点结构应力),结构温度变位 λ_i,基础弹性变位 $w_{g\tau_0}=\dfrac{\gamma_{i_0}}{E_{g\tau_0}}$($\gamma_{i_0}$ 为基础弹性应力),$w_{1\tau_0}$ 及 $w_{g\tau_0}$ 可由结构力学求出(去掉 B 支座代以反力 R_0 代替)。

等效温度引起的角变位 $\varphi=\dfrac{\alpha T_d}{2h}$,$T_d=\dfrac{3S}{h^2}$,$S=\displaystyle\int_{-h}^{h}T_y\mathrm{d}y$,$\lambda_i=L\cdot\sin\varphi$,$T_d$ 为等效线性温差。

连续条件为:$w_{1\tau_0}+\lambda_i=w_{g\tau_0}$,无徐变时,连续条件可以满足。

(2)$\tau=\tau_1$,结构和基础均产生了徐变,B 点结构徐变变位 $w_c=\beta_{i_0}C(\tau_1-\tau_0)$。基础徐变变位 $w_{gc}=r_{i_0}C'_{(\tau_1,\tau_0)}$,连续条件为:

$$w_{1\tau_0}+\lambda_i+w_c=w_{g\tau_0}+w_{gc}\tag{3-2-2}$$

与 $\tau=\tau_0$ 的连续条件相减得:$w_c=w_{gc}$。实际上两种物质的徐变不同,$w_c\neq w_{gc}$,则 $\Delta w_1=w_c-w_{gc}$。为了使变位相容的平衡条件得到满足,必将产生一反力 R_1。Δw_1 为初位移。

(3)$\tau=\tau_n$ 时

$$\Delta w_n=\sum_{k=0}^{n}\left\{\beta_{ik}\left[C_{(\tau_n,\tau_k)}-C_{(\tau_{n-1},\tau_k)}\right]-\gamma_{ik}\left[C'_{(\tau_n,\tau_k)}-C'_{(\tau_{n-1},\tau_k)}\right]\right\}\tag{3-2-3a}$$

$$R=R_0+R_1+R_2+\cdots+R_n\tag{3-2-3b}$$

R 求出后再计算结构的应力,并与自生应力叠加,如温度随时间变化,则需分时进行计算。

实例:基岩上构件 1.4m 厚的混凝土框架,基岩无徐变,$E_g=1.0\times10^6\,\mathrm{t/m^2}$,框架净高 4m,净宽 5m,基础转角 $Q=K_1M_A$(A 点为框架柱外侧,K_1 为变形系数)。框架结构如图 3-2-2 所示。

$$K_1=\frac{5.0}{E_gh^2}=\frac{5.0}{1\times10^6\times1.4^2}=2.55\times10^{-6}$$

混凝土瞬时弹模 $E_\tau=3.0\times10^6(1-\mathrm{e}^{-0.09\tau})\,\mathrm{t/m^2}$,$\alpha=1\times10^{-5}$,混凝土徐变度 $C_{(t,\tau)}=\left(0.90+\dfrac{4.82}{\tau}\right)\left[1-\mathrm{e}^{0.025(t-\tau)}\right]\ \mathrm{m^2/t}$。

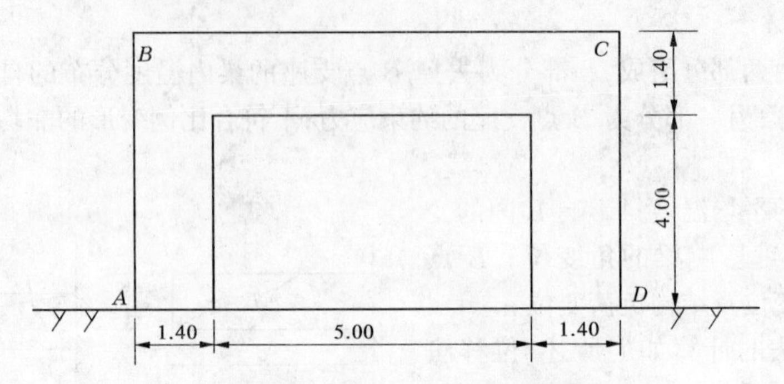

图 3-2-2　混凝土框架结构示意图

弹性应力计算采用柱比法。框架均匀温度 10℃，计算结果见表 3-2-3。

表 3-2-3　徐变引起的弯矩重分布表　　（单位：t·m）

时间 t(d)	7	11	14	28	36	46	60	∞
$M_A = M_D$	11.35	9.84	8.92	7.17	7.15	7.54	8.30	9.59
$M_C = M_B$	−6.38	−5.09	−4.23	−2.07	−1.70	−1.59	−1.63	−1.78

由表可知，多阶超静定结构的徐变应力不随时间 t 单调衰减，而各点也不是按同一比例衰减，如 B 点 1.78/6.38 = 0.279，A 点 9.59/11.35 = 0.845，B 点衰减多。

第三节　大体积混凝土基础部位温度应力

基岩面上混凝土高度在 $0.5L$（L 为浇筑块最长边边长）以下的混凝土称基础混凝土。由于温度变化产生的变形受基岩的约束产生较大的温度应力，往往会引起贯穿性裂缝而破坏坝的整体性，因此基础部位温度应力的计算是温控的主要内容。

一、温度计算

（一）差分法计算温度

混凝土浇筑层厚与其长、宽尺寸相比是很小的，热量主要是从浇筑层顶面单向散发，其他外表面散热可以忽略不计。单向散热根据一维热传导方程以差分形式进行计算，其公式见式(3-3-1)，计算点分布见图 3-3-1。

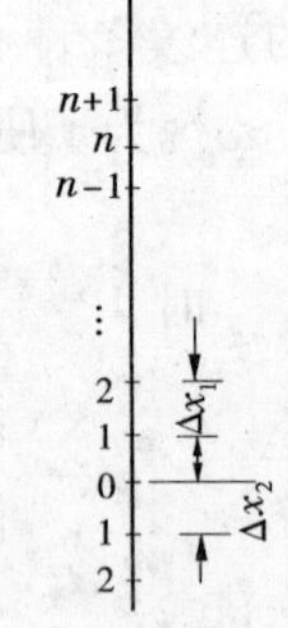

图 3-3-1　计算点分布示意图

$$T_{n,t} = T_{n,t-1} + K(T_{n-1,t-1} + T_{n+1,t-1} - 2T_{n,t-1}) + \Delta T_Q - \Delta T_W \quad (3\text{-}3\text{-}1)$$

式中　K——$K = \dfrac{a\Delta t}{\Delta x^2} \leqslant \dfrac{1}{2}$；

ΔT_Q——Δt 时间内水化热增量；

ΔT_W——铺设冷却水管可以降低的温度，无水管冷却时不计此项。

$$\Delta T_W = (1 - X)\left(\frac{T_{m,t} + T_{m,t-1}}{2} - T_W\right) \quad (3\text{-}3\text{-}2)$$

式中　$T_{m,t}$——本计算时段未经水管冷却的平均温度；

$T_{m,t-1}$——上时段经过水管冷却后的层平均温度；

X——水管冷却温度残留比，计算详见第五章第二节中第一期水管冷却部分；

T_W——冷却水温，基岩与混凝土的导温系数 a 不同时，参见第二章第四节半无限体的稳定温度场计算。

浇筑层顶面温度（$T_{b,t}$）按第三类边界考虑。

$$T_{b,t} = b_1 T_{1,t} + b_2 T_a \tag{3-3-3}$$

$$b_1 = \frac{1}{1 + \beta\Delta x/\lambda}, b_2 = \frac{\beta\Delta x_1/\lambda}{1 + \beta\Delta x_1/\lambda} \tag{3-3-4}$$

式中　$T_{1,t}$——表面点附近的内点温度；

T_a——气温。

设初始温度为浇筑温度 T_P，基岩温度为 T_g。岩面 0 点的温度为$\frac{1}{2}(T_P + T_g)$，连续浇筑层面初温为$\frac{1}{2}(T_P + T_{b,t-1})$，$T_{b,t-1}$为下层混凝土顶面前一时段的温度。水化热为$\Delta Q = \frac{1}{2}(\Delta Q_{上} + \Delta Q_{下})$。

（二）简捷法计算温度

将浇筑层的综合热传导方程分成简单的热传导方程计算而后叠加，分解情况见图 3-3-2。

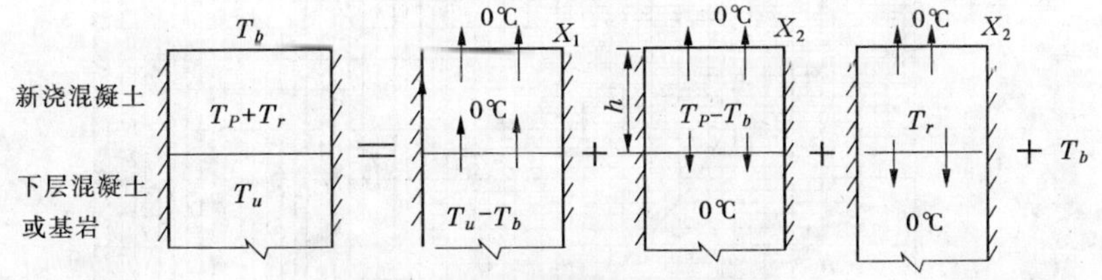

图 3-3-2　简捷法计算温度分解图

无水管冷却计算式

$$T_m = (T_u - T_b)X_1 + (T_P - T_b)X_2 + T_r + T_b \tag{3-3-5}$$

有水管冷却计算式

$$T_m = (T_u - T_b)X_1 X + (T_P - T_b)X_2 X + T_r + T_b + (T_W - T_b)(1 - X)X_2 \tag{3-3-6}$$

式中　X_1——新混凝土受老混凝土固定热源作用的残留比，可查图 3-3-3；

X_2——新浇混凝土固定热源向空气和老混凝土传热的残留比，可查图 3-3-4；

T_u——老混凝土温度；

T_b——新浇混凝土表面温度；

T_P——新浇混凝土浇筑温度；

T_r——混凝土水化热温升，按时段与 $X \cdot X_2$，见表 3-3-1；

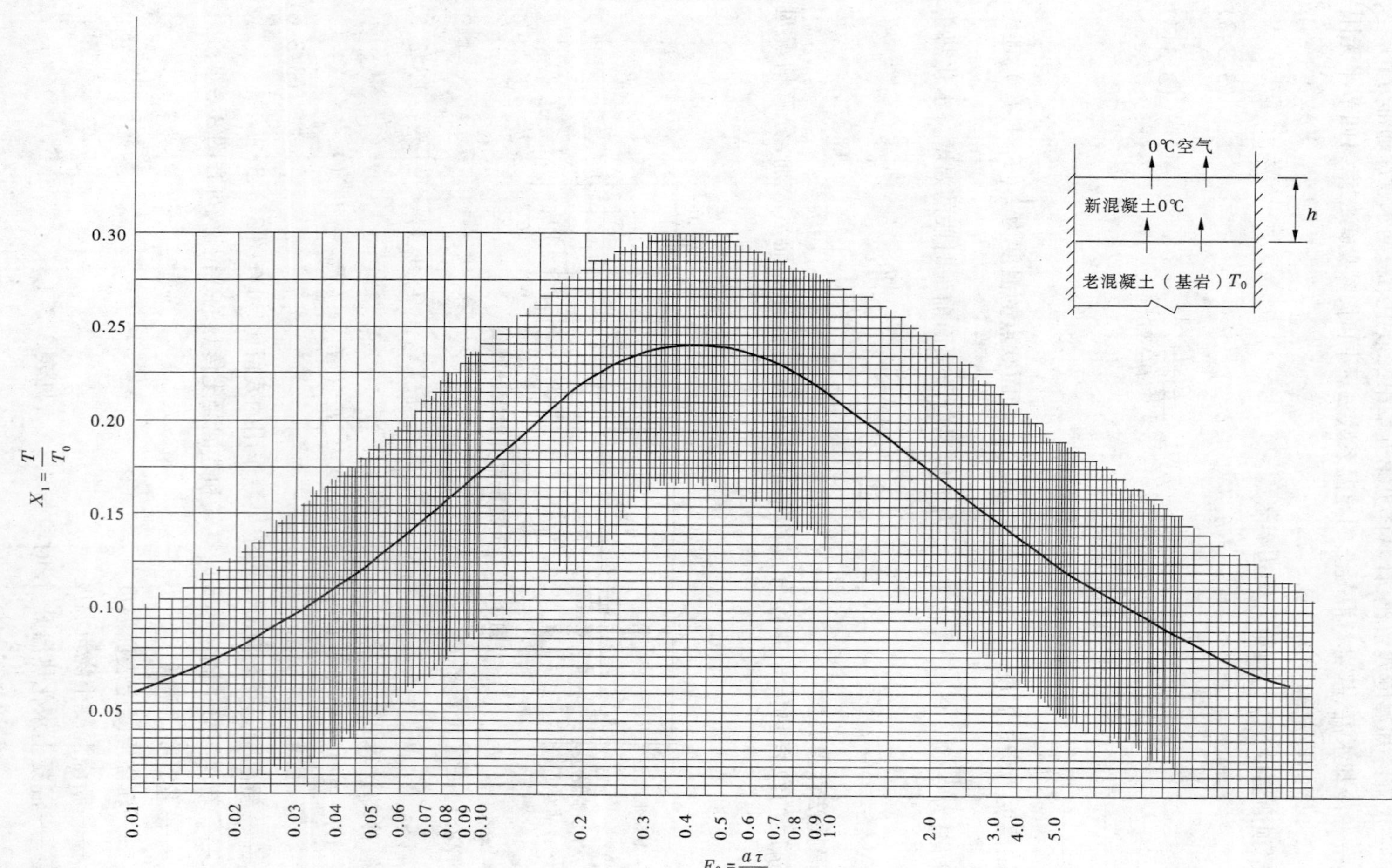

图 3-3-3 新混凝土受老混凝土固定热源作用的残留比 X_1

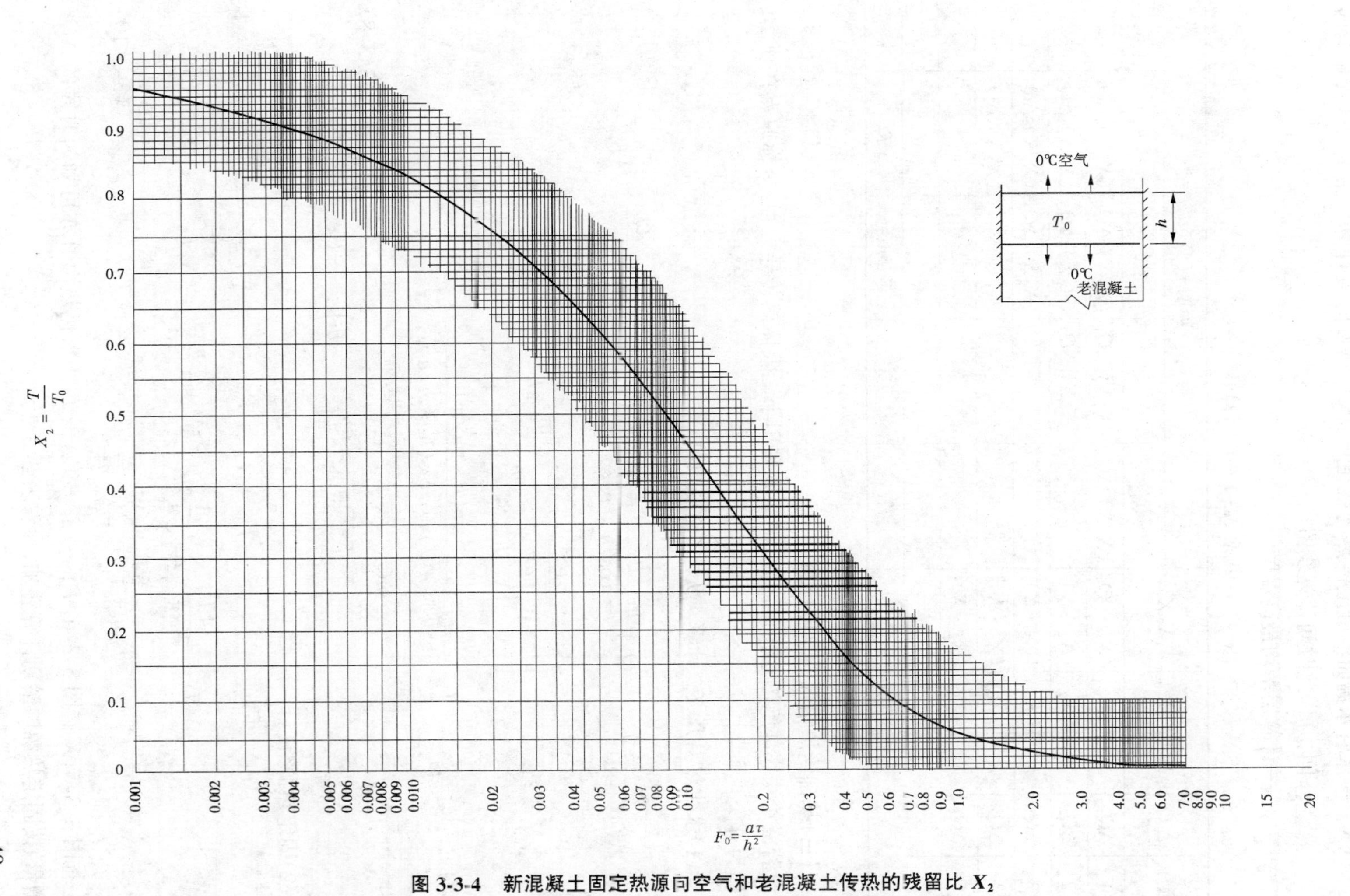

图 3-3-4　新混凝土固定热源向空气和老混凝土传热的残留比 X_2

T_W——通水水温；

X——水管水温面混凝土传热的残留比，水化热按时段计算出最高 T_r 及相应时间，并以此时间计算残留比；

T_m——计算层平均最高温度。

表 3-3-1　T_r 计算表

顺序	ΔQ	X_2	X	X_2X	龄期 t(d)				
					1	2	3	4	5
1	ΔQ_1	X_2^1	X_1	$(X_2\cdot X)_1$	$(X_2X)_1\Delta Q_1$	$(X_2X)_2\Delta Q_1$	$(X_2X)_3\Delta Q_1$	$(X_2X)_4\Delta Q_1$	…
2	ΔQ_2	X_2^2	X_2	$(X_2\cdot X)_2$		$(X_2X)_1\Delta Q_2$	$(X_2X)_2\Delta Q_2$	$(X_2X)_3\Delta Q_2$	…
3	ΔQ_3	X_2^3	X_3	$(X_2\cdot X)_3$			$(X_2X)_1\Delta Q_3$	$(X_2X)_2\Delta Q_3$	…
4	ΔQ_4	X_2^4	X_4	$(X_2\cdot X)_4$				$(X_2X)_1\Delta Q_4$	…
5	ΔQ_5	X_2^5	X_5	$(X_2\cdot X)_5$					
				…					
		T_r		$\sum$	T_{r1}	T_{r2}	T_{r3}	T_{r4}	…

（三）基础绝热情况的温度计算

若浇筑块底部绝热，顶面温度为0℃，则采用半无限体热传导方程，坐标原点在顶面，气温为 T_a。

(1)水化热温升 T_{m_1} 计算。无水管冷却时

$$T_{x,t}=Q_0\left[\frac{\cos[(h-x)\sqrt{m/a}]}{\cos(h\sqrt{m/a})}-1\right]\mathrm{e}^{-mt}-4\frac{mQ_0}{\pi}\times\sum_{n=1,3,5}\frac{\mathrm{e}^{-an^2\pi^2t/4h^2}}{n\left(\dfrac{an^2\pi^2}{4h^2}-m\right)}\sin\frac{n\pi x}{2h}\tag{3-3-7}$$

平均

$$T_{m1}=Q_0\left[\frac{\sin(h\sqrt{m/a})}{h\sqrt{m/a}\cos(h\sqrt{m/a})}-1\right]\mathrm{e}^{-mt}-8\frac{mQ_0}{\pi^2}\sum_{n=1,3,5}\frac{\mathrm{e}^{-an^2\pi^2t/4h^2}}{n^2\left(\dfrac{an^2\pi^2}{4h^2}-m\right)}\tag{3-3-8}$$

(2)固定热源 T_{m2} 计算。

$$T_0=T_P-T_a$$

$$T_{x,t}=\frac{4T_0}{\pi}\sum_{n=1,3,5}\frac{1}{n}\mathrm{e}^{-an^2\pi^2t/4h^2}\sin\frac{n\pi x}{2h}=X_xT_0\tag{3-3-9}$$

$$T_{m2}=\frac{8T_0}{\pi^2}\sum_{n=1,3,5}\frac{1}{n^2}\mathrm{e}^{-an^2\pi^2t/4h^2}=XT_0\tag{3-3-10}$$

X_x 查图 3-3-5，X 查图 3-3-6，$T_m=T_{m1}+T_{m2}+T_a$。水化热温升亦可划为时段的 ΔQ_r（增量）按固定热源顺龄期计算叠加，参看表 3-3-1。

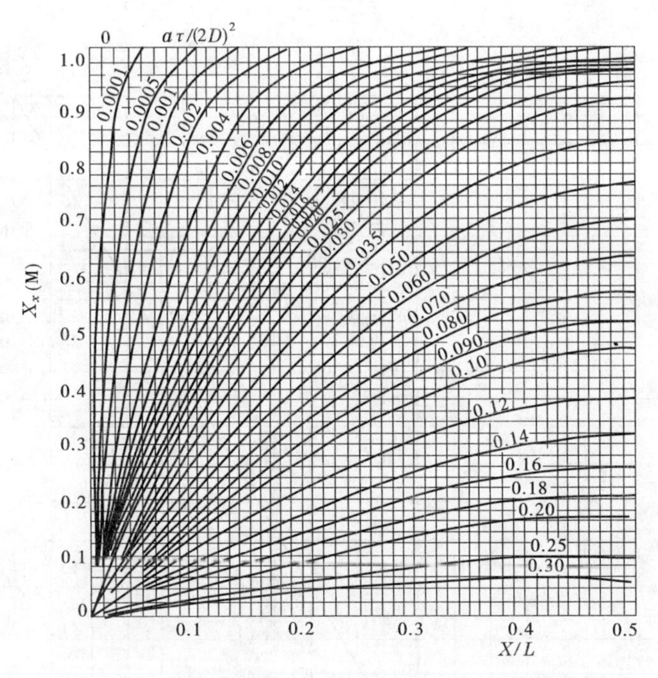

图 3-3-5　初始温度均匀分布厚度 $L = 2D$ 的 X_x

(四)浇筑表面流水降温(水套法)

苏联托克托古尔坝基础及上部混凝土浇筑均采用水套法作为主要降温措施之一。其经验为:浇筑层厚 $h = 0.5$m,放热峰值可削减至 1/3～1/4,3～4 天内可散发总热量的 70%～80%。第三天的混凝土平均温度接近冷却水温,且温度均匀。若用雨淋法其降温效果亦同。水套法降温一般在浇后 12 小时开始流水,其速度 v 不大于 0.8m/s,水层厚度 2～8mm,水量一般为 10～15L/s。

国内在丹江口水库首先使用水套法,降温效果较好。丹江口水库总结的经验为:层厚小于 2m,水化热温升可削减 1～3℃,计算式为

$$\Delta T_{\max} = K\Delta T_n \tag{3-3-11}$$

式中　K——系数,$h = 1.0$m 时,$K = 0.5$～0.7,$h = 1.5$m 时,$K = 0.45$～0.6,$h = 2.0$m 时,$K = 0.35$～0.45,h 为浇筑层厚;

ΔT_n——水温与气温之差;

$\Delta T_{\max}$——降低混凝土平均温度值,也可以采用水温 T_b 的不变温度用差分法计算。

(五)两个方向散热的温度计算

(1)如有两个方向散热,可用双向差分计算。

$$T_{m,n,1} = T_{m,n,t-1} + \frac{a\Delta t}{\Delta x^2}(T_{m-1,t-1} + T_{m+1,t-1} + T_{n-1,t-1} + T_{n+1,t-1} - 4T_{m,n,t-1}) + \Delta T_Q \tag{3-3-12}$$

收敛条件为 $K = \dfrac{a\Delta t}{\Delta x^2} \leqslant \dfrac{1}{4}$。网格如图 3-3-7 所示。有水管冷却时,令水管点处温度等于水温代入式(3-3-12)即可。为减少工作量,可取一计算条,水管点中间处为绝热,初始边

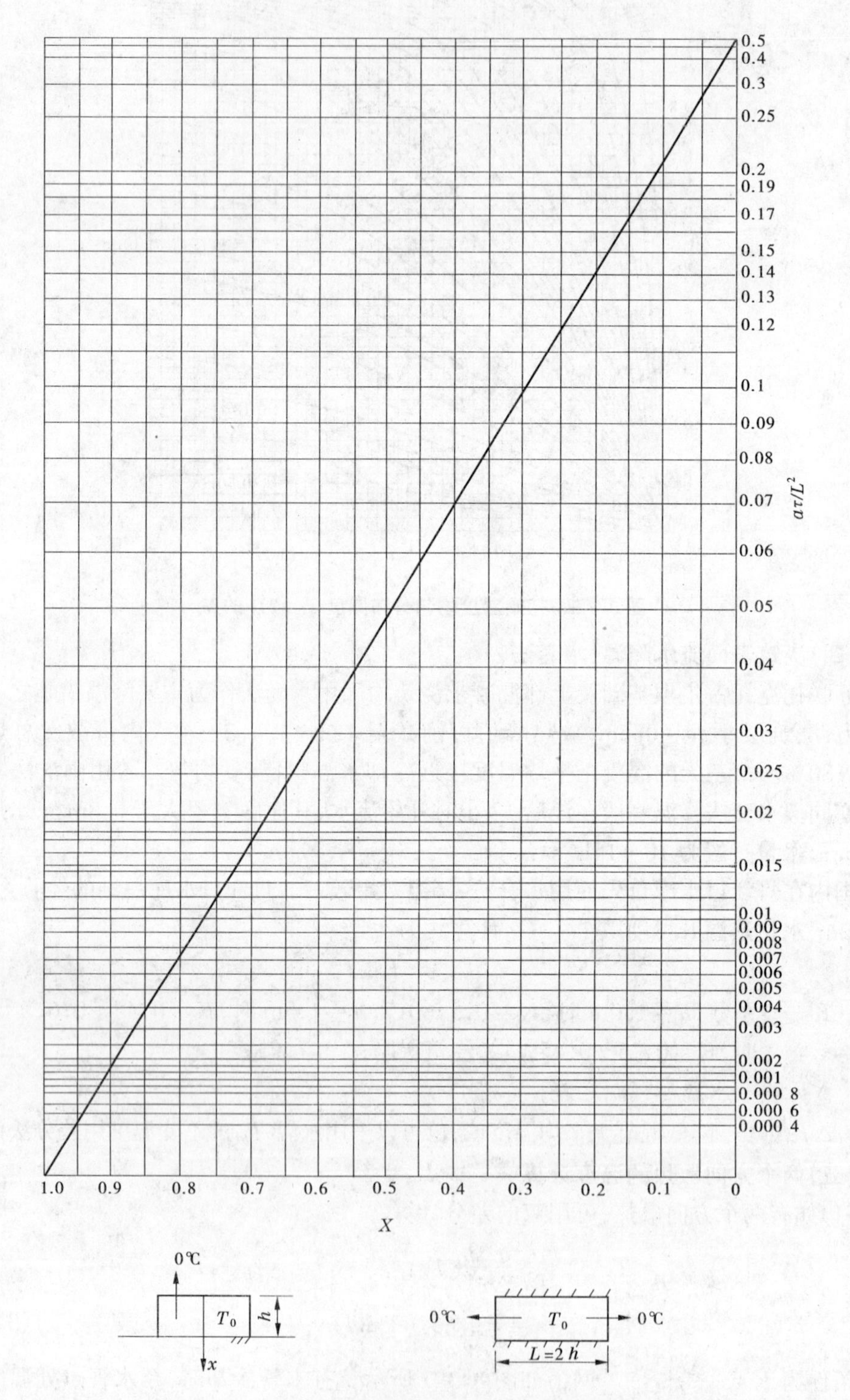

图 3-3-6　初始均匀温度分布的平板平均温度的 X 值

界条件同单向差分。当相邻点的距离不等时按式(3-3-13)计算。

$$T_{0,t} = T_{0,t-1} + \frac{2a\Delta t}{\Delta x^2}\left[\frac{1}{l_1 + l_2}\left(\frac{T_{1,t-1}}{l_1} + \frac{T_{2,t-1}}{l_2}\right) + \frac{1}{l_3 + l_4}\left(\frac{T_{3,t-1}}{l_3} + \frac{T_{4,t-1}}{l_4}\right) - T_{0,t-1}\left(\frac{1}{l_1 l_2} + \frac{1}{l_3 l_4}\right)\right] + \Delta T_Q \tag{3-3-13}$$

棱角点 T_y 计算式

$$T_y = \frac{\dfrac{T_1}{l_1\Delta x} + \dfrac{T_2}{l_2\Delta x} + \dfrac{T_a}{\lambda}(\beta_1 + \beta_2)}{\dfrac{1}{l_1\Delta x} + \dfrac{1}{l_2\Delta x} + \dfrac{1}{\lambda}(\beta_1 + \beta_2)} \tag{3-3-14}$$

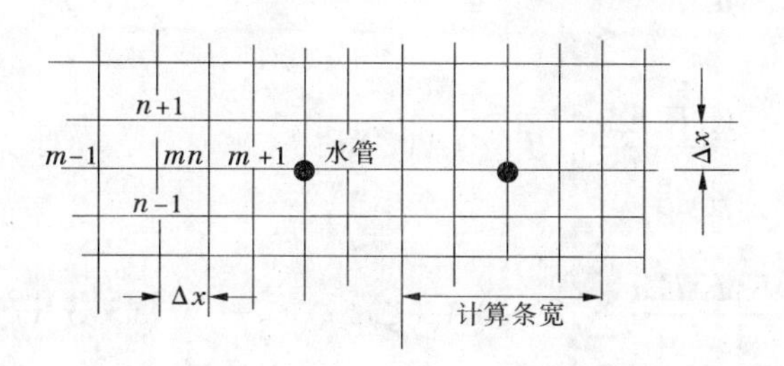

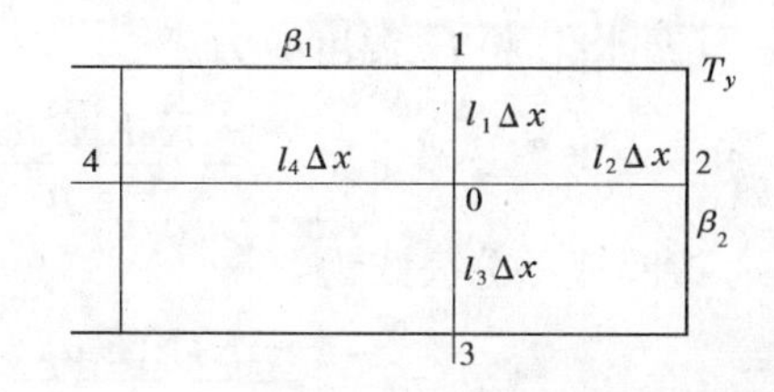

图 3-3-7

(2)简捷法。采用综合残留比,也就是时差法。即先在一个方向散热得温度 $X_1 T$,再在另一方向散热得 $X_2(X_1 T)$,$X_2 X_1$(有三向时 $X_3 X_2 X_1$) = X 称为综合残留比。边界温度高于混凝土温度时产生倒灌,综合倒灌比 $X' - 1 - (1 - X_x)(1 \quad X_y)$。分解如图 3-3-8 所示。

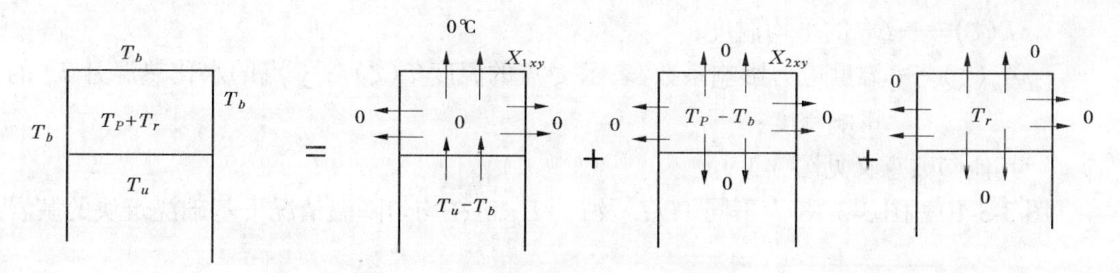

图 3-3-8

$$T_m = (T_u - T_b)X_{1xy} + (T_P - T_b)X_{2xy} + T_r + T_b \tag{3-3-15}$$

式中:$X_{1xy} = X_x \cdot X_{1y}$,$X_x$ 查图 3-3-5,X_{1y} 查图 3-3-3;$X_{2xy} = X_x \cdot X_{2y}$,$X_{2y}$ 查图 3-3-4;T_r 为水化热温升,以表 3-3-1 方式加一个 X_x 残留比的乘积,即 $X_2 \cdot X \cdot X_x$ 计算出 T_r。

(六)混凝土后期温度计算

混凝土达到 T_{max} 后的冷却(包括自然冷却及二期水管冷却)称为后期冷却。后期冷却计算时段较长,一般当混凝土达到最高温度后开始计算。

基岩面上单层混凝土的后期冷却可按式(3-3-10)计算。T_0 即为 $T_{max} - T_a$,t、a 均以月计。柱状混凝土时,一般向外散热困难均采用二期水管冷却。

二、温度徐变应力(σ^*)计算

1. 柱状块的温度应力计算

柱状块是分层浇筑的,将各层的平均最高温度绘于层中心,并连成最高温度外包线延至基岩面,采用影响系数法或半经验公式计算。

1)影响系数法

分为均匀温差($T_P - T_f$)及水化热温升 T_r 两部分产生的应力。

(1)均匀温差应力

$$\sigma_R^* = \frac{K_P R E_c \alpha}{1 - \mu}(T_P - T_f) \tag{3-3-16}$$

(2)水化热 T_r 温度应力

$$\sigma_{xy}^* = \frac{-K_P K_r E_c \alpha T_y}{1 - \mu} + \frac{K_P K_r E_c \alpha}{1 - \mu}\int_0^H T(\zeta) A(\zeta) \mathrm{d}\zeta$$

改写成差分公式为

$$\sigma_{xy}^* = \frac{-K_P K_r E_c \alpha T_y}{1 - \mu} + \frac{K_P K_r E_c \alpha}{1 - \mu}\sum T(\zeta) A_y(\zeta) \Delta\zeta \tag{3-3-17}$$

柱状块混凝土温度应力为以上两项之和

$$\sigma_x^* = \sigma_R^* + \sigma_{xy}^* \tag{3-3-18}$$

式中 K_r——考虑早期产生压应力的折减系数,取 0.75~0.85;

T_y——y 点混凝土的水化热温升;

K_P——松弛系数,基岩面取 0.7,混凝土内部取 0.5;

R——基岩约束系数;

$T(\zeta)$——$\Delta\zeta$ 的平均温度;

$A_y(\zeta)$——温度应力影响系数,表示 ζ 点的温度 $T(\zeta)$ 对 y 点的水化热温升 T_y 的影响程度;

其他参数意义见图 3-3-9。

图 3-3-10~图 3-3-18 为不同 H/L 及 E_c/E_g 值在均匀降温情况下基础浇筑块的基岩

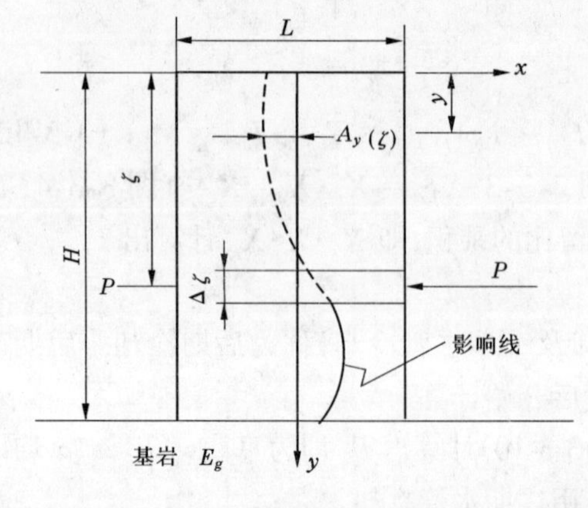

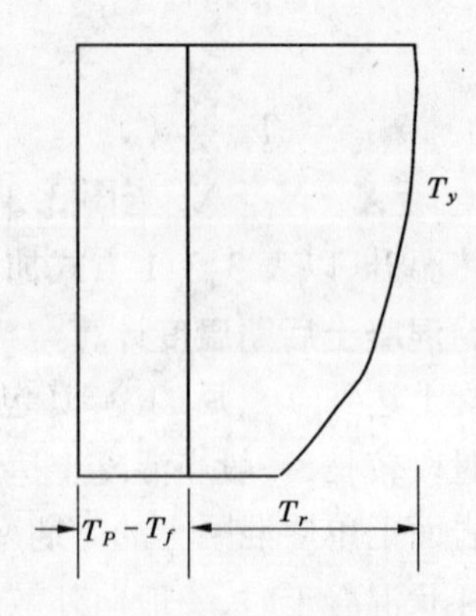

图 3-3-9

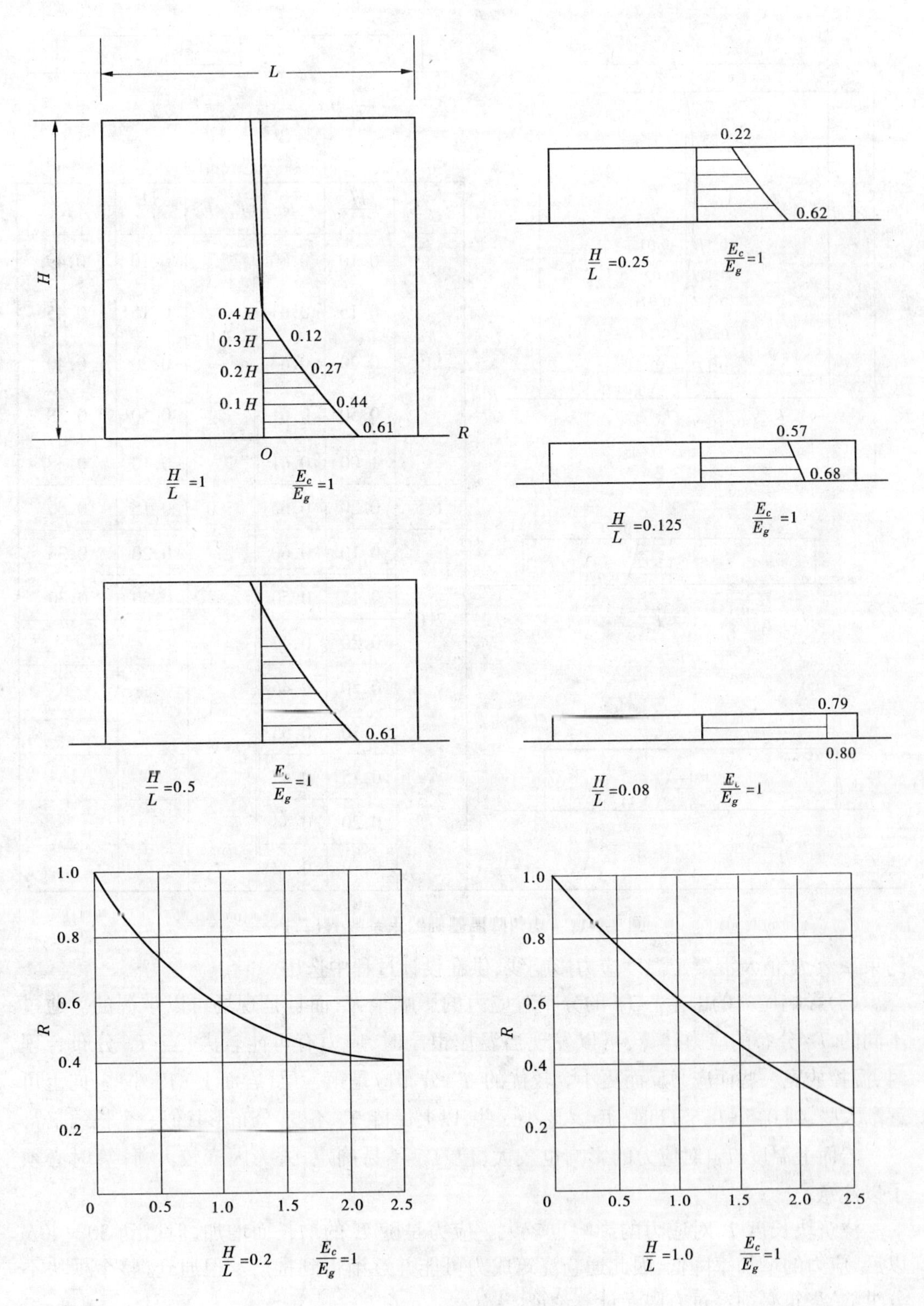

图 3-3-10　均匀降温基础约束系数 R(一)

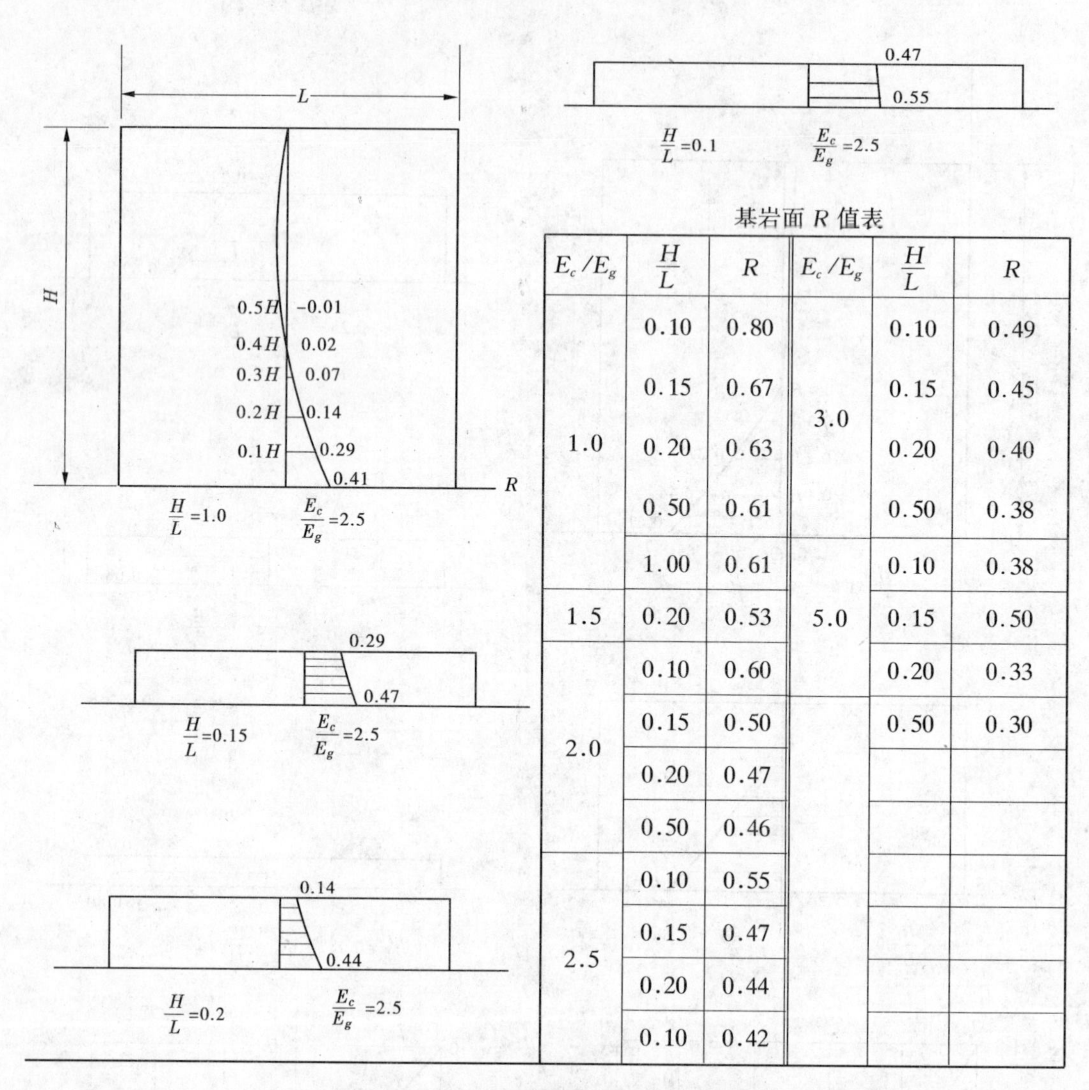

基岩面 R 值表

E_c/E_g	$\frac{H}{L}$	R	E_c/E_g	$\frac{H}{L}$	R
1.0	0.10	0.80	3.0	0.10	0.49
	0.15	0.67		0.15	0.45
	0.20	0.63		0.20	0.40
	0.50	0.61		0.50	0.38
1.5	1.00	0.61	5.0	0.10	0.38
	0.20	0.53		0.15	0.50
2.0	0.10	0.60		0.20	0.33
	0.15	0.50		0.50	0.30
	0.20	0.47			
	0.50	0.46			
2.5	0.10	0.55			
	0.15	0.47			
	0.20	0.44			
	0.10	0.42			

图 3-3-11 均匀降温基础约束系数 R(二)

约束系数 R 值及混凝土温度应力影响线,供在设计过程中选用。

(3)影响应力的因素。T_y 的分布对应力的影响很大,而且是现场可以掌握的。通过不同的 T_y 分布的应力计算,可以发现当温控很严时,应力有可能较大;当 T_y 分布合理时,温控放宽一些而应力反而更小。较优的 T_y 分布应是第一层(岩面上)T_y 小些,向上可逐渐大些,到 $0.5\sim0.55H$ 时,T_y 又要小一些,以上保持 T_y 不变,分布形状似一个长颈瓶。

岩面上温度 T_H 对应力的影响也较大,但 T_H 不易确定,人为因素较大,计算时必须予以注意。

浇筑块长度 L 对应力的影响也较大。应力是随 L 的增长而增加,但增到 30～40m 以后,应力的增加率降低,因此通仓浇筑成为可能并逐渐得到推广。但通仓(整个坝块不分纵缝)浇筑必须经过有限元计算论证。

混凝土弹模 E_c 与基岩弹模 E_g 之比(E_c/E_g)对应力的影响很大。比值大者基岩约束

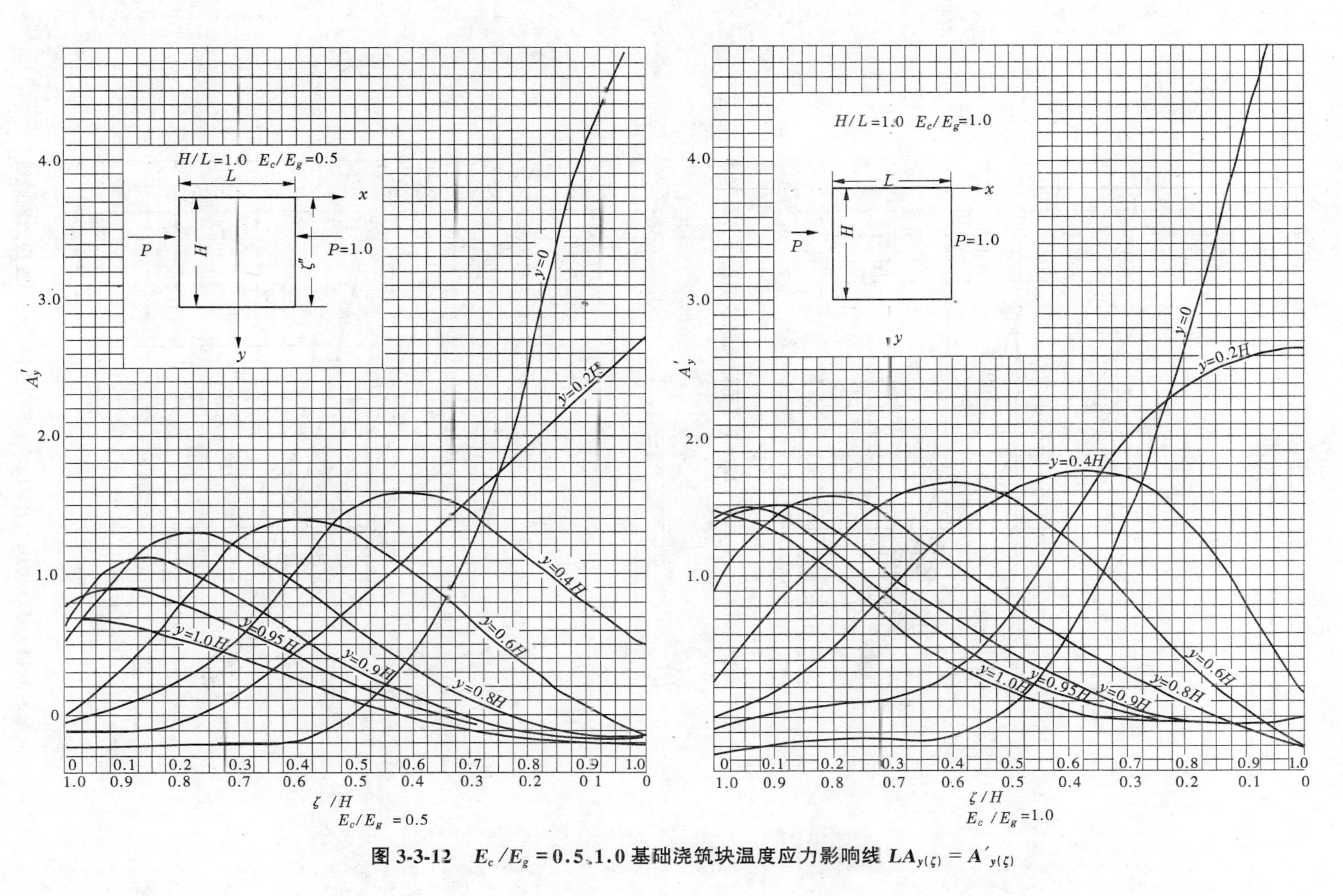

图 3-3-12　$E_c/E_g = 0.5、1.0$ 基础浇筑块温度应力影响线 $LA_{y(\zeta)} = A'_{y(\zeta)}$

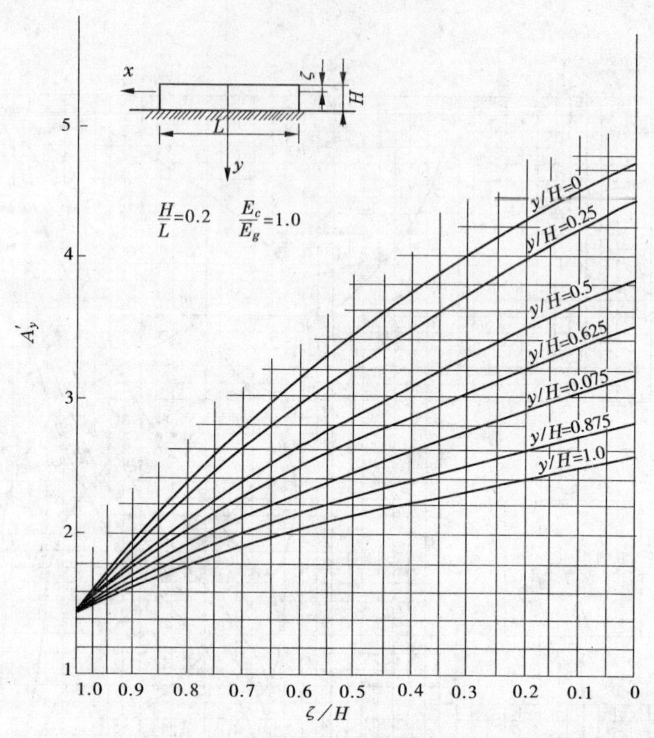

图 3-3-13　$H/L=0.2, E_c/E_g=1.0$ 基础浇筑块温度应力影响线

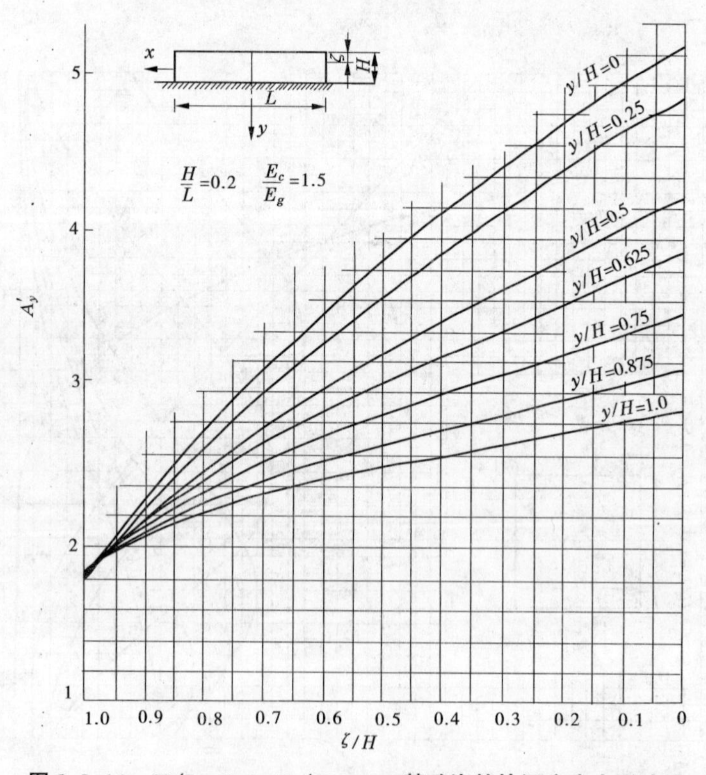

图 3-3-14　$H/L=0.2, E_c/E_g=1.5$ 基础浇筑块温度应力影响线

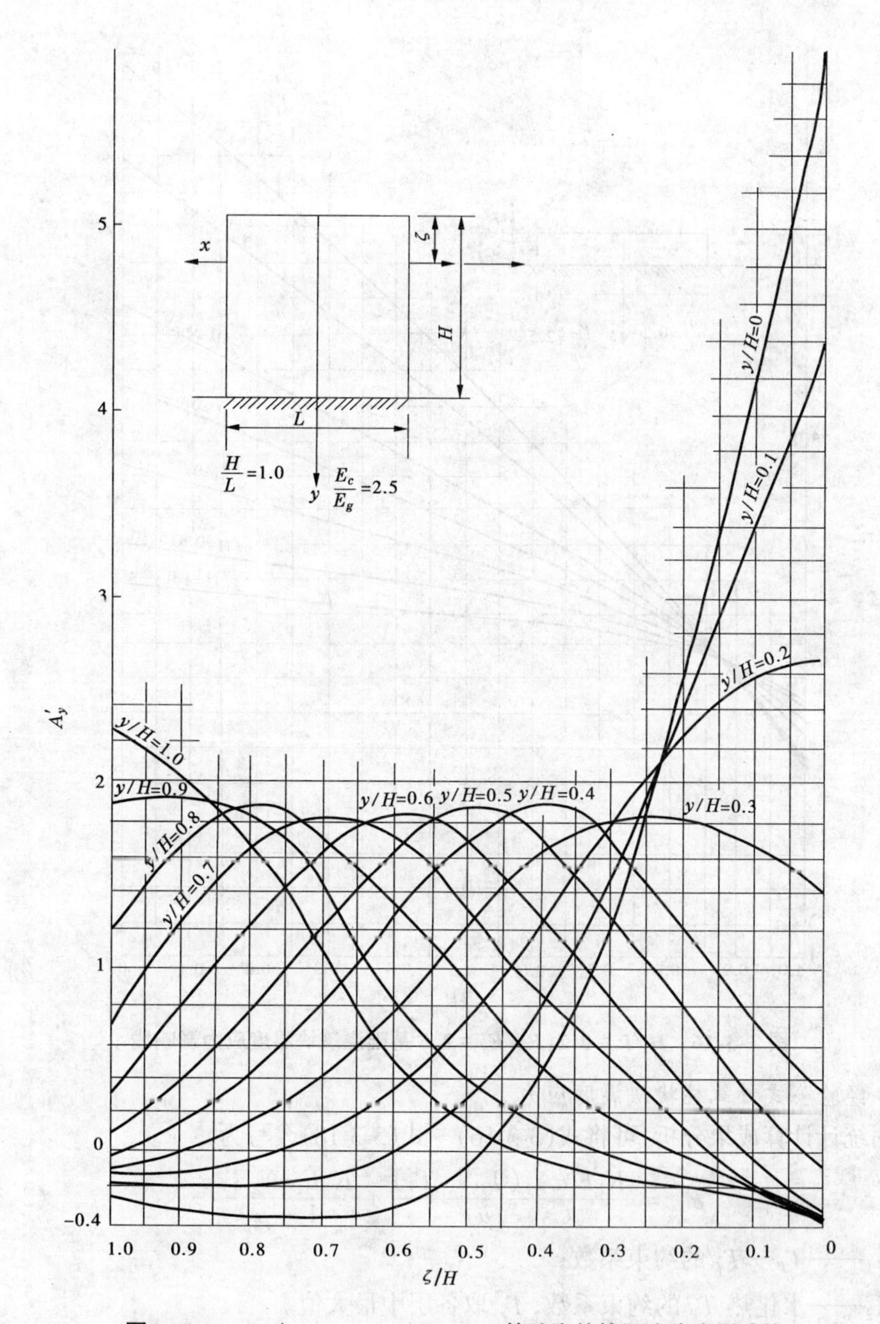

图 3-3-15　$H/L=1.0, E_c/E_g=2.5$ 基础浇筑块温度应力影响线

系数 R 值小。但 E_g 的确定要慎重,应考虑基础固结灌浆后 E_g 的提高。一般来说,基础岩石越弱、节理裂隙越多,灌浆后 E_g 提高越多。单块岩石室内试验弹模偏大,现场试验值比灌浆后实际值偏小。基础 E_g 变化大时也应注意其取值,E_g 应当偏于防裂安全。

当 E_c/E_g 不等于 1.0 时,基岩约束系数可按 $R'=\dfrac{1.82R}{1+0.82E_c/E_g}$ 来折算,R 是 $E_c/E_g=1.0$ 的值。

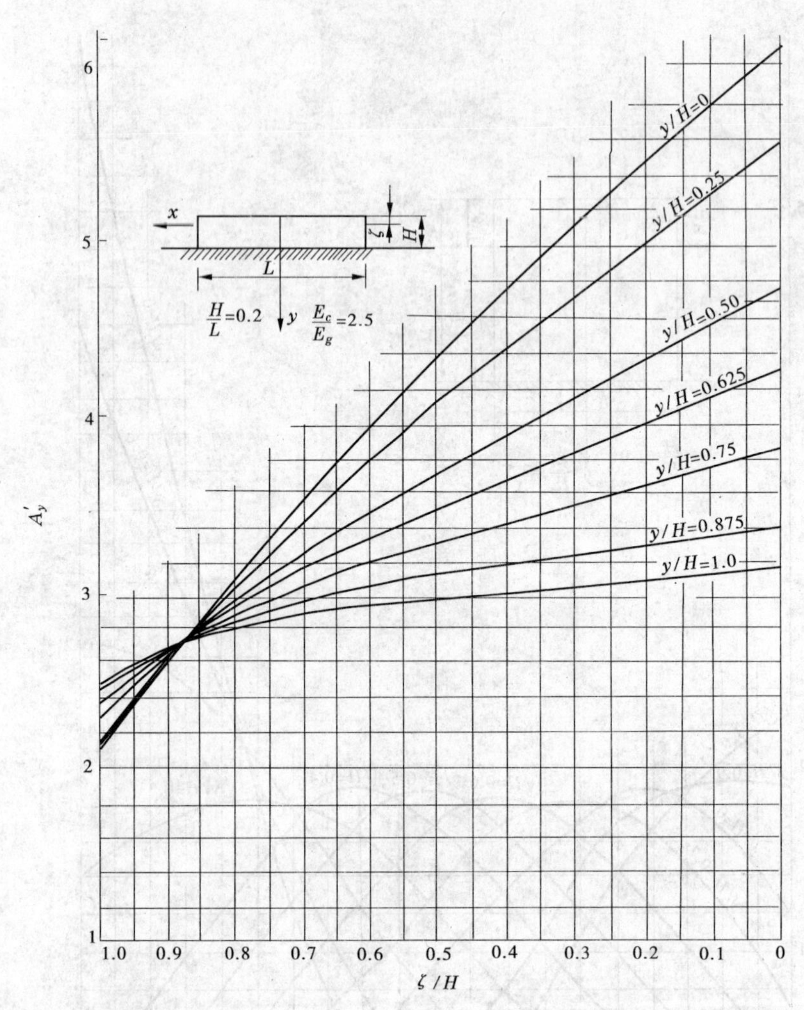

图 3-3-16　$H/L=0.2, E_c/E_g=2.5$ 基础浇筑块温度应力影响线

2)半经验公式计算柱状块温度应力

根据统计计算成果分析,可将式(3-3-16)~式(3-3-18)改写为

$$\sigma_*^* = \frac{K_P E_c \alpha A_1 (T_P - T_f)}{1-\mu} + \frac{K_P E_c \alpha A_2 T_r}{1-\mu} \tag{3-3-19}$$

式中　A_1——$T_P - T_f$ 的约束系数;

A_2——水化热 T_r 的约束系数,T_r 取各层中最大值。

$$A_1 = 0.690 - 0.195\frac{E_c}{E_g} + 0.025\left(\frac{E_c}{E_g}\right)^2$$

$$A_2 = 0.472 - 0.156\,7\frac{E_c}{E_g} + 0.020\,3\left(\frac{E_c}{E_g}\right)^2 + 0.003\,72L - 0.000\,009\,63L^2$$

岸坡坝段或其他情况需考虑双向约束时,其 $R_{xy} = 1-(1-R_x)(1-R_y)$,$R_x$、$R_y$ 为 x、y 向的单独约束系数。

在二期水管进行冷却时,由于基岩及冷却区上部未冷却混凝土的约束,使上下面存在

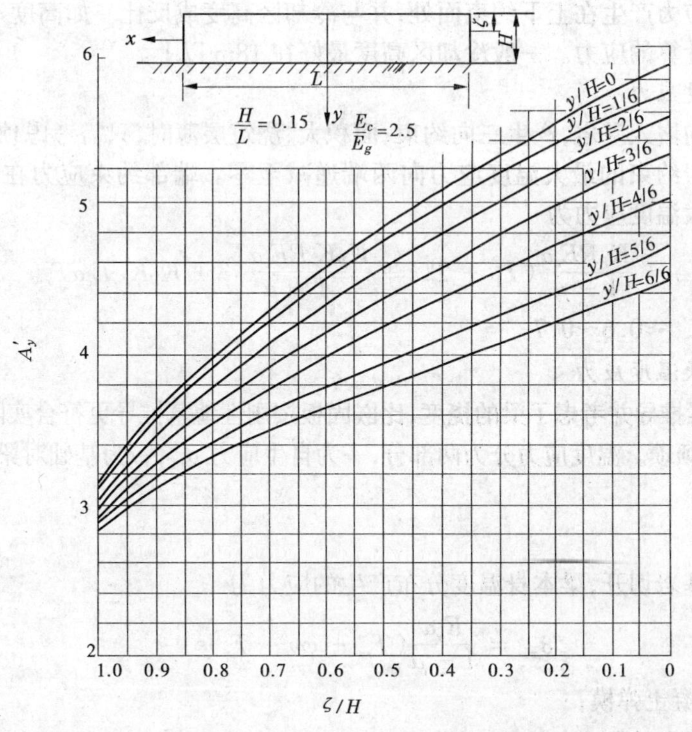

图 3-3-17　$H/L=0.15, E_c/E_g=2.5$ 基础浇筑块温度应力影响线

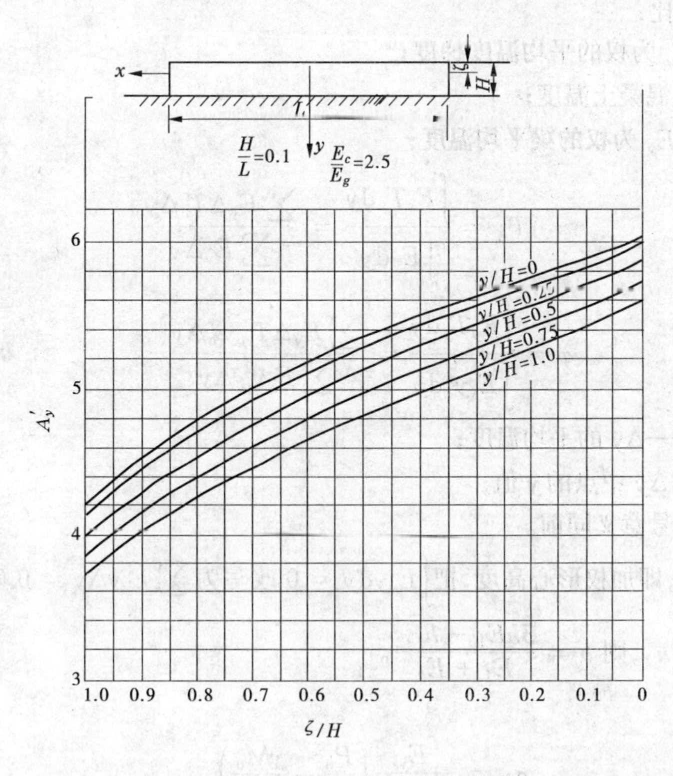

图 3-3-18　$H/L=0.1, E_c/E_g=2.5$ 基础浇筑块温度应力影响线

双向约束。最大应力产生在上下约束面处,并与冷却区高度成反比。如高度过小,则可能产生大于柱状块计算的应力。一般冷却区高度最好在18m以上。

2.嵌固板温度应力

嵌固板系三向嵌入基岩,产生三向约束;面积大、浇筑层薄时,只需考虑顶面散热。其块长中心底部基岩约束的最大温度应力向两端递减至零。端部约束应力在块长各处相同。叠加后的最大温度应力为

$$\sigma_{\max}^{*} = \frac{K_P R E_c \alpha}{1-\mu}(T_P - T_f) + \frac{K_P K_r R E_c \alpha T_r}{1-\mu} + K_P K'_r E_c \alpha T_r \tag{3-3-20}$$

式中:$K'_r < K_r$,$K'_r \approx 0.6 \sim 0.7$。

3.薄层长间歇温度应力

按弹性地基梁推导并考虑了梁的挠度,比嵌固板按刚性地基推导更符合实际,也适于多层浇筑,但计算较烦琐。温度应力分为两部分,一为自生应力 σ_{x1},一为基础对梁的约束应力 σ_{x2}。

1)自生应力

将混凝土与基岩切开,梁本身温度分布产生的应力为

$$\sigma_{x1} = \frac{E_y \alpha}{1-\mu}(T_m + \varphi y - T_y) \tag{3-3-21}$$

式中 E_y—— 混凝土弹模;

α—— 线膨胀系数;

μ—— 泊松比;

φ—— 以 E_y 为权的平均温度梯度;

T_y——y 点混凝土温度;

T_m—— 以 E_y 为权的梁平均温度;

其中

$$T_m = \frac{\int E_y T_y \mathrm{d}y}{\int E_y \mathrm{d}y} = \frac{\sum E_y \Delta T_c \Delta y}{\sum E_y \Delta y} \tag{3-3-22}$$

$$\varphi = \frac{\int E_y T_y \mathrm{d}y}{\int E_y y^2 \mathrm{d}y} = \frac{\sum E_y \Delta T_{cp} y_{cp} \Delta y}{\sum E_y y_{cp}^2 \Delta y} \tag{3-3-23}$$

ΔT_{cp}——Δy 的平均温度;

y_{cp}——Δy 中点的 y 值;

其他符号意义同前。

b 为弹性中心,即加权形心高度,把$\int E_y y \mathrm{d}y = 0$ 改写为 $\sum E_y y \Delta y = 0$ 确定 b 值,如图3-3-19的$h_1 = h_2$,则 $b = \frac{3hE_1 + hE_2}{E_1 + E_2}$。

2)约束应力

$$\sigma_{x2} = \frac{E_y}{1-\mu^2}\left(\frac{P_0}{F} - \frac{yM_0}{D}\right) \tag{3-3-24}$$

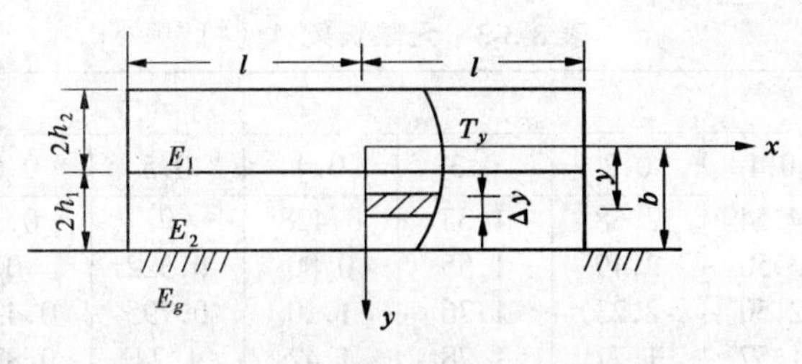

图 3-3-19

$$D=\frac{1}{1-\mu^2}\int E_y y^2\,\mathrm{d}y=\frac{1}{1-\mu^2}\sum_{-y}^{y}E_y y_{cp}^2\Delta y \tag{3-3-25}$$

$$F=\frac{1}{1-\mu^2}\int E_y\,\mathrm{d}y=\frac{1}{1-\mu^2}\sum_{-y}^{y}E_y\Delta y \tag{3-3-26}$$

$$\text{弯矩 } M_x=l^2\left[B_1 r\sqrt{1-x^2}-\frac{A_2}{3}(1-x^2)\sqrt{1-x^2}\right] \tag{3-3-27}$$

$$\text{轴向力 } P_x=-B_1 l\sqrt{1-x^2} \tag{3-3-28}$$

梁中心剖面应力最大，令 $x=0$，则

$$M_0=l^2\left(B_1 r-\frac{A_2}{3}\right),P_0=-B_1 l$$

A_2、B_1 计算见表 3-3-2。

表 3-3-2　A_2、B_1 计算表

$B_1=\frac{C_{32}\beta+C_{12}\lambda}{C_{11}C_{32}-C_{12}C_{31}}$	$A_2=\frac{-C_{31}\beta-C_{11}\lambda}{C_{11}C_{32}-C_{12}C_{31}}$
$C_{11}=15(kr-S)$	$C_{12}=\ 5k-60$
$C_{31}=-15i-30$	$C_{32}=-15S$
$\beta=\frac{15(1+\mu)\alpha\psi E_g l}{1-\mu^2}$	$\lambda=\frac{15(1+\mu)\alpha E_g T_m}{1-\mu_g^2}$
$S=\frac{1\ 2\mu_g}{1-\mu_g}$	$i=\frac{E_g l}{F(1-\mu_g^2)}$
$k=\frac{E_g l^3}{D(1-\mu_g^2)}$	$r=b/l$

4. 高浇筑块温度应力

施工期或运用期的高临空坝面，如纵横缝间柱体(包括上游坝面横缝间柱体)、高桥墩等长期暴露于空气中，可视为平面应变问题。在建筑物顶部至基础面之间切取一水平薄片，温度仅沿 z 的方向单向变化，如图 3-3-20 所示。$x=0$ 的应力计算与式(3-3-17)相同，但 $A_y(\zeta)$不同，可查表 3-3-3 及表 3-3-4。此处 $A_y(\zeta)$ 即 $A_z(\zeta)$。$A_z(\zeta)=\frac{A'_z(\zeta)}{L}$。

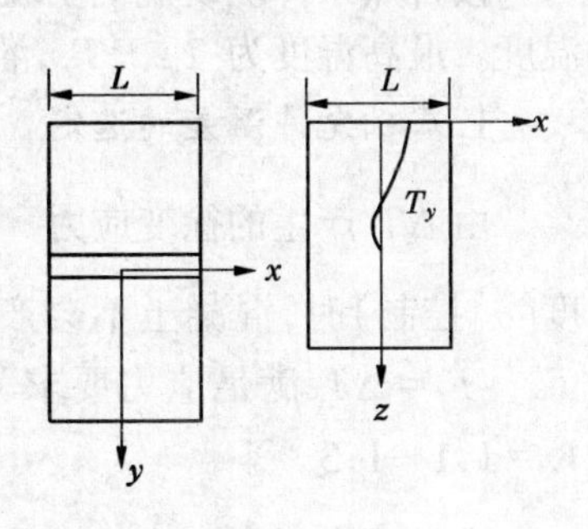

图 3-3-20

表 3-3-3　无限长条 $A_z(\zeta)$

ζ/L	y/L								
	0	0.1	0.2	0.3	0.4	0.5	0.6	0.8	1.0
0	6.68	4.54	2.68	1.33	0.428	0	−0.374	−0.414	−0.234
0.1	4.55	3.56	2.49	1.55	0.80	0.322	0	−0.25	−0.122
0.2	2.68	2.50	2.23	1.76	1.10	0.795	0.431	0	−0.10
0.3	1.33	1.57	1.77	1.78	1.42	1.24	0.875	0.247	0
0.4	0.423	0.826	1.26	1.61	1.48	1.50	1.30	0.531	0.11
0.5	0	0.34	0.78	1.23	1.58	1.68	1.59	0.875	0.296
0.6	−0.374	0	0.428	0.857	1.24	1.59	1.78	1.23	0.538
0.7	−0.448	0	0.19	0.541	0.91	1.29	1.60	1.56	0.854
0.8	−0.421	0	0.10	0.261	0.431	0.874	1.23	1.74	1.20
0.9	−0.327	0	0	0.10	0.22	0.555	0.874	1.53	1.59
1.0	−0.232	0	0	0	0.10	0.29	0.539	1.22	1.68

表 3-3-4　方形板 $A'_z(\zeta)$

ζ/L	y/L			
	0	0.17	0.33	0.50
0	5.91	3.02	1.0	0.06
0.1	3.85	3.01	1.43	0.395
0.2	2.31	2.47	1.83	0.896
0.3	1.28	1.78	2.29	1.42
0.4	0.514	1.10	2.00	1.95
0.5	0	0.55	1.35	2.03
0.6	−0.256	0.27	0.857	1.82
0.7	−0.359	0.07	0.57	1.186
0.8	−0.514	−0.27	0.29	0.791
0.9	−0.539	−0.357	−0.14	0.290
1.0	−0.610	0.41	−0.26	0.06

注:①表 3-3-3、表 3-3-4 均从文献[1]的图中摘出,计算 $A_z(\zeta)$时,应用表中数值时均除以 L_0,即 $A_y(\zeta)=A_z'(\zeta)/L$。

②表 3-3-3、表 3-3-4 中正负号仅是数值相反。

三、基础混凝土温度控制

按自然条件浇筑混凝土温度往往较高,满足不了应力要求,因此需要人工控制其最高温度。最高温度为 T_P+T_r,灌浆温度为 T_f,故需降的温度温差为 $\Delta T=T_P+T_r-T_f$。

1.基础允许温差的选定

由 ΔT 产生的徐变应力 $\sigma^*\leqslant\dfrac{E_c\varepsilon_P}{K}$(以极限拉伸值控制)或 $\sigma^*\leqslant\dfrac{[\sigma]}{K}$(以混凝土抗拉强度$[\sigma]$控制)时,混凝土不会产生裂缝。否则,需将 T_P 及 T_r 予以人工降低,直至 $T_P+T_r-T_f=\Delta T$ 满足应力要求为止,此时 ΔT 称为基础允许温差。K 为安全系数,一般 $K=1.1\sim1.3$。

满足要求的 ΔT 取决于混凝土的 ε_P、L、$\dfrac{H}{L}$ 及 E_c/E_g。L 及 $\dfrac{H}{L}$ 多是在考虑温控要求情

况下由施工需要决定的。E_c/E_g 比值影响 R 的大小,但是由于基岩的不均一性及构造节理以及固结灌浆后提高 E_g 等影响,确定使用的基岩弹模比较困难,取值时应当留有余地。在 $E_c/E_g>1.0$ 时,可适当考虑它的作用并参考已建工程的选值予以确定。薄层长间歇浇筑混凝土应通过计算决定。对于坝肩双向约束时的允许温差应小于正常基础混凝土的温差2~3℃。

2.温控设计的评定

温控设计的评定主要是针对基础混凝土而言,因为它产生的裂缝一般为贯穿性(直通至基础面)裂缝,破坏了坝体的整体性。温控设计包括了原材料选择、混凝土配比(要适于温控)、允许温差等,可以采用两个指标予以评定。

(1)热强比 C_H。按下式计算

$$C_H=\frac{WQ_0}{R}$$

式中 W——水泥用量;

Q_0——水泥最终水化热;

R——抗压强度。

C_H 小,说明水泥等原材料及配比选得好,对防裂有利。

(2)抗裂安全度 K_f。按下式计算

$$K_f=\frac{(1-\mu)\varepsilon_P}{\zeta\alpha A_s(T_P+T_r-T_f)} \tag{3-3-29}$$

式中 ζ——早期受压的折减系数,近似用0.6;

A_s——与基岩弹模、浇筑块长度等有关的影响系数,$A_s=A_y(\zeta)\cdot f(R)$,$f(R)$见表3-3-5;

ε_P——极限拉伸值,采用90天龄期值,约为28天的1.15倍;

μ——混凝土泊松比。

表3-3-5 不同混凝土标号的 $f(R)$ 表

混凝土标号(R)	100	150	200	250	300	400
$E_g=2.4\times10^5$	1.18	0.99	0.90	0.85	0.79	0.76
$E_g=3.0\times10^5$	1.24	1.12	1.03	0.97	0.92	0.85

$K_f>1.0$ 时,即可认为是安全的。由于混凝土一般保证率在85%~95%,因此 K_f 虽大于1.0也不一定完全可以保证不裂缝。因此,温控设计的各种数据选择均应慎重,在施工质量能有保证的情况下,争取不出大的裂缝。

美国垦务局允许温差表见表3-3-6,国内外基础混凝土允许温差表见表3-3-7。

表3-3-6 美国垦务局允许温差表 (单位:℃)

L(m)	73~55	55~37	37~27	27~18	<18
$H=(0\sim0.2)L$	16.7	19.5	22.2	25.0	27.8
$H=(0.2\sim0.5)L$	19.5	22.2	25.0	不限制	不限制
$h>0.5L$	22.2	25.0	不限制	不限制	不限制

表 3-3-7　国内外基础混凝土允许温差

名称	坝高(m)	E_c/E_g	ε_P28 d $\times 10^{-4}$	H/L	L(m)				通仓	岸坡
					16	17～20	21～30	31～40		
规范		1.0	≥0.85	≤0.2	26～25	24～22	22～19	19～16	16～14	
				0.2～0.4	28～27	26～25	25～22	22～19	19～17	
葛洲坝		5.0	0.85	≤0.2			26	23	19	
				0.2～0.4			28	25	22	
				薄层			23	20	16	
紧水滩	102	2.0	0.95	≤0.2			23			
	(拱坝)			0.2～0.4			25			24
乌江渡	165	1.0	1.0			23	22			
东江	157	1.0	≥1.0	≤0.2				19		17
	(拱坝)			0.2～0.4				22		20
白山	149.5	2.0	1.0					约 40		
	(重拱)									
刘家峡	148	1.0	0.84	≤0.2			22			
	(重力)			0.2～0.4			24			
新安江	105						23			
	(宽缝)						25			
故县	121	2～3	0.8	≤0.2	25	23	20			18
	(重力)			0.2～0.4	27	25	23			
				薄层			18			
德沃歇克(美)	218								16.7	
松原(美)	134								19.0	
瑞罕(印)	90								14.0	

第四节　大体积混凝土上部结构温度应力

柱状浇筑块高度脱离了基础约束($H/L \geqslant 0.4$)的混凝土的称为上部混凝土,其温度应力不是由外部约束产生,而是由它自身各部位温差变形不同产生的。浇筑块中心与其表面温度之差称为内表温差。温控一般采用浇筑块平均温度(T_m)与气温之差的内外温差。

一、温度计算

1.浇筑块最高平均温度(T_m)计算

当层间间歇时间不长且均匀上升浇筑时,各层 T_m 大致相等。令 $T_u = T_m$,代入式(3-3-5)、式(3-3-6)整理得:

无水管冷却

$$T_m = \frac{(T_P - T_b)X_2}{1 - X_1} + \frac{T_r}{1 - X_1} + T_b \tag{3-4-1}$$

有水管冷却

$$T_m = \frac{(T_P - T_b)X_2 X}{1 - X_1 X} + \frac{(T_w - T_b)(1 - X)X_2}{1 - X_1 X} + \frac{T_r}{1 - X_1 X} + T_b \tag{3-4-2}$$

如下层浇筑时间已长,$T_u \neq T_m$ 时,可用第五章第二节的后期冷却计算方法算出下层 T_m,再按式(3-3-5)及式(3-3-6)计算。

2.后期温度计算

算出 T_m 后,如上面未浇混凝土,仍按原式算至月底,以此作为后期冷却的初温,按式(3-3-15)以月为单位进行计算;如上面已覆盖混凝土,则可认为上下层面绝热,T_m 仅从两侧散热,这是典型的固定热源的自由墙温度及应力计算情况。

由于边界条件及外界温度变化,后期冷却有以下各种算法并可根据具体情况进行组合计算。

(1)有限厚度的无限大板两侧承受相同的不变气温,混凝土为均匀初温 T_0。计算初温 $T'_0 = T_0 - T_a$。计算式即式(3-3-10)。式中 $2h$ 即板的厚度。如需计算温度分布,可用式(3-3-9)。

如两侧承受相同变化的气温,可将变温划为 n 个时段的增温并视为常值计算。

(2)板两侧承受不同的外界温度。上游侧外温为 T_u,下游侧外温为 T_d,混凝土为均匀初温。可分解为上下游相同温度 $T = \frac{T_u + T_d}{2}$ 以及上下游有相反温度 T'、$-T'$ 三种情况,$T' = \frac{T_u - T_d}{2}$,$-T' = \frac{T_d - T_u}{2}$。$T$ 影响板的平均温度,T' 与 $-T'$ 影响板的温度分布。如仅计算板的平均温度,则仅以 T 按式(3-3-10)计算。如需计算板的温度分布,则应首先按式(3-3-10)算出外温 T 的板内温度分布,再以 T' 及 $-T'$ 按式(3-4-3)分别计算板两半的反对称温度分布,然后将上述两种计算成果叠加即得最终温度分布曲线。

$$T_{x,t} = \frac{4T'}{\pi}\sum_{n=1,3,5}^{\infty}\frac{1}{n}[1 - e^{-an^2\pi^2t/L^2}]\sin\frac{n\pi x}{L} = F \cdot T' \tag{3-4-3}$$

式中　F——温度分布系数，F 与$\frac{x}{L}$及$\frac{at}{L^2}$有关，可查图 3-4-1。

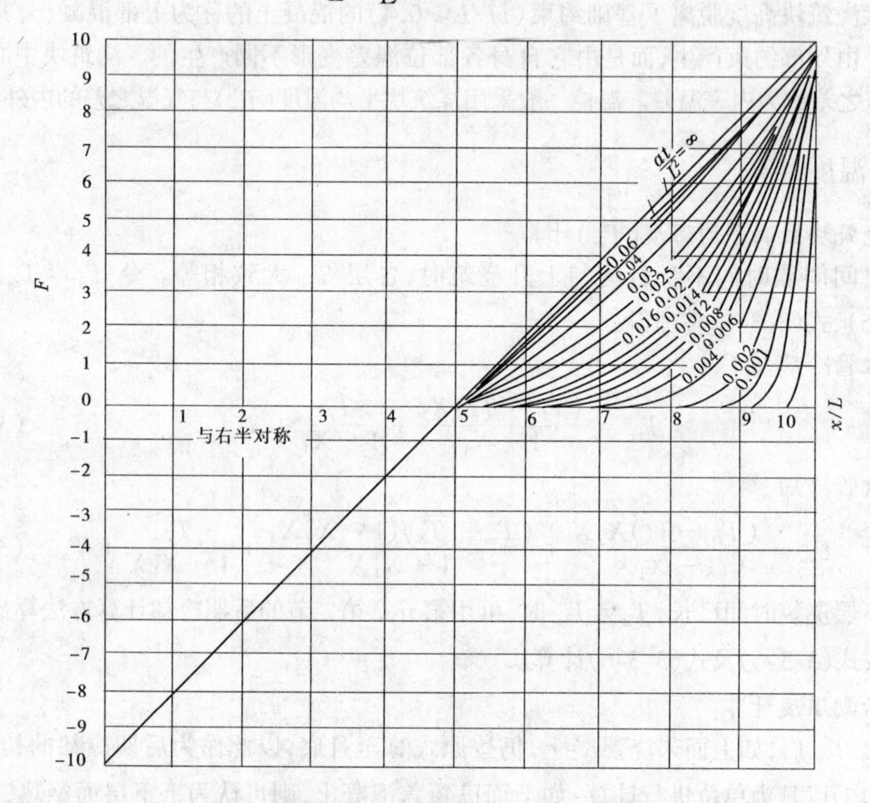

图 3-4-1　F 与 x/L 及 at/L^2 关系图

如上下游外温也是变值，则可划分为几个时段，按相邻时段外温差 ΔT 及 $\Delta T'$、$-\Delta T'$三种情况，按上述方法分别计算，然后全部叠加而成。

(3)初温为 0℃，外温为余弦变化，如图 3-4-2 所示。

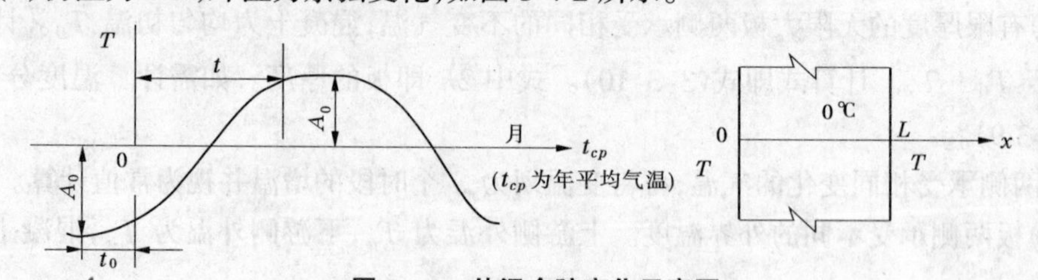

图 3-4-2　外温余弦变化示意图

$$T_m = -A'A_0\cos\frac{2\pi}{r}(t_0 + t) - B'A_0 \cdot \sin\frac{2\pi}{r}(t_0 + t) +$$

$$C'A_0\cos\frac{2\pi}{r}t_0 + D'A_0\sin\frac{2\pi}{r}t_0 \tag{3-4-4}$$

式中　A_0——外温变化幅度；

A'、B'、C'、D'——系数，A'、B'查图 3-4-3，C'查图 3-4-4，D'查图 3-4-5；

r——温度变化周期,年变化为 12 个月。

平板温度也是周期变化,比外界温度滞后一个相位差 Δt。$\Delta t = \tan^{-1}\dfrac{B'}{A'}$,一般滞后$\dfrac{1}{8}r$。即日变化滞后 3 小时,月变化滞后 3.75 天,年变化滞后 1.5 个月(指最高或最低温度的相位差)。如板很薄可查文献[1]。

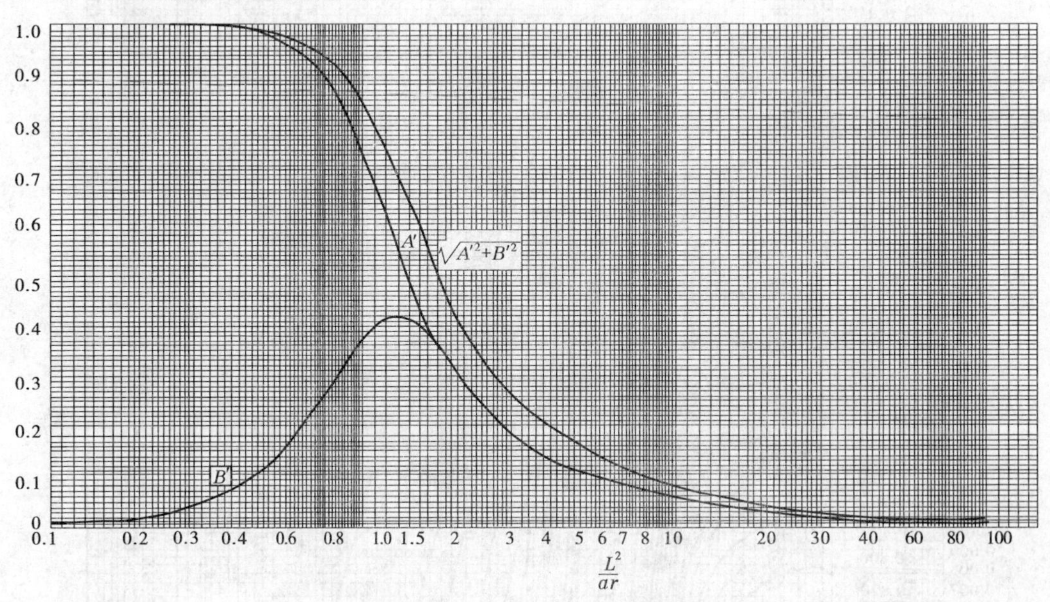

图 3-4-3　系数 A′、B′计算曲线

(4)初温为 0℃,两侧受不同外温。设 $x=0, T=T_u, x=L, T=T_d$,平均 T_m 为

$$T_m = \frac{4(T_u + T_d)}{\pi^2}\sum_{n=1,3,5}^{\infty}\frac{1}{n^2}\left[1 - e^{-an^2t/L^2}\right] = (T_u + T_d)G\left(\frac{a\tau}{L^2}\right) \quad (3\text{-}4\text{-}5)$$

G 为计算系数,可查图 3-4-6。

(5)外温任意变化。外温不易用数学式表达时可采用数值法。将时间分成若干时段,然后运用叠加法可得到解答。气温为变量时

$$T = T_0 + \sum_{i=1}^{n}(T_i - T_{i-1})F_{n-i} \quad (3\text{-}4\text{-}6)$$

计算列表进行见表 3-4-1,T_0 为混凝土初温。

表 3-4-1　天然冷却数值计算表

时段	气温 T_i	温差	时间	$\frac{at}{L^2}$	F_i	温度计算				
						第一时段	第二时段	第三时段	第四时段	…
1	T_1	$T_1 - T_0$	$\Delta\tau$	$a\Delta\tau/L^2$	F_1	$F_1(T_1 - T_0)$	$F_2(T_1 - T_0)$	$F_3(T_1 - T_0)$	$F_4(T_1 - T_0)$	…
2	T_2	$T_2 - T_1$	$2\Delta\tau$	$2a\Delta\tau/L^2$	F_2		$F_1(T_2 - T_1)$	$F_2(T_2 - T_1)$	$F_3(T_2 - T_1)$	…
3	T_3	$T_3 - T_2$	$3\Delta\tau$	$3a\Delta\tau/L^2$	F_3			$F_1(T_3 - T_2)$	$F_2(T_3 - T_2)$	…
4	T_4	$T_4 - T_3$	$4\Delta\tau$	$4a\Delta\tau/L^2$	F_4				$F_1(T_4 - T_3)$	…
		$\sum(T_i - T_{i-1})F_{n-i}$								
$T = T_0 + \sum_{i=1}^{n}(T_i - T_{i-1})F_{n-i}$										

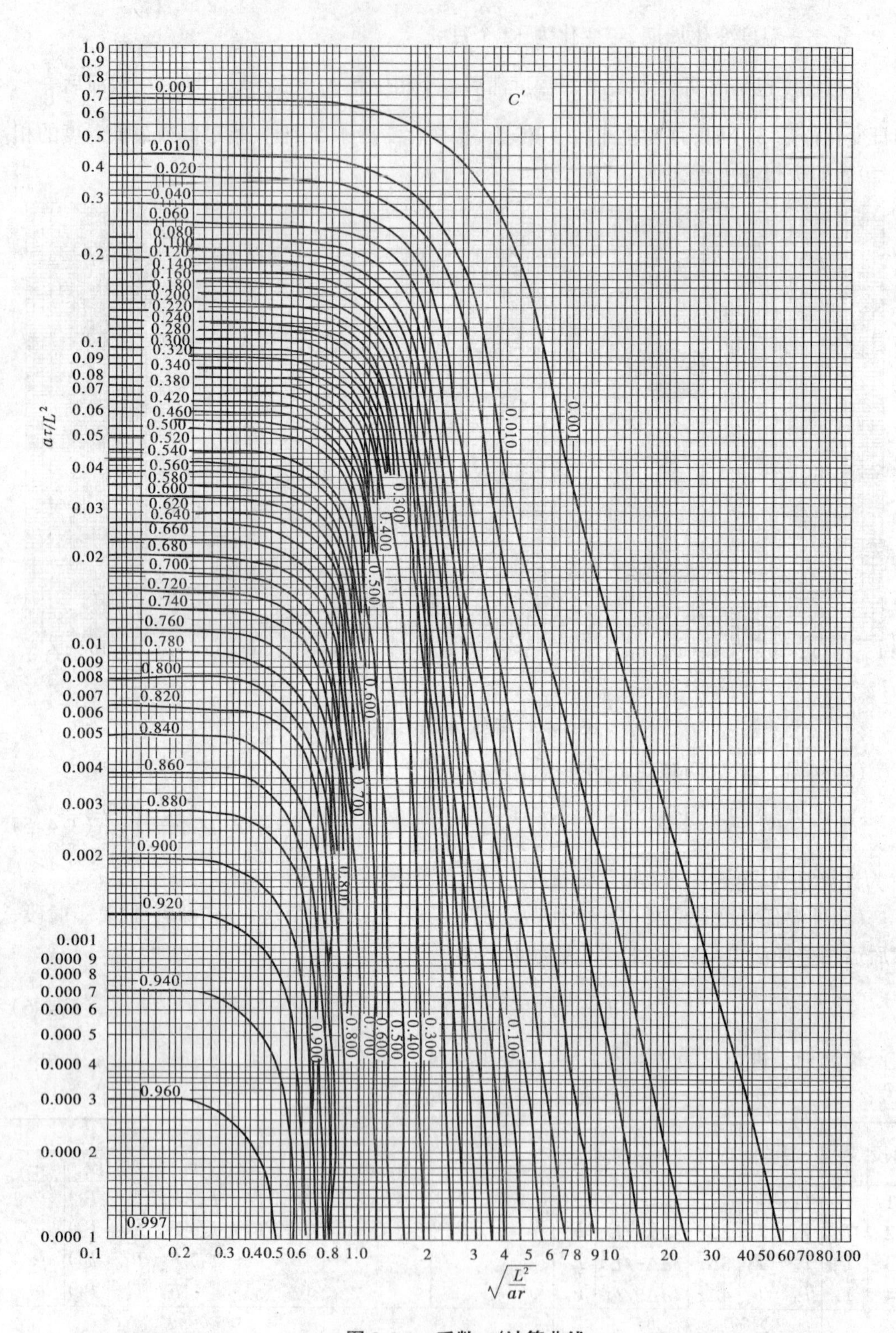

图 3-4-4　系数 C′计算曲线

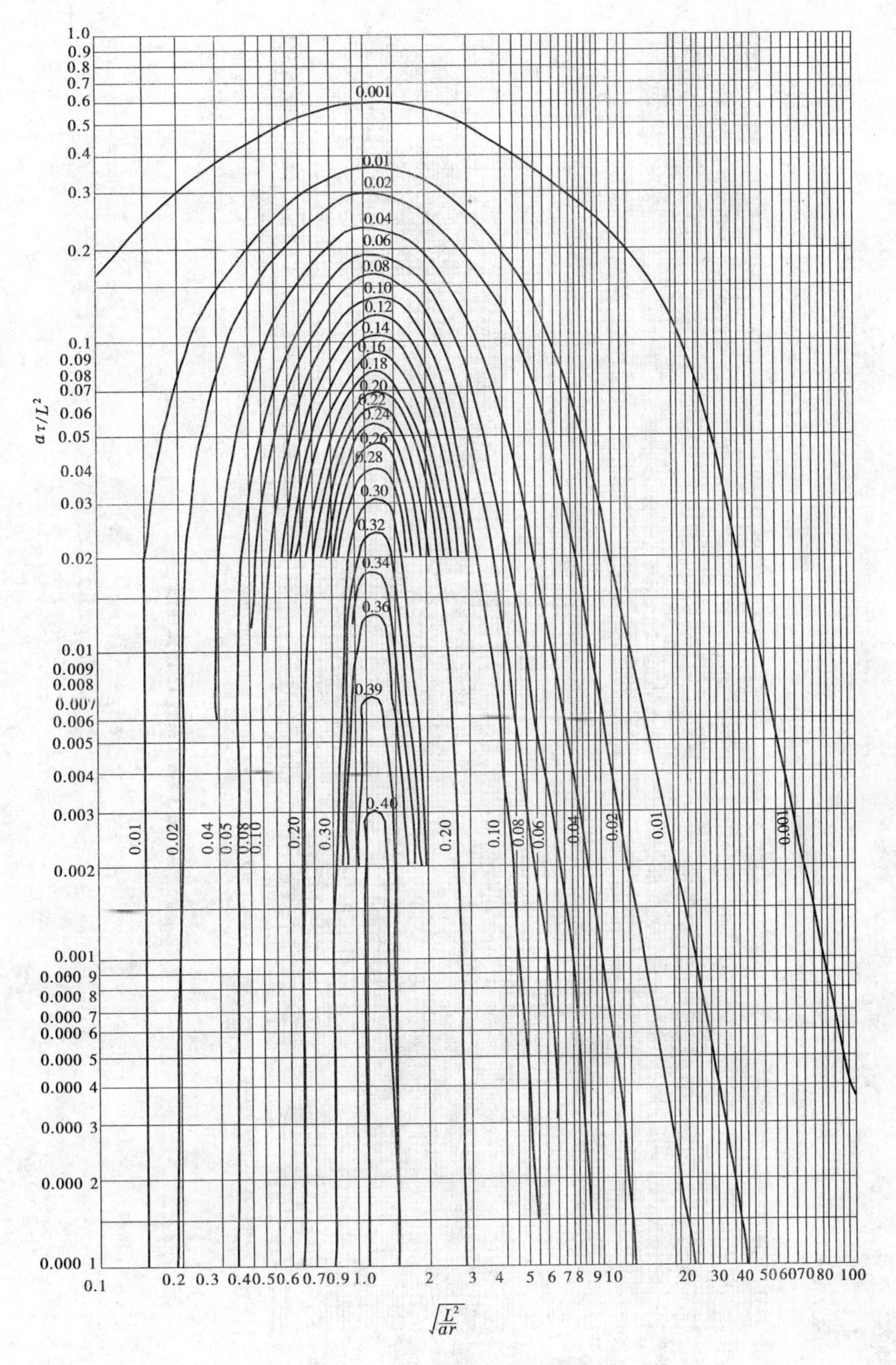

图 3-4-5　系数 D' 计算曲线

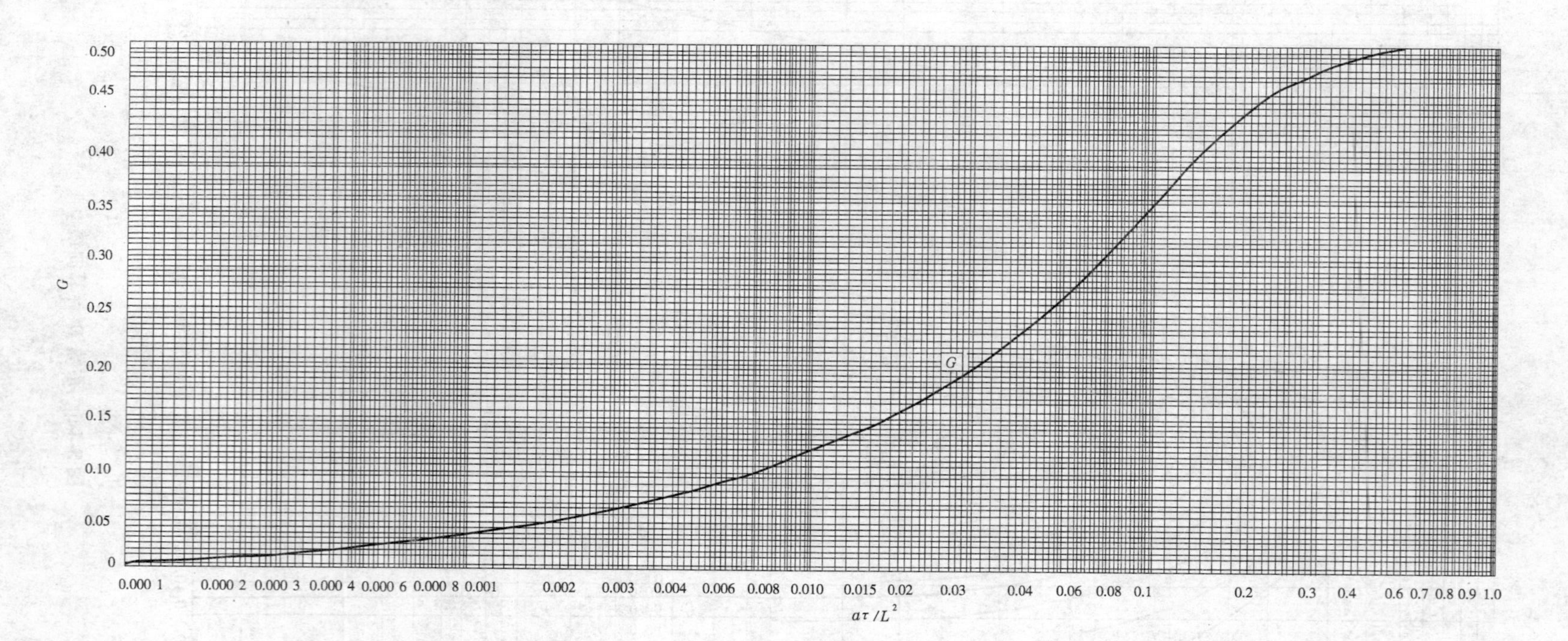

图 3-4-6 系数 G 计算曲线

(6)两向或三向冷却计算。初温为 T_0，外温为0℃，原点设在立方体的一个角上。综合残留比 $X=X_x \cdot X_y \cdot X_z$（$X_x$、$X_y$、$X_z$ 分别为边长 L_1、L_2、L_3 的残留比）。当各项残留比不易查出时，可以分别利用上述公式组合计算出各向的 $T_{x,t}$、$T_{y,t}$、$T_{z,t}$，并计算残留比 $X_x=\frac{T_{x,t}}{T_0}$，$X_y=\frac{T_{y,t}}{T_0}$，$X_z=\frac{T_{z,t}}{T_0}$，然后求综合残留比 E_0。因此，平板的多向散热均可利用上述公式进行计算。

(7)冷却时间的计算。后期冷却时间多长才能达到所需求的混凝土温度，可以根据上述公式计算，但必须试算。根据下述关系可以一次算得。对于复杂情况，应采用综合分析方法确定。

$$X=\frac{\Delta T}{\Delta T_0}=f\left(\frac{at}{D^2}\right) \tag{3-4-7}$$

式中 ΔT——最终温差；

ΔT_0——初始温差。

有了$\frac{\Delta T}{\Delta T_0}$可查图3-4-7得到$\frac{at}{D^2}$，从而反求时间 t。

如果是两向散热可以分别按不同的时间 t 计算$\frac{at}{D^2}$，查出不同的残留比 X_x、X_y，再以 $X_x \cdot X_y=X$ 乘 ΔT_0 即得 t 时的最终温差 ΔT，ΔT 加所要求的最终温度即为 t 时的混凝土温度，依此假定不同的 f 值和 t 值计算下去，直到接近最终温度为止，此时的 t 即为所需的总冷却时间。

二、温度应力计算

由于上部混凝土不受基岩约束，故称为自由墙。其温度分布有两种情况：一为对称分布，一为不对称分布。

1. 温度弹性应力计算

$$\sigma_x=\frac{E_c\alpha}{1-\mu}(T_m+By-T_y) \tag{3-4-8}$$

$$B=\frac{3}{(2l)^3}\int_{-l}^{l}Ty\mathrm{d}y\text{，改写为 }B=\frac{3}{(2l)^3}\sum_{1}^{n}T_iy_i\Delta y$$

式中 B——能使墙转动，如墙内温度分布对称，则 $B=0$；

T_y——板嵌固，由于大平板内温度变化，墙无自由变形和转动，无外部约束，T_y 产生的应力全部释放；

$2l$——墙厚；

Δy——$2l$ 划分为 n 个等距的长度，坐标原点在墙的中点；

y——水平轴；

T_m——$2l$ 的平均温度，其可以影响墙的变形。

$$T_m=\frac{1}{2l}\int_{-l}^{l}T\mathrm{d}y\text{，改写为 }T_m=\frac{1}{2l}\sum_{1}^{n}\overline{T}_i\Delta y\quad \overline{T}_i=\frac{1}{2}(T_i+T_{i+1})$$

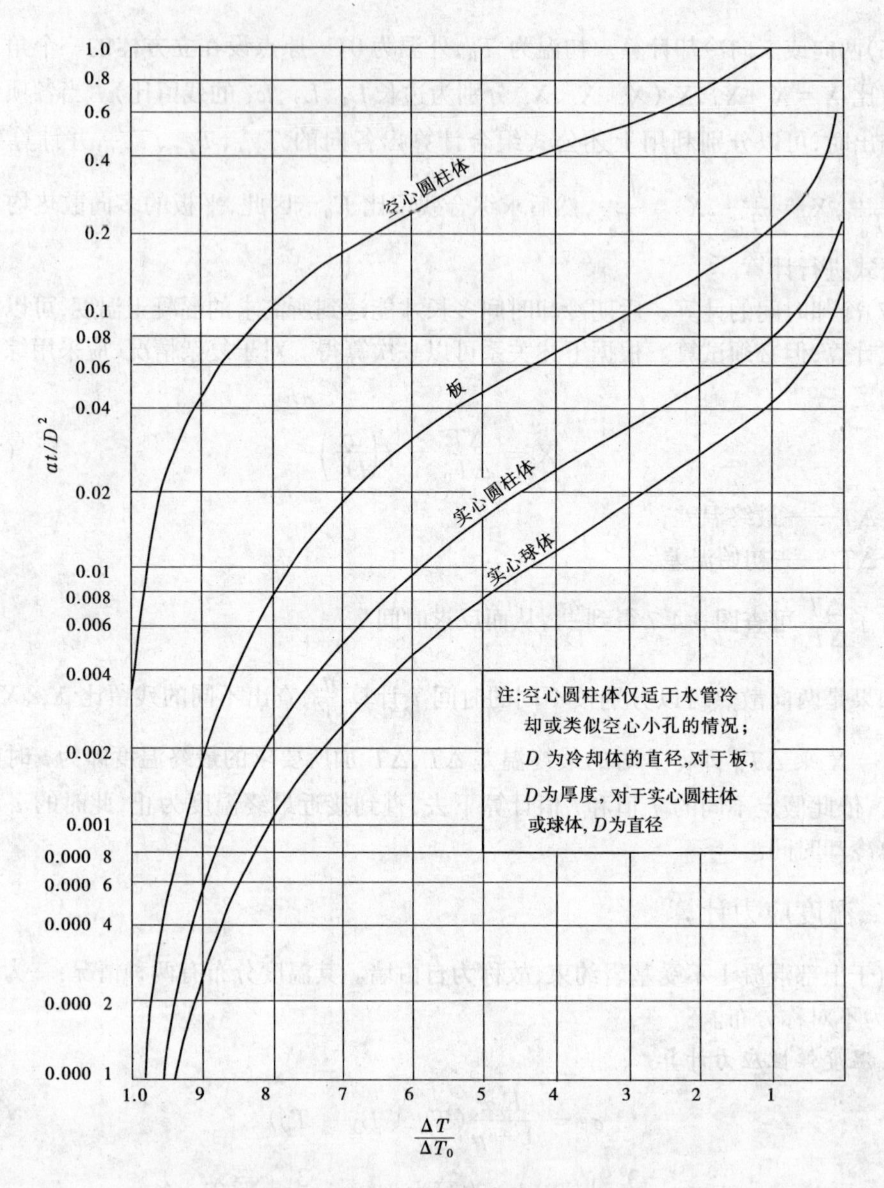

图 3-4-7　后期冷却综合残留比曲线

2. 徐变应力

除参考基础混凝土的计算方法外,也可不用逐渐松弛应力的方法而采用提高混凝土抗拉强度的方法与计算的弹性应力比较,以判别是否裂缝。以表 3-4-2 说明其方法。设第 20 天的弯曲抗拉强度为 12.15kg/cm^2 及 20 天以前的 σ_R 与松弛系数,以 τ 天的 $\Delta\sigma_R/K_{(t,\tau)}=\Delta\sigma$,叠加后为22.42,即此 σ_R 提高了 1.84 倍。如第 20 天的弹性应力不超过 22.42kg/cm^2 即认为是安全的。提高了抗拉强度后,其他的温度应力计算可不考虑徐变影响,可以简化应力计算。

3. 拆模应力

当模板拆除时,由于边界的突然变化,混凝土表面骤然大幅度降温,增加了温度梯度,徐变作用不能发挥，按式(3-4-8)计算应力很大，可达30kg/cm^2($K_P=1.0$)，尤其恰遇气温下降或寒潮时，则应力更大，引起裂缝，因此温控须规定拆模时间或防护措施。

表 3-4-2

龄期 τ(d)	σ_R	$\Delta\sigma_R$	$t-\tau$	$K_{(t,\tau)}$	$\Delta\sigma$
0	1.35	1.35	20	0.48	2.81
1	3.55	2.20	19	0.49	4.49
2	4.90	1.35	18	0.495	2.73
3	6.70	1.80	17	0.50	3.60
4	8.35	1.65	16	0.505	3.27
5	10.10	1.75	15	0.51	3.43
10	10.35	0.25	10	0.55	0.45
15	11.35	1.00	5	0.61	1.64
20	12.15				
合计					22.42

4. 内外温差应力变化规律

内外温差应力是混凝土逐日温度变化积累起来的，按时段进行计算见式(3-4-9)。

$$\Delta\sigma_{x(y,\tau_i)}=\frac{E_i\alpha}{1-\mu}[A_i+B_iy-\Delta T_{i(y)}] \tag{3-4-9}$$

$$E_i=\frac{E_{\tau_i}+E_{\tau_{i-1}}}{2}$$

$$A=\frac{1}{2l}\int_{-l}^{l}\Delta T_{i(y)}\mathrm{d}y,\qquad B_i=\frac{1}{(2l)^3}\int_{-l}^{l}\Delta T_{i(y)}\mathrm{d}y$$

$$\sigma_{x(y,\tau)}=\sum\Delta\sigma_{x(y,\tau_i)} \tag{3-4-10}$$

一般混凝土浇后升温时，内部升温高，外部升温低，内部为压应力，外部为拉应力。温度达到最高后逐渐降温，外部降温少，内部降温多，逐步变成内部为拉应力，外部为压应力。表面由拉变压的时间随自由墙厚度而变，墙厚10m以上约在60天龄期为转折点。如果无寒潮或较大日气温变幅，则混凝土后期一般不会产生拉应力而出现裂缝。但根据实践，内外温差过大产生的裂缝主要出现在龄期5～28天内，在后期，尤其是4月以后浇筑的混凝土在第一个冬季还常发现裂缝(不是寒潮日变幅引起)。由于裂缝的原因可能是多方面的，如混凝土质量不均；温度分布形式；外界气温影响墙内温度的滞后以及很多柱状块不是两侧暴露对称冷却而是一面或相邻两面降温，因此后期还需进行温控。后期的温度应力计算可按式(3-4-11)温度分布梯度计算。

$$\sigma_x=\frac{\alpha E}{(2l)^3(1-\mu)}\left[(2l)^2\int_0^{2l}T_y\mathrm{d}y+3(2y-2l)\int_0^{2l}(2y-2l)T_y\mathrm{d}y-(2l)^3T_y\right] \tag{3-4-11}$$

坐标原点在墙的一侧，积分可用辛普松式近似计算。通过某龄期温度不对称分布计算，式(3-4-8)及式(3-4-11)计算结果的最大应力与其分布基本相同，但与式(3-4-11)概念不同，需选定后期某计算龄期的墙内温度分布，按各点温度变形不同而互相约束产生的应力计算。

三、铅直温度应力

在柱状浇筑块中有时会产生水平裂缝。如紧水滩双曲拱坝（高 102m），1984 年 4 月开始浇筑，8～11 月发现水平裂缝 64 条，其中有 60 条产生在浇筑层面上（层厚 1m）。它往往是层面结合强度差或施工质量低以及温度应力综合形成。自由墙的水平与铅直应力是相等的，但因铅直方向有混凝土自重压力，可抵消部分温度拉应力。根据实践，水平缝多发生在柱块顶面下不远的位置，它改变了式(3-4-8)无限大板的边界条件，在公式推导中，需在顶面加一组压力，满足边界条件，使之顶面变形等于零，再设一组拉力与压力抵消，推导出考虑自重作用下的铅直应力 σ_z。

$$\sigma_z = \frac{8K_P\sigma_0}{H^4}[(0.079\,7 + 0.000\,102\,6z^2)(z^2 - H^2)] - \rho(H - z)] \qquad (3\text{-}4\text{-}12)$$

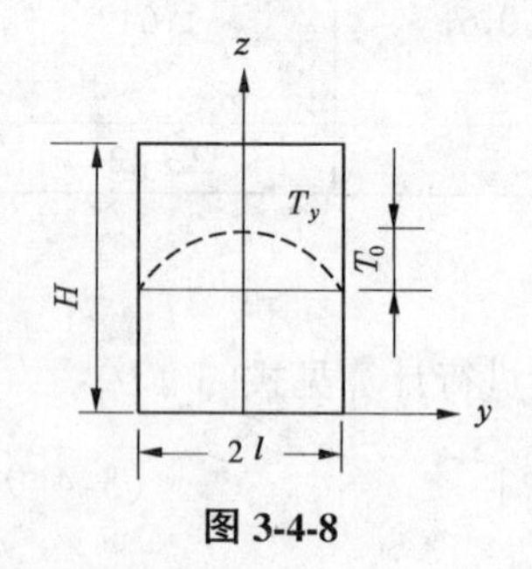

图 3-4-8

式中 σ_0——内表温差应力；

K_P——松弛系数；

ρ——混凝土容重；

其他符号见图 3-4-8。

$\sigma_0 = E\alpha T_0$，T_0 为内表温差，即中心温度与混凝土表面温度之差。温度分布是按抛物线型方程 $T = T_0(1 - \frac{y^2}{l^2})$ 计算的。最大竖向表面应力按 $\frac{d\sigma_z}{dz} = 0$ 可计算其位置及数值，或按式(3-4-12)算出 σ_z—z 曲线找出解答。考虑混凝土质量及层结合情况，引进一质量系数 $K_0 \leqslant 0$。

四、温度控制

内外温差控制是上部混凝土浇筑的主要温控手段。它考虑的是年变化外界气温或水温。寒潮及日气温变化的影响另行考虑。

(1)柱状块侧面允许内外温差选定。将式(3-4-8)的 σ_x 代之以 $[\sigma_R]$，$T_y = T_n$，则柱状块侧面允许内外温差为：

$$\Delta T = T_m - T_n = \frac{[\sigma_R](1 - \mu)}{K_P E_c \alpha} - By \qquad (3\text{-}4\text{-}13)$$

如以极限拉伸值 ε_P 控制，则以 ε_P 代替上式中 $\frac{[\sigma_R]}{E_c}$。ε_P 可以考虑塑性影响，见式(1-2-19)。

为便于掌握，一般将 $(T_m - T_n)$ 改为 $(T_m - T_a)$，即平均温度与气温之差。式(3-4-13)为第一类边界，$(T_m - T_a)$ 为第三类边界，需在式(3-4-13)的右端除以下系数，$F = f\left(\frac{\beta l}{\lambda}\right)$，$F$ 值见表 3-4-3。

表 3-4-3　*F* 取值表

$\beta l/\lambda$	0.5	1	2	3	5	8	20	100	∞
F	0.14	0.223	0.327	0.393	0.46	0.528	0.615	0.673	1.0
相应 at/l	0.22	0.15	0.123	0.103	0.081	0.062	0.045	0.03	0.0

ΔT 确定后,混凝土最高温度 $T_{m,\max}=\Delta T+T_a$,以便施工时掌握。

(2)浇筑层顶面内外温差。浇筑层顶面长期间歇,顶层散热远比侧向快(散热量与层厚的平方成反比),从而造成内表温差增加,温度应力较大。苏联与葛洲坝均提出了要求。

混凝土连续浇筑而后长期间歇,柱状块较高,顶表面气温变化影响深度较小,可视为半无限体散热及应力计算,以有限元计算较快。

一般来说,顶层面的内外温差要求很小,很难满足要求,尤其是 7 月以后气温下降更难满足,应当加强表面保护。

(3)国内外允许内外温差实例。表 3-4-4 中列举部分国内外工程的允许内外温差值,予以参考。

表 3-4-4　国内外允许内外温差

名称	混凝土标号	浇筑块长度(m)	侧面 ΔT	顶面 ΔT	备注
柘溪	$R_{90}200$		12～20		$R<25\%(R_{90}200)$, $\Delta T=12℃$; $R=25\%\sim50\%(R_{90}200)$, $\Delta T=17℃$; $R>50\%(R_{90}200)$, $\Delta T=20℃$
新安江	$R_{180}200$		20		
白山	$R_{90}250$		25		
乌江渡	$R_{90}250$		22		
东江	$R_{90}350\sim200$		15～20		
紧水滩	$R_{90}250$		15～17		
龙羊峡	$R_{90}250$		20～22		
故县	$R_{90}200$ $R_{90}150$		19 15		
葛洲坝	R_{200}		20	10～14	二江泄水闸
苏联	150	10	25	12	ΔT 均为内表温差
		15	24	11	
		20	23	11	
		25	22	10	
		30	21	10	
	200	10	26	14	
		15	25	13	
		20	24	13	
		25	23	12	
		30	22	12	

续表 3-4-4

名 称	混凝土标号	浇筑块长度(m)	侧面 ΔT	顶面 ΔT	备注
苏联	250	10	27	16	
		15	26	15	
		20	25	15	
		25	24	14	
		30	23	14	
	300	10	28	18	
		15	27	17	
		20	26	17	
		25	25	16	
		30	24	16	

第五节　上、下层混凝土温度应力

上、下层混凝土由于浇筑时间不同,龄期有差别,因而其弹模不同,温度不同,下层混凝土对上层混凝土将产生约束作用。在某些情况下,约束应力将很大,使上层混凝土发生竖向裂缝。控制上、下层温差亦是温控的主要指标。

上、下层温差系指上、下层混凝土接触面上下各 $L/4$ 高度内(L 为柱块主要散热方向的宽度)的平均温度之差。当 $H/L=0.1\sim0.4$ 且较长时间停歇的上层混凝土,称为薄层混凝土。如连续正常间歇浇筑高 H 超过 $\frac{H}{L}>0.4$,称为正常浇筑。根据实践经验,当正常间歇均匀上升浇筑的上、下层混凝土,上、下层温差应力均能满足要求,但当下层浇后间歇期超过1月以上,即使上层正常间歇浇筑,尤其又浇成薄层,此时的上、下层温差应力很大,需要控制上层混凝土温度,使上下温差达到允许值。

对上、下层温度应力,文献[22]有较详细的计算方法,但由于柱状块各块的温度计算比较困难,甚至作某些简化也难以完善(有限元除外),因此一般均进行估算,多参考一些工程的设计施工经验,确定上下温差要求。

一、温度应力估算

设下层老混凝土已完全收缩冷却,老混凝土对上层新混凝土的限制作用近似视为是 H/L 和 E_c/E'_c 两者的函数,估算式为

$$\sigma^* = K_P \frac{E_e \alpha \Delta T}{1-\mu} \tag{3-5-1}$$

$$E_e = ME_c \tag{3-5-2}$$

式中　M——有效弹模系数,可查表 3-5-1;

　　E_e——有效弹模。

表 3-5-1　*M* 取值表

h/L	E_c/E'_c											备 注
	0	0.1	0.2	0.3	0.4	0.5	0.6	0.7	0.8	0.9	1.0	
0	1.0(1.0)	1.0(0.93)	1.0(0.86)	1.0(0.81)	1.0(0.76)	1.0(0.72)	1.0(0.68)	1.0(0.64)	1.0(0.61)	1.0(0.58)	1.0(0.55)	表中()内数字为短
0.1	1.0(1.0)	0.96(0.92)	0.92(0.86)	0.89(0.80)	0.86(0.75)	0.83(0.71)	0.80(0.68)	0.78(0.64)	0.75(0.61)	0.73(0.58)	0.72(0.55)	时间正常间歇连续浇
0.2	1.0(1.0)	0.94(0.92)	0.89(0.86)	0.84(0.80)	0.80(0.75)	0.76(0.71)	0.72(0.67)	0.69(0.63)	0.64(0.60)	0.63(0.58)	0.61(0.55)	筑;()外为长间歇后,
0.3	1.0(1.0)	0.93(0.92)	0.87(0.86)	0.82(0.80)	0.77(0.75)	0.73(0.71)	0.69(0.67)	0.65(0.63)	0.62(0.60)	0.60(0.57)	0.57(0.54)	正常浇上层混凝土
0.4	1.0(1.0)	0.93(0.92)	0.86(0.86)	0.81(0.80)	0.76(0.74)	0.72(0.70)	0.68(0.66)	0.64(0.63)	0.62(0.60)	0.59(0.57)	0.55(0.54)	
0.5	1.0(1.0)	0.92(0.92)	0.86(0.85)	0.80(0.80)	0.75(0.74)	0.71(0.70)	0.67(0.66)	0.64(0.62)	0.60(0.59)	0.58(0.56)	0.54(0.54)	E_c:上层混凝土弹模,
0.6	1.0(1.0)	0.92(0.92)	0.85(0.85)	0.79(0.79)	0.74(0.74)	0.69(0.70)	0.65(0.65)	0.63(0.62)	0.59(0.58)	0.56(0.56)	0.53(0.53)	E'_c:下层混凝土弹模,
0.8	1.0(1.0)	0.92(0.92)	0.84(0.85)	0.78(0.79)	0.73(0.73)	0.67(0.69)	0.64(0.65)	0.62(0.61)	0.57(0.58)	0.54(0.55)	0.52(0.52)	h:下层混凝土厚度
1.0	1.0(1.0)	0.91(0.91)	0.84(0.84)	0.78(0.78)	0.72(0.73)	0.66(0.68)	0.63(0.64)	0.60(0.60)	0.56(0.57)	0.53(0.54)	0.51(0.51)	
∞	1.0(1.0)	0.91(0.91)	0.83(0.83)	0.77(0.77)	0.71(0.71)	0.65(0.66)	0.62(0.62)	0.59(0.59)	0.55(0.55)	0.53(0.53)	0.50(0.50)	

表 3-5-2　国内部分工程允许上下层温差表(设计)

坝 名	上 层 混 凝 土				备注
	正常浇筑	$h/L=0.1$	$h/L=0.2$	$h/L=0.3$	
龚嘴	25.0	14.0	16.0	19.0	初设讨论稿,$E_c=E_g$
故县	18.0	10.0	12.0	14.0	$[\sigma]=10kg/cm^2$
乌江渡	20.0				薄层混凝土按下层为岩石计算
三门峡	15.0				
陈村	15.0				
丹江口				18.0、14.0	$[\sigma]=15kg/cm^2$ 及 $10kg/cm^2$
葛洲坝	17.0、20.0				重要部位、一般部位
新丰江		15.0			宽缝坝填缝混凝土

令 $\sigma^{*}=[\sigma]$,计算出 ΔT 即为允许上下层温差。表 3-5-1 中的正常间歇指下层浇后停歇时间在 1 个月以内,长间歇指停歇在 1 个月以上;h 为下层老混凝土厚度,h 越大老混凝土的约束越小,M 越小。

M 反映了在老混凝土浇筑长时间间歇后,上层正常浇筑(按一般间歇期浇筑)$H/L \geqslant 0.4$(H 为上层混凝土浇筑厚度)时的约束程度。如上层混凝土仅浇成薄层($H/L < 0.4$),由于下层老混凝土对上层混凝土约束产生中心较大拉应力的时间较晚,但顶面(上层)在早期温升时产生拉应力,内部产生压应力,后期反之,因此拉应力从上往下发展,H 较薄而拉应力又较大时,易于形成贯穿裂缝。H 较薄时,老混凝土产生的约束拉应力也可能布满整个浇筑层。

上下层温差应力随$\frac{H}{L}$比值小、停歇时间长而增大。最大徐变应力发生在上、下层接触面上,上层为拉力,下层为压力,并各自向上向下减少(薄层混凝土)。温控计算中,最终应力应选 $E_c/E'_c=1.0$ 的 M 值。

如间歇时间很长,亦可将下层视为基础(老混凝土),用式(3-3-16)~式(3-3-18)计算应力及相应的公式计算温度。由于此时混凝土已远离基岩并为狭长的柱体,对上层的约束要小于基岩对基础混凝土的约束,可将下层混凝土的弹模折减 20% 即 $0.8E'_c$ 作为计算弹模。

二、国内允许上下层温差实例

按式(3-5-1)估算下层混凝土浇后短间歇(1 个月以内)及长间歇(1 个月以上)的 ΔT 后,再参考已建工程的经验或经过详细计算,提出上层浇筑各种薄层混凝土的 ΔT,并在上层混凝土顶面加以表面保护,减少表面的早期拉应力。

国内各坝采用的允许上下层温差设计值见表 3-5-2。

第六节　寒潮及日气温变幅温度应力

体积较大的混凝土表面保护的主要作用是防止其表面遭遇气温骤变产生裂缝,也可保持表面潮湿防止表面干裂。防止表面裂缝就是利用表面覆盖物调整混凝土内表温差达到允许值,使其拉应力不超过抗拉强度$[\sigma]$。防止表面干裂主要是保持表面潮湿,在一定的浇筑后时间内洒水养护。

一、寒潮及日气温变幅的选定

根据实践,2~3 日内日平均气温连续降低 6~8℃以上及日气温变差(日最高与最低瞬时气温之差)在 15℃以上,均可引起混凝土表面裂缝。这些缝均属表面浅缝,但裂缝发生后,混凝土表面已破损,在裂缝处易形成应力集中,以后遭遇较小的气温变化也有可能引发为深层裂缝。为此防御寒潮的标准应视建筑物部位的重要性及暴露时间的长短而定。一般来说,上游面及暴露面时间一年以上应选较大的寒潮及较大的日变差为设防标准,一般情况可选常见的寒潮设防。日变差因气温以日周期变化,温度升降可以自行闭合裂缝,因此对于在较短时间内又有新混凝土覆盖的混凝土可以不考虑表面保护。

根据统计的气象资料,一般寒潮有三种类型,见图 3-6-1,图中 T_0 为最大降温值,t_0 为达到 T_0 的时间。$m=\dfrac{T_0}{t_0}$为降温速率,T_a 为气温,图 3-6-1 以日平均气温绘制。

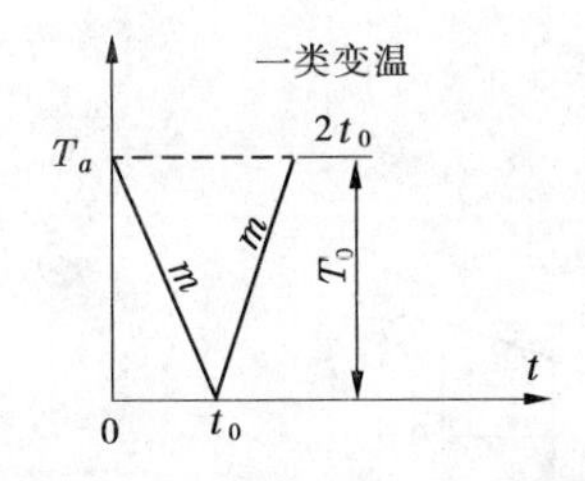

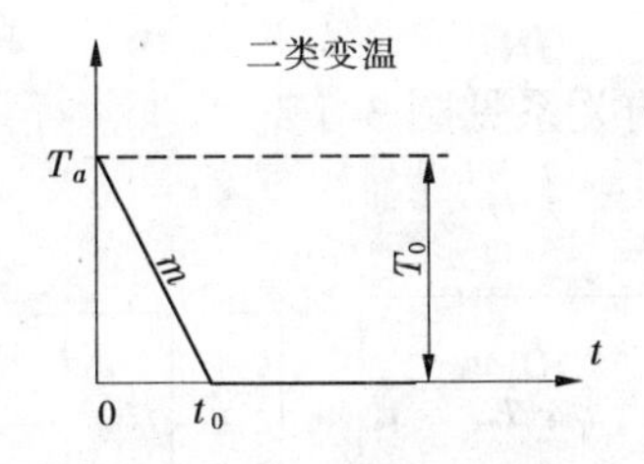

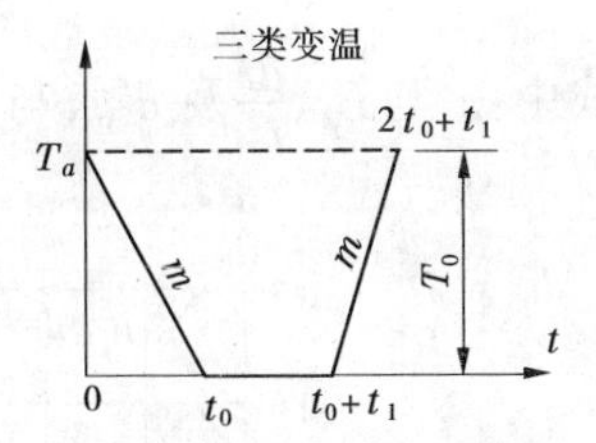

图 3-6-1　寒潮的类型

二、柱状块侧面寒潮温度及应力计算

柱状块两侧为第三类边界。三种类型寒潮可以推导出不同的温度计算公式,但对应力来说主要是一、二类寒潮的影响。

(1)第一类寒潮。以自由墙中心为坐标原点,墙宽 $2l$, $t=0$, 初温 $T=0$, $t>0$, $\dfrac{\partial T}{\partial z}=0$, $z=\pm l$, $\lambda\dfrac{\partial T}{\partial z}=\beta(mt-T)$, z 宽度方向坐标。满足边界要求的解为

$$T_{(z,t)} = mt - \frac{m}{2a}\left[l^2\left(1+\frac{2\lambda}{\beta l}\right)-z^2\right] + \frac{ml^2}{a}\sum_{n=1}^{\infty}\frac{A_n}{\mu_n^2}\cos\left(\mu_n\cdot\frac{z}{l}\right)e^{-\mu_n^2at/l^2} \tag{3-6-1}$$

$$z=\pm l \text{ 的表面}, T_{l,t} = mt - \frac{\lambda ml}{\beta a} + \frac{ml^2}{a}\sum_{n=1}^{\infty}\frac{A_n}{\mu_n^2}\cos\mu_n e^{-\mu_n^2at/l^2} \tag{3-6-2}$$

即墙表面受到寒潮后的温度下降为 T,求出其最大值。由于寒潮时间短,温度影响深度 1m 左右。当墙有足够厚度时,可按下式计算应力

弹性应力 $$\sigma_x = -\frac{E\alpha T}{1-\mu}\quad (T\text{ 降温为负值}) \tag{3-6-3a}$$

徐变应力 $$\sigma_x^* = \frac{E\alpha}{1-\mu}\sum K_{P(\tau,t)}\Delta T_t \tag{3-6-3b}$$

一般寒潮时间短,徐变不能发挥作用,可以令 $\sigma_x^* = K_P\sigma_x$,早龄期(1 个月以内)K_P 用 0.9~0.95,后期 K_P 用 0.8~0.9。

(2)第二类寒潮。自由墙有初温 $T=T_0$,寒潮降至 T_a,其他条件同前,则

$$T_{(z,t)} - T_a + (T_0 - T_a)\sum_{n=1}^{\infty}A_n\cos\mu_n\frac{z}{l}e^{-\mu_n^2at/l^2} \tag{3-6-4}$$

平均温度 $$T_m = T_a + (T_0 - T_a)\sum_{n=1}^{\infty}\frac{A_n}{\mu_n}\sin\mu_n e^{-\mu_n^2at/l^2} \tag{3-6-5}$$

将式(3-6-4)及式(3-6-5)代入自由墙温度对称分布的应力计算式(3-4-8),则 $z=\pm l$ 的应力为

$$\sigma_x = \frac{E\alpha}{1-\mu}(T_0 - T_a)\sum_{n=1}^{\infty}A_n\left(\frac{\sin\mu_n}{\mu_n}-\cos\mu_n\right)e^{-\mu_n^2at/l^2} \tag{3-6-6}$$

式中：$A_n=\dfrac{2\sin\mu_n}{\mu_n+\sin\mu_n\cos\mu_n}$；$B_i=\dfrac{Bl}{\lambda}$称作毕欧准数，$B_i=\mu_n\tan\mu_n$；$A_n$、$\mu_n$ 可查表 3-6-1。

式(3-6-6)可写成

$$\sigma_x = \frac{E\alpha(T_0 - T_a)}{1-\mu}\sigma' \tag{3-6-7}$$

式中：σ'与B_i、$\dfrac{at}{l^2}$及 $\sigma'_{\max}$与 B_i 的关系见图 3-6-2。

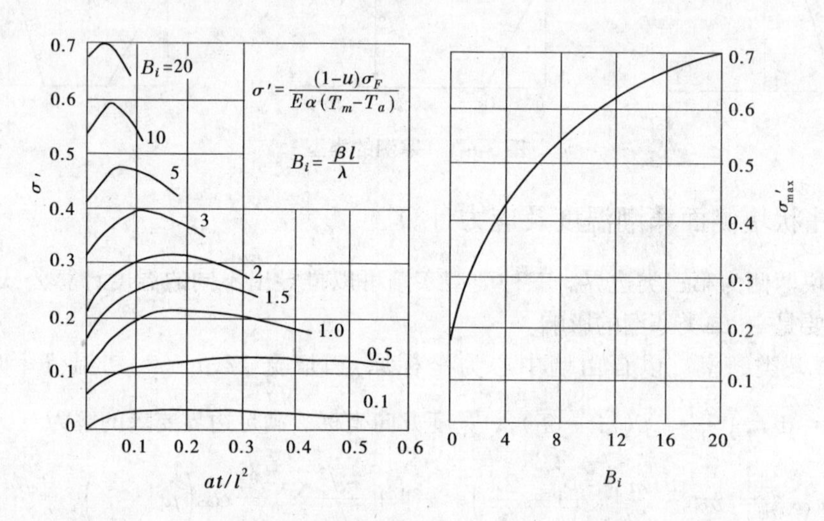

图 3-6-2　σ'与B_i、$\dfrac{at}{l^2}$及 $\sigma'_{\max}$与 B_i 关系图

由 $\sigma'_{\max}$与 B_i 的关系建立近似式

$$\sigma'_{\max} = \frac{1}{1.5+\dfrac{3.25}{B_i}-0.5\exp\left(-\dfrac{16}{B_i}\right)}$$

代入式(3-6-7)，则最大表面应力为

$$\sigma'_{\max} = \frac{E\alpha(T_0 - T_a)}{(1-\mu)\left[1.5+\dfrac{3.25}{B_i}-0.5\exp(-16/B_i)\right]}$$

令 $K_B=1.5+\dfrac{3.25}{B_i}-0.5e^{-16/B_i}$，$\sigma'_{x\max}=[\sigma]$代入上式，则内外温差 ΔT 为

$$\Delta T = K_B\frac{(1-\mu)[\sigma]}{E\alpha} \tag{3-6-8}$$

如实际寒潮的$(T_0-T_a)>\Delta T$，则调整 β 使二者相等(此式不计徐变作用)。

根据丹江口研究经验，坝体抵御寒潮的能力与坝块宽度有关，窄的比宽的抵御寒潮能力强。

三、柱块顶面寒潮温度及应力计算

柱块顶面的寒潮温度计算可视混凝土柱为半无限体。设初温为 0℃，采用以寒潮为

表 3-6-1　A_n、μ_n 取值表

B_i	μ_n						A_n					
	μ_1	μ_2	μ_3	μ_4	μ_5	μ_6	A_1	A_2	A_3	A_4	A_5	A_6
0	0	3.141 6	6.283 2	9.424 8	12.566 4	15.708 0	1.000 0	0	0	0	0	0
0.001	0.031 6	3.141 9	6.283 3	9.424 9	12.566 5	15.708 0	1.000 2	−0.000 2	0	0	0	0
0.002	0.044 7	3.142 2	6.283 5	9.425 0	12.566 5	15.708 1	1.000 4	−0.000 4	0.000 1	0	0	0
0.004	0.063 2	3.142 9	6.283 8	9.425 2	12.566 7	15.708 2	1.000 8	−0.000 8	0.000 2	−0.000 1	0	0
0.006	0.077 4	3.143 5	6.284 1	9.425 4	12.566 8	15.708 3	0.001 2	−0.001 2	0.000 3	−0.000 1	0.000 1	0
0.008	0.089 3	3.144 1	6.284 5	9.425 6	12.567 0	15.708 5	0.001 5	−0.001 6	0.000 4	−0.000 2	0.000 1	−0.000 1
0.01	0.099 8	3.144 8	6.284 8	9.425 8	12.567 2	15.708 6	0.002 0	−0.002 0	0.000 5	−0.000 2	0.000 1	−0.000 1
0.02	0.141 0	3.147 9	6.286 4	9.426 9	12.568 0	15.709 2	0.003 0	−0.004 0	0.001 0	−0.000 4	0.000 3	−0.000 2
0.04	0.198 7	3.154 3	6.289 5	9.429 0	12.569 6	15.710 5	0.006 5	−0.008 0	0.002 0	−0.000 9	0.000 5	−0.000 3
0.06	0.242 5	3.160 6	6.292 7	9.431 1	12.571 1	15.711 8	0.009 9	−0.011 9	0.003 0	−0.001 3	0.000 7	−0.000 4
0.08	0.279 1	3.166 8	6.295 9	9.433 3	12.572 7	15.713 1	0.013 0	−0.015 8	0.004 0	−0.001 8	0.001 0	−0.000 6
0.1	0.311 1	3.173 1	6.299 1	9.435 4	12.574 3	15.714 3	0.015 9	−0.019 7	0.005 0	−0.002 2	0.001 3	−0.000 8
0.2	0.432 8	3.203 9	6.314 8	9.445 9	12.583 2	15.720 7	0.031 2	−0.038 1	0.010 0	−0.004 5	0.002 5	−0.001 6
0.3	0.521 8	3.234 1	6.330 5	9.456 5	12.590 2	15.727 0	0.045 0	−0.055 5	0.014 8	−0.006 7	0.003 8	−0.002 4
0.4	0.593 2	3.263 6	6.346 1	9.467 0	12.598 1	15.733 4	0.058 1	−0.071 9	0.019 6	−0.008 9	0.005 0	−0.003 2
0.5	0.653 3	3.292 3	6.361 6	9.477 5	12.606 0	15.739 7	0.070 1	−0.087 3	0.024 3	−0.011 0	0.006 3	−0.004 0
0.6	0.705 1	3.320 4	6.377 0	9.487 9	12.613 9	15.746 0	0.081 3	−0.102 5	0.028 9	−0.013 2	0.007 5	−0.004 8
0.7	0.750 6	3.347 7	6.392 3	9.498 3	12.621 8	15.752 4	0.091 8	−0.115 4	0.033 5	−0.015 3	0.008 7	−0.005 6
0.8	0.791 0	3.374 4	6.407 4	9.508 7	12.629 6	15.758 7	1.101 6	−0.128 2	0.037 9	−0.017 5	0.010 0	−0.006 4
0.9	0.827 4	3.400 3	6.422 4	9.519 0	12.637 5	15.765 0	1.110 7	−0.140 3	0.042 3	−0.019 6	0.011 2	−0.007 2
1.0	0.860 3	3.425 6	0.437 3	9.529 3	12.645 3	15.771 3	1.119 2	−0.151 7	0.046 6	−0.021 7	0.012 4	−0.008 0
1.5	0.988 2	3.542 2	6.509 7	9.589 1	12.684 1	15.802 6	1.153 7	−0.201 3	0.066 7	−0.031 8	0.018 4	−0.011 9

续表 3-6-1

B_i	μ_n						A_n					
	μ_1	μ_2	μ_3	μ_4	μ_5	μ_6	A_1	A_2	A_3	A_4	A_5	A_6
2	1.076 9	3.643 6	6.578 3	9.629 6	12.722 3	15.833 6	1.178 4	−0.236 7	0.084 8	−0.041 4	0.024 1	−0.015 7
3	1.192 5	3.808 8	6.704 0	9.724 0	12.796 6	15.894 5	1.210 2	−0.288 1	0.115 4	−0.058 9	0.035 1	−0.023 1
4	1.264 6	3.935 2	6.814 0	9.811 9	12.867 8	15.953 6	1.228 7	−0.321 5	0.139 6	−0.075 0	0.045 1	−0.030 0
5	1.313 8	4.033 6	6.909 6	9.892 8	12.935 2	16.010 7	1.240 3	−0.344 2	0.158 8	−0.087 6	0.054 3	−0.036 6
6	1.349 6	4.111 6	6.992 4	9.966 7	12.998 8	16.065 4	1.247 8	−0.360 4	0.174 0	−0.099 1	0.062 6	−0.042 7
7	1.376 6	4.174 6	7.064 0	10.033 9	13.058 4	16.117 7	1.253 2	−0.372 2	0.186 1	−0.108 9	0.070 1	−0.048 3
8	1.397 8	4.226 4	7.126 3	10.094 9	13.114 1	10.167 5	1.256 9	−0.381 2	0.195 9	−0.117 4	0.076 8	−0.053 5
9	1.414 9	4.269 4	7.180 6	10.150 2	13.166 0	16.214 7	1.259 8	−0.388 0	0.203 9	−0.124 6	0.082 8	−0.058 3
10	1.428 9	4.305 8	7.228 1	10.200 3	13.214 2	16.259 4	1.261 2	−0.393 4	0.210 4	−0.130 9	0.088 1	−0.067 6
15	1.472 9	4.425 5	7.395 9	10.389 8	13.407 8	16.447 4	1.267 7	−0.408 4	0.232 0	−0.151 4	0.107 2	−0.079 5
20	1.496 1	4.491 5	7.495 4	16.511 7	13.542 0	16.586 4	1.269 9	−0.414 7	0.239 4	−0.162 1	0.118 2	−0.190 1
30	1.520 2	4.561 5	7.605 7	16.654 3	13.708 5	16.769 1	1.271 7	−0.419 8	0.247 2	−0.171 8	0.129 1	−0.101 5
40	1.532 5	4.597 9	7.664 7	16.733 4	13.804 8	16.789 4	1.272 3	−0.421 7	0.250 2	−0.175 9	0.134 0	−0.106 9
50	1.540 0	4.620 2	7.701 2	16.783 2	13.866 6	16.951 9	1.272 7	−0.422 7	0.251 7	−0.177 9	0.136 5	−0.109 8
60	1.545 1	4.635 3	7.725 9	10.817 2	13.909 4	17.002 6	1.272 8	−0.423 2	0.252 6	−0.179 1	0.137 9	−0.111 5
80	1.551 4	4.654 3	7.757 3	10.860 6	13.964 4	17.068 6	1.273 0	−0.423 7	0.253 5	−0.180 3	0.139 4	−0.113 2
100	1.555 2	4.665 8	7.776 4	10.887 1	13.998 1	17.109 3	1.273 1	−0.423 9	0.253 9	−0.180 8	0.140 5	−0.114 1
200	1.563 0	4.688 9	7.815 1	10.940 9	14.066 9	17.193 0	1.273 2	−0.424 3	0.254 5	−0.181 6	0.141 1	−0.115 3
400	1.566 9	4.700 6	7.834 4	10.968 2	14.101 9	17.235 7	1.273 2	−0.424 4	0.254 6	−0.181 8	0.141 4	−0.115 6
∞	1.570 8	4.712 4	7.854 0	10.995 6	14.137 2	17.278 8	1.273 2	−0.424 4	0.254 6	−0.181 9	0.141 5	−0.115 7

外温的单向差分法计算混凝土温度，时间算至大于 t_0，温度回升，使表面温度降到最低为止。

四、日气温变化的温度及应力计算

日气温在24小时内呈正弦曲线变化。由于日气温的变化影响深度很小，可视混凝土为半无限体。温度可按式(2-4-1)计算，应力按式(3-6-3)或式(3-3-17)计算，但不计徐变作用。也可按单向差分计算温度。

$$T_{x,t} = Ae^{-x\sqrt{\omega/2a}}\sin(\omega t - x\sqrt{\frac{\omega}{2a}}) \tag{3-6-9}$$

式中：A 为气温变幅，其他可参看式(2-4-1)，$T_a = A\sin\omega t$。

对半无限体，初温为0℃，一类边界（表面温度即气温），外温影响深度各点的温度可查图3-6-3。

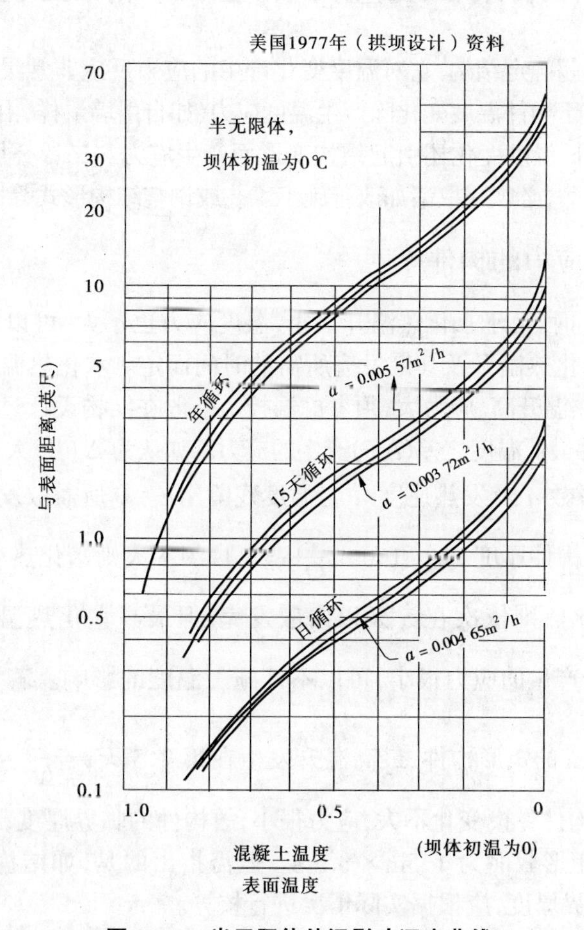

图 3-6-3　半无限体外温影响深度曲线

第四章　特殊结构混凝土施工期温度应力分析

水利水电工程除混凝土大坝外,还有刚架结构、高强度隧洞衬砌混凝土、填槽混凝土以及碾压混凝土、补偿收缩混凝土等特殊结构或掺加特殊材料的混凝土,由于其结构自身的特点,其温度应力及温度控制措施与一般大体积混凝土结构不尽相同。对于此类混凝土,在温控设计中应予以充分重视。

第一节　刚架温度应力和电厂下部混凝土应力

刚架结构是一个超静定结构,它对温度变化产生的应力反应非常灵敏。与大体积结构温度应力不同之处在于构件温度变化除产生温度应力(如自由墙一样,由温度分布而存在内部约束产生的应力)外,温度变化还引起结构变形而产生应力。二者叠加的应力较大,往往仅靠温控措施无法防裂,必须采取诸如改善施工工艺或调整结构形式等措施才能满足要求。

一、考虑温度应力的构件厚度

当构件厚度很小时,由于水化热温升很小,温度应力也不大,可以忽略不计。构件的临界厚度应依据其水化热温升及其散发完所需的时间而定。水化热温升与构件厚度成正比,故构件厚则水化热温升高、应力大,须考虑温控。一般在结构设计过程中就应考虑自然浇筑温度(T_P)与构件最低温度之差(ΔT)产生的应力。如认为 ΔT 过大,则可降低 T_P。

按不同的导温系数 a 及发热速度 m 与温度残留比 $E=0$ 所需散发时间 t 的关系曲线如图 4-1-1 所示。如构件厚度 $2h\leqslant1.0\text{m}$,$\frac{T_r}{Q_0}\approx0.1$,约 5 天则水化热温升散发殆尽(5 天以后继续产生的水化热则依次在 5 天以内散发完,但最高水化热温升将越来越小,即 $\frac{T_r}{Q_0}<0.1$),此时温升产生的应力很小,可以不计施工温度的影响。若为矩形构件则两向散热,如 1.5m×1.5m 的矩形构件,最高温升发生在第 2.5 天;若 $\frac{T_r}{Q_0}=0.08$,水化热温升 1 天即可散热殆尽,构件弹模变化不大,应力很小,故构件的临界厚度,对于平面应变时可取 $2h=1.0\text{m}$;对于矩形截面为 1.5m×1.5m。但需指出的是,如结构复杂,杆件长短不一,不易找出一个临界厚度,应根据实际情况进行核算。

二、刚架的基本构件温度变形与应力

杆件连接的刚架,由于分析应力方法不同,可分解为以下几种基本构件形式计算其变形及应力,并按平面应变问题进行分析,如图 4-1-2 所示。

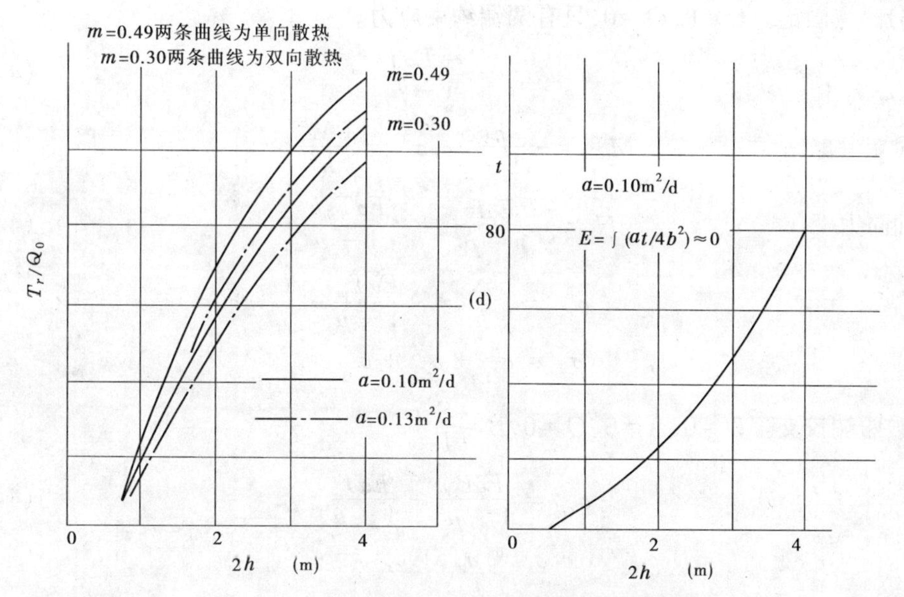

图 4-1-1 构件厚度($2h$)与散发时间(t)关系曲线

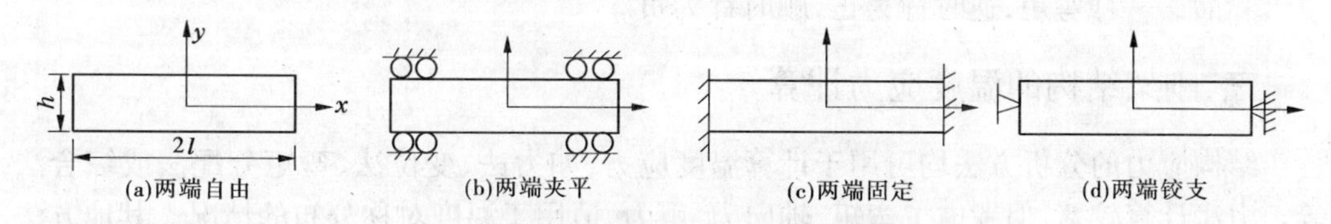

图 4-1-2 刚架基本构件结构示意图

(1)两端自由。轴向力 $N=0$,弯矩 $M=0$。

自生应力

$$\sigma_{x_1} = \frac{E\alpha}{1-\mu}(A+By) - \frac{E\alpha T}{1-\mu} \tag{4-1-1}$$

$$A = \frac{R}{h} = T_m, \quad R = (1+\mu)\int_{-h/2}^{h/2} T\mathrm{d}y \tag{4-1-2}$$

$$B = \frac{S}{I}, \quad S = (1+\mu)\int_{-h/2}^{h/2} Ty\mathrm{d}y \tag{4-1-3}$$

式中 S——温度静力矩,使墙变曲;

I——惯性矩,$I=\frac{bh^3}{12}$(矩形构件)。

如温度对称分布,$S=0, B=0$。

x 向的位移 $U=\alpha Ax$,转角 $Q=\alpha Bx$(α 为混凝土膨胀系数)。

(2)两端夹平。$N=0, Q=0$。自生应力 σ_{x_1} 与式(4-1-1)相同,但 $B=0$,固端弯矩 M^{FS} 为

$$M^{FS} = \frac{-E\alpha S}{1-\mu^2}, \quad \sigma_{x_2} = \frac{6M^{FS}}{h^2} \tag{4-1-4}$$

$$\sigma_x = \sigma_{x_1} + \sigma_{x_2}, \text{位移 } U = \alpha Al$$

(3)两端固定。$U=0,Q=0$,只有两端约束应力。

$$\sigma_{x_1} = \frac{-E\alpha T}{1-\mu} \tag{4-1-5}$$

固端弯矩 $$M^{FS} = -\frac{E\alpha S}{1-\mu^2}, \sigma_{x_2} = \frac{6M^{FS}}{h^2}$$

轴向力 $$N = -\frac{E\alpha R}{1-\mu^2} = -\frac{E\alpha T_m h}{1-\mu} \tag{4-1-6}$$

$$\sigma_{x_3} = -\frac{N}{h} = -\frac{E\alpha T_m}{1-\mu}$$

$$\sigma_x = \sigma_{x_1} + \sigma_{x_2} + \sigma_{x_3}$$

(4)两端铰支。$U=0,A=0,Q\neq 0,B=\dfrac{S}{I}$

$$\sigma_{x_1} = \frac{E\alpha By}{1-\mu^2} - \frac{E\alpha T}{1-\mu} \tag{4-1-7}$$

$$\sigma_x = \sigma_{x_1} + \sigma_{x_3}$$

式中 N——轴向力,拉力为正,压力为负;

M——杆弯矩,逆时针为正,顺时针为负。

三、刚架结构的温度应力计算

结构应力的分析方法均可用于计算温度应力,如力法、变位法、弯矩分配法或综合法等。力法计算较繁,但考虑了弯矩、轴向力、剪力,适用于温度对称分布的情况。其他方法计算较快,但主要考虑弯矩,当构件为均质时可用松弛法计算徐变应力,如为非均质体又不符合比例变形时(如刚架与基础均考虑徐变时)须用位移法或初应变法计算徐变应力,具体计算参阅第三章第二节有关图及计算式。

最大应力出现时间不太固定,因为构件温度分布应力占有较大比例,故无论夏季或冬季,只要构件本身温差或温度梯度大(温度线性分布)就可能产生最大应力。

当刚架为有限尺寸的一维计算时,上述各计算式的 $\mu=0$。

(1)力法计算刚架温度应力。以单孔矩形框架为例进行计算。框架构件厚度均为3m,孔口净尺寸3m×5m(宽×高),混凝土弹模0.34×10^5MPa,框架计算简图见图4-1-3。

力法方程: $$\begin{cases} x_1\delta_{11} + x_2\delta_{12} + x_3\delta_{13} + \Delta T_1 = 0 \\ x_1\delta_{21} + x_2\delta_{22} + x_3\delta_{23} + \Delta T_2 = 0 \\ x_1\delta_{31} + x_2\delta_{32} + x_3\delta_{33} + \Delta T_3 = 0 \end{cases} \tag{4-1-8}$$

非线性温度分布 $$\Delta T_i = \sum\int \frac{M_i\alpha S}{I}\mathrm{d}S + \sum\int \frac{N_i\alpha R}{h}\mathrm{d}S \tag{4-1-9}$$

线性温度分布 $$\Delta T_i = \sum\int N_i\alpha t_0\mathrm{d}S + \sum\int M_i\frac{\alpha t'}{h}\mathrm{d}S \tag{4-1-10}$$

式中 M_i、N_i——$x_i=1$时的各杆弯矩及轴向力;

t_0——构件轴线上的温度值;

t'——构件两侧温差,如图4-1-4所示。

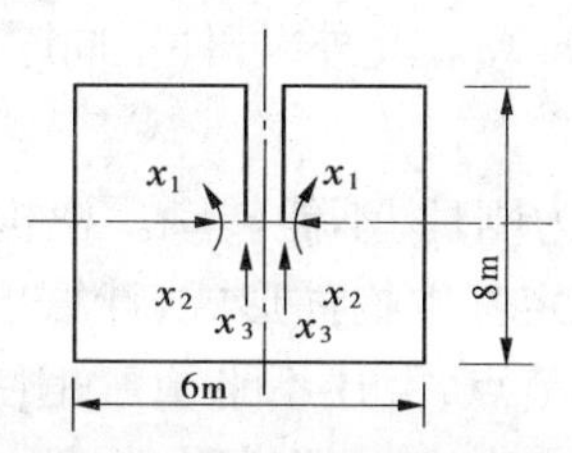

图 4-1-3　框架计算简图

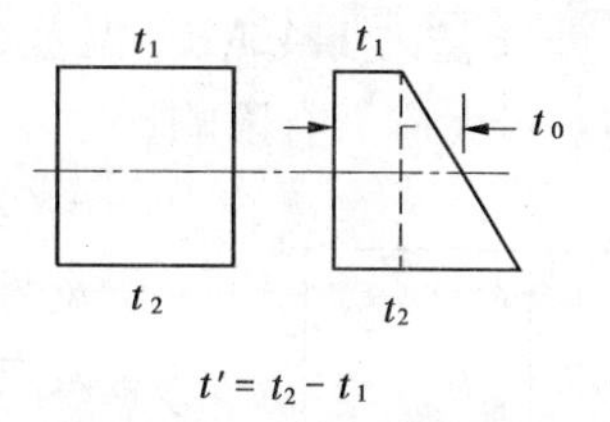

图 4-1-4　温度分布简图

计算某时的温度应力时,应按当时的温度分布计算;考虑框架降温后累计应力时,若逐日计算或从最高温度分布降到最低分布时,应按温差来计算。

温度应力不引起剪切变形,不计剪力所做的功。δ_{ij} 为在单位力 $x_j=1$ 的作用下,基本体系沿 x_j 方向产生的位移。$\sum x_i\delta_{ij}$ 为各 $x_j=1$ 对 x_i 方向的总位移,与 ΔT_i 位移平衡。δ_{ij} 按图乘法计算,求得 x_i 后实际的弯矩及轴向力为:

$$\begin{cases} M_s = M_1x_1 + M_2x_2 + M_3x_3 \\ N_s = N_1x_1 + N_2x_2 + N_3x_3 \end{cases} \tag{4-1-11}$$

$$\delta_{x_2} = \frac{6M_s}{h^2} + \frac{N_s}{h} \tag{4-1-12}$$

在计算 δ_{ij} 时,当 M_i、M_j 在同一侧时,M_i、M_j 的乘积为正,反之为负。在计算 ΔT_i 时,当 M_i 作用的构件弯曲方向与温度应力作用的构件变形弯曲方向一致时为正,反之为负(线性温度分布)。当温度对称分布时,$S=0$,升温为正,降温为负;拉力为正,压力为负。

混凝土自生应力 σ_{x_1} 按式(4-1-1)计算。($\sigma_{\tau_1}+\sigma_{\tau_2}$)即为框架的弹性应力,考虑温度升降产生的相反应力折减为 0.85~0.9,松弛系数 0.5,以弹性应力乘此二系数之后即为徐变应力。

按上述方法计算的最大徐变应力见表 4-1-1。

表 4-1-1　单孔框架最大徐变应力表

方案	温度分布	最高温度(℃)	σ^*_{max}(MPa)				备注
			σ_{x_1}	σ_{x_2}	小计	相应位置	
A_1	抛物线	45	2.02	5.58	7.60	②	$t_n=10$℃,构件表面温度
A_2	抛物线	40	1.39	4.79	6.18	②	
A_3	抛物线	35	0.76	3.99	4.75	②	$t_n=35$℃
A_6	抛物线	40	0.63	0.79	1.42	②	
A_1	线性	45	4.46	7.49	11.95	①	
A_2	线性	40	3.34	6.43	9.77	①	最高温度为外侧表面温度,内
A_3	线性	35	2.23	5.36	7.58	①	侧温度 10℃

注:①竖杆顶部内侧;②竖杆顶部外侧。

从表 4-1-1 可知,温度分布形式对 σ^*_{max} 影响很大。抛物线分布与线性分布的最大徐变应力之比约为 0.63。$A_1\sim A_3$ 的 σ^*_{max} 增值平均为 0.284MPa/℃(抛物线分布),而线性分布却为 0.436MPa/℃。可见,线性分布比抛物线分布产生的应力更大。A_6 为表面保温;

t_n 为 35℃ 时 σ_{max}^* 为 1.42MPa 温差 5℃，平均 0.284MPa/℃。此外，杆件不同厚度、不同最高温度均对最大应力有影响。

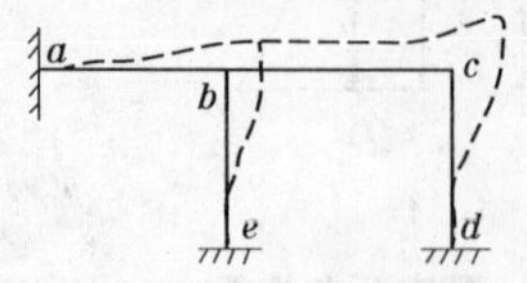

图 4-1-5　变位法计算示意图

(2)变位法。设节点为刚性，不能转动。视构件的线变位及另一端的支撑情况选定基本构件形式，计算出有关杆件对该点的弯矩。放开刚性节点，上述不平衡弯矩使之有一转角产生弯矩与之平衡，以图 4-1-5 予以说明。

刚结点 b、c 不能转动，但有线变位，bc 杆视为两端夹平的支撑构件，b、c 均有线变位，相对变位 $\Delta bc = \delta_{be} - \delta_{cd}$，$\delta_{cd} = \alpha A_{cd} l_{cd}$，$\delta_{be} = \alpha A_{be} l_{be}$。

各杆温度对 b 点的弯矩为 $M_{ba} = \dfrac{E\alpha S_{ba}}{1-\mu^2}$，$M_{bc} = \dfrac{E\alpha S_{bc}}{1-\mu^2}$，$M_{be} = \dfrac{E\alpha S_{be}}{1-\mu^2}$；相对位移对 b 点的弯矩为 $M_b^{\Delta} = -\dfrac{6EI\Delta_{bc}}{(1-\mu^2)l_{bc}^2}$。$a$、$e$、$d$ 为固端，角变位 $Q=0$。

b 点的平衡方程为

$$M_{be} + M_{ba} + M_{bc} - M_b^{\Delta} + Q_b r_{bb} + Q_c r_{bc} = 0 \tag{4-1-13}$$

c 点的平衡方程为

$$M_{cb} + M_{cd} - M_c^{\Delta} + Q_b r_{cb} + Q_c r_{cc} = 0 \tag{4-1-14}$$

式中　Q_b、Q_c——b 和 c 点的角变位；

r_{cb}、r_{cc}——Q_b 及 Q_c 单位转角所产生的弯矩；

r_{bb}、r_{bc}——Q_b 及 Q_c 单位转角产生的相应弯矩。

联立解出 Q_b、Q_c，即可求得原结构的内力。

杆端单位转角及线变位产生的弯矩为

$$Q_A = 1, Q_B = 0, \Delta = 0, M_{AB} = \frac{4EI}{l}, M_{BA} = \frac{2EI}{l}$$

$$Q_A = 0, Q_B = 0, \Delta = 1, M_{AB} = \frac{-6EI}{l}, M_{BA} = \frac{-6EI}{l}$$

$$Q_A = 1, M_{AB} = \frac{3EI}{l}, M_{BA} = 0$$

$$Q_A = 0, \Delta = 1, M_{AB} = -\frac{3EI}{l}, M_{BA} = 0$$

杆端转角 Q_A 及 Q_B 以顺时针方向为正，杆端相对位移 Δ 以使弦转角 $\Phi = \dfrac{\Delta}{l}$ 顺时针方向为正，杆端弯矩以顺时针方向为正。

四、刚架的温度控制

参见表 4-1-1 例题计算的结果，当构件厚度较大时，应力很大，均超过混凝土的抗拉强度[σ]（例题中[σ]为 3.0～3.2MPa），必须进行温控。表中最高温度 35℃ 时的 σ_{max}^* 为 4.7～7.6MPa，远远超过[σ]。如按 0.284MPa/℃ 及 0.436MPa/℃ 计算，则应将最高温度降低 5～10℃，才可不超过[σ]。相当于每立方米混凝土再增加 40～90kg 冰（如在夏季，最高温度 35℃ 已加了一定数量的冰）进行拌和，施工难度大。为此，刚架的温控措施应采取综合办法，在条件许可的情况下应尽量降低浇筑温度并进行表面保温，使最高温度降低及减低内外温差或两侧温差。如尚不能完全达到要求，则需考虑将超静定的某杆切断留一段长1～1.5m的杆长暂不浇筑，待构件温度接近最小温度时再予回填混凝土。

表面保温可参考表4-1-1的规律，采用内插法计算，达到[σ]时 t_n 可为26～28℃，比表中计算的 t_n=10℃提高16～18℃，这是可以办到的，但需长期保温，等拆除后的内外温差满足应力要求时才可拆除。

五、电厂下部混凝土浇筑

厂房发电机层以下亦属大体积混凝土框架。但由于结构形式及孔洞布置各异，基岩或围岩约束边界也不相同，计算繁杂，即使用有限元计算也需修改边界形状以满足网格划分要求，故计算精度也不易准确，一般均需参考实际工程的经验教训提出温控要求。

1.青铜峡电站裂缝产生的原因及防裂办法

青铜峡电站为河床式电站，泄洪坝块、发电坝块间隔布置，厂房构件单薄，浇筑后先后发现各种裂缝。①机组中心线附近平行坝轴出现贯穿机组段裂缝；②混凝土蜗壳出现辐射状裂缝；③泄水管及尾水管顶板角缘上出现顺水流向裂缝；④锥管层1号～7号机组出现贯穿裂缝140条。

经分析，产生裂缝的原因有：①组裂缝是由分缝不当引起的。对于错缝浇筑，一般经验是错缝间距10～15m，上下层块搭接长度为1/3～1/2浇筑层高，而该处搭接长度仅50cm，有的并缝块长达26.7m；间歇时间又过长，最终由施工缝拉成贯穿缝。②③组裂缝是因为温控措施不当，结构单薄，构件最小厚度仅1.5m，孔洞很多，约束条件及应力复杂，采用年平均气温为稳定温度（施工时达－30℃，运转时为0～2℃），而实际上又未做到，造成某块计算温差达54℃。④组裂缝也是因为温控措施不当。对④组裂缝进行核算，混凝土绝热温升为28.8～43.3℃，T_P=5.7～25.1℃，E_{28}=（3.2～3.38）×10^4MPa，E_{90}=（3.52～3.76）×10^4MPa。三向约束系数 R=1.7，K_P=0.5～0.7。按 $\sigma_{xi}^{*}=\dfrac{R\sum_{1}^{i}E_i\alpha\Delta T_iK_{Pi}}{1-\mu}$（$i$ 为龄期）估算的最大应力均在冬天，达2.97～8.08MPa，远大于28天的允许拉应力[σ]为1.96MPa。

此后采用较严的温控措施，部分结构中埋设冷却水管，并在结构上进行优化，如施工缝上设骑缝钢筋，应力集中部位加大断面减少尖角，结构上考虑温度钢筋，薄弱部位配抗裂筋等。采用综合措施后未发现贯穿裂缝，表面缝也很少。

2.美国田纳西工程局施工经验

有如下几方面：①分缝间距不大于18.3m，否则要采取特殊的浇筑方法；有可能发生裂缝的特殊约束条件如大孔口等，要加设接缝。②控制混凝土温升。③尾水管垂直施工缝要错开，以免裂缝贯穿。④蜗壳墙受到相当大的水平温度应力。如皮克威克、奇克莫加、冈特斯维尔等水电站，在机组中心线上游约3m处的蜗壳墙底部1/3的部位均产生垂直裂缝。浇第一层蜗壳墙最好分5块浇。首先浇下游墙的中间部位，两侧墙的上游一半共3部分，7天后浇大块墙角部分。在进口和蜗壳墙之间预留宽约1m的槽，冬天再回填。

⑤蜗壳顶也承受非常大的温度应力。皮克威克电站一次浇一半顶板,发生了一系列辐射式裂缝。为了减少蜗壳顶板的第二层浇筑应力,将第一浇筑层分成8个扇形块,在上锥体浇完7天后,同时浇对顶的4块,间歇7天再浇另4块。

归纳起来,为减少复杂体形封闭结构的温度应力,温控时应设法降低混凝土的最高温度;合理的分块浇筑使浇筑层较薄的水化热温升尽量在间歇期内散发完,不能形成水化热最大温度应力的叠加;应力特别复杂易裂缝的部位则设置预留槽待冬季再浇;封闭块或预留槽混凝土最好在11月～翌年4月浇筑,其温度以略低于构件多年平均温度为好,除耐磨混凝土外,封闭块混凝土应比两侧老混凝土标号高一级,也可采用微膨胀混凝土;缝面设键槽,壁面凿毛并涂水泥浆;回填混凝土强度达到框架结构承重要求后方允许浇上层混凝土。

第二节　隧洞衬砌混凝土温度应力

隧洞混凝土的衬砌厚度一般较薄,多在1m左右,施工期的温度应力不大。但随着洞径的日渐增大,混凝土衬砌厚度相应加厚(水电工程有的衬砌厚度已达4m)。水工隧洞考虑泥沙及水流磨损,采用混凝土标号较高,有的达R_{28}800号,必须对隧洞衬砌混凝土进行温控设计。

隧洞洞形一般有圆形、城门洞等多种形式,从温控防裂出发,为便于计算,可以把圆形以外的洞形按面积相等折算成圆形后进行温度应力计算。

为便于成果分析及温控措施的选择,可分别计算水化热温升及浇筑温度T_P产生的应力后进行叠加。

一、隧洞内温度

隧洞内温度分布示意如图4-2-1所示,图中T_R为地温,T_a为气温,R为岩温变化区。

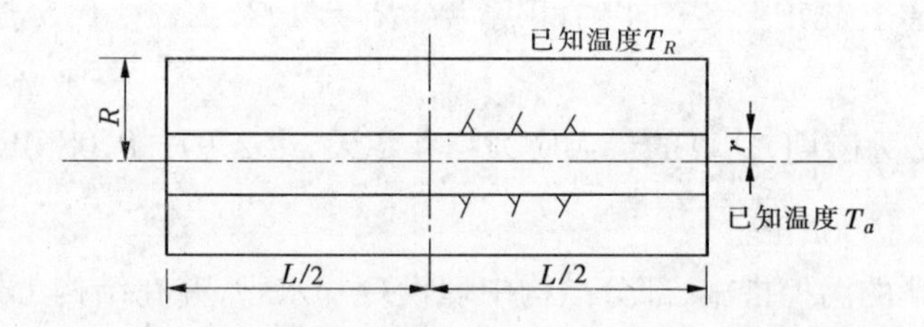

图4-2-1　隧洞内温度分布示意图

施工期洞内气温与洞外气温不同,洞内气温变幅较小。由于岩体或混凝土的热交换及外界气温对洞内气温的传导(扩散)流动等因素使洞内气温不易确定,目前尚无资料可资应用,也无实测资料可予以分析。

假设温度场以$L/2$洞长及洞轴呈对称分布,可取1/4计算域进行双向差分计算。洞内气温流动很小可视为固体导热,衬砌与围岩接触面为第四类边界;洞外岩壁与气温T_a接触为第三类边界;计算域的另两边界为绝热。按稳定温度场的计算要求计算所需月份的稳定温度场,为混凝土衬砌的温度计算提供初温及最低温度。

还可近似地将围岩视作半无限体,洞内气温呈正弦曲线变化,如图 4-2-2 所示。选定洞内气温变幅即可计算各月气温,也可按式(2-4-1)直接计算围岩各月表面温度。

洞内各月气温计算式为

$$A_t = A\sin\omega t \tag{4-2-1}$$

$$T_{(a,t)} = T_{cp} + A_t$$

式中 A_t——气温变幅;

$T_{(a,t)}$——t 月的洞内气温;

ω——气温变化频率,$\omega = 2\pi/P$,P 为变化周期,年变化 $P=12$,月变化 $P=30$,日变化 $P=24$;

A——洞内气温变幅;

t——计算月的时间,月;

T_{cp}——年平均气温。

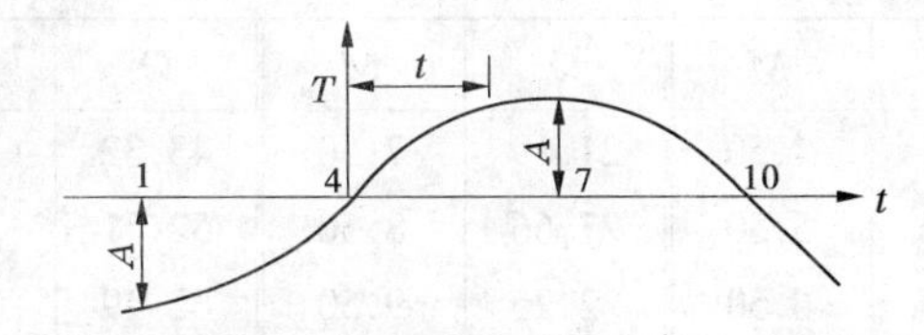

图 4-2-2　洞内气温正弦曲线变化图

二、围岩与衬砌混凝土温度计算

采用圆筒坐标的单向热传导方程为

$$\frac{\partial T}{\partial t} = a\left(\frac{\partial^2 T}{\partial r^2} + \frac{1}{r}\frac{\partial T}{\partial r}\right) + \frac{\partial Q}{\partial t} \tag{4-2-2}$$

改为差分式

$$T_{(n,\tau+\Delta\tau)} = T_{(n,\tau)} + \frac{a\Delta t}{\Delta r^2}\left[\frac{r_j}{r_n}T_{(n+1,\tau)} + \frac{r_i}{r_n}T_{(n-1,\tau)} - 2T_{(n,\tau)}\right] + \Delta Q \tag{4-2-3}$$

圆筒坐标见图 4-2-3。图中 R 为圆心至不受洞内气温影响岩体温度的半径,r_0 为衬砌后成洞半径或未衬砌前的开挖半径。

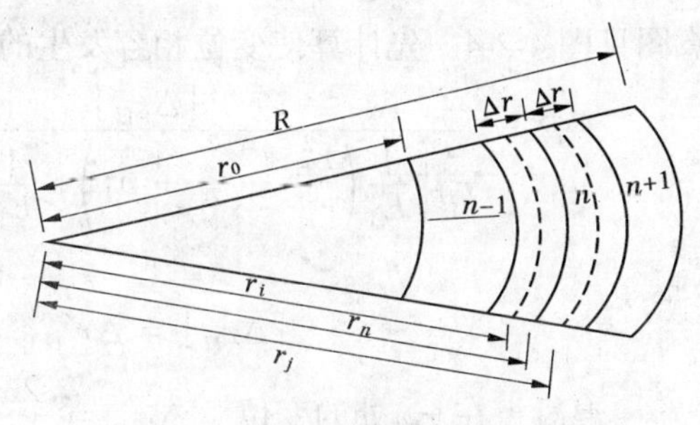

图 4-2-3　隧洞衬砌圆筒坐标示意图

(1)边界条件。r_0 处为第三类边界,混凝土与围岩接触面为第四类边界,R 处为第一类边界。

(2)起始温度。仅计算围岩温度时,它为开挖前的地温。R 处为恒温。衬砌时,以衬砌月的围岩温度及浇筑温度为初温。

未衬砌前也可按式(2-4-1)计算围岩温度。

(3)岩温变化区半径 R 的计算。

$$R = Mr_H, \qquad M = f\left(\frac{2\lambda_g t}{\rho_g c_g r_H{}^2}\right) \tag{4-2-4}$$

式中 t——温度计算的时间(h),如开挖后 5 个月衬砌,即 $t = 3\ 600\text{h}$;

λ_g——围岩导热系数;

r_H——衬砌外半径,m;

ρ_g、c_g——围岩容重、比热。

系数 M 可查表 4-2-1 取得。

表 4-2-1 M— $\frac{2\lambda_g t}{\rho_g c_g r_H{}^2}$ 表 $\left(\frac{2\lambda_g t}{\rho_g c_g r_H{}^2} = Q\right)$

Q	M	Q	M	Q	M	Q	M	Q	M
0.35	1.60	6.81	4.50	21.19	7.50	43.32	10.5	73.21	13.5
1.61	2.50	10.76	5.50	27.66	8.50	52.51	11.5		
3.77	3.50	15.53	6.50	32.25	9.50	62.49	12.5		

三、弹性应力计算

衬砌混凝土弹性应力可分为两部分。首先假设混凝土圈与围岩互不相关,计算混凝土本身温度变化而产生的自生应力(σ_{Q1}^c);另外,由于混凝土与围岩各自的变形条件不同而产生不同的变位,在二者接触面上变位不相容,必将产生一应力使变位相容,此接触面的应力对混凝土产生的应力称为约束应力(σ'_{Q2})。二者叠加即为衬砌混凝土的弹性应力。衬砌温度应力示意图见图 4-2-4。

(1)自生应力。

$$\sigma_{Q1}^c = \frac{\alpha_1 E_1}{1 - \mu_1} \cdot \frac{1}{r^2}\left(\frac{r^2 + r_m^2}{r_H^2 - r_m^2}\int_{r_m}^{r_H} Tr\mathrm{d}r + \int_{r_m}^{r} Tr\mathrm{d}r - Tr^2\right) \tag{4-2-5}$$

式中 r_m——衬砌内半径,衬砌厚度 $d = r_H - r_m$。

(2)约束应力。示意图见图 4-2-4。先计算使变位相容发生的应力 P。

$$P = \frac{[\Delta r_H]}{r_H\left[\frac{1}{E_1}\left(\frac{r_H^2 + r_m^2}{r_H^2 - r_m^2} + \mu_1\right) + \frac{1}{E_2}(1 - \mu_2)\right]} = \frac{[\Delta r_H]}{M} \tag{4-2-6}$$

$$[\Delta r_H] = \Delta r'_H - \Delta r_H$$

混凝土在 r_H 处的变位 $\Delta r_H = \frac{2\alpha_1 r_H}{r_H^2 - r_m^2}\int_{r_m}^{r_H} Tr\mathrm{d}r$

岩体在 r_H 处的变位 $\Delta r'_H = \frac{2\alpha_2(1 + \mu_2) r_H}{R^2 - r_H^2}\int_{r_H}^{R} Tr\mathrm{d}r$

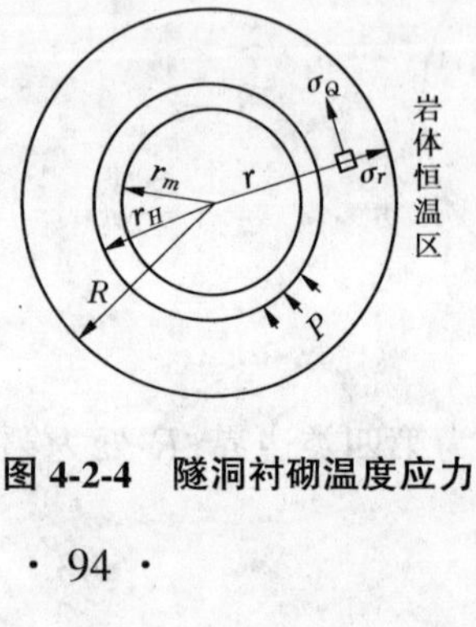

图 4-2-4 隧洞衬砌温度应力

混凝土约束应力 $\sigma_{Q_2}^c = -\left(1+\frac{r_m^2}{r^2}\right)P\Big/\left(1-\frac{r_m^2}{r_H^2}\right)$ (4-2-7)

$$\sigma_{r_2}^c = -\left(1-\frac{r_m^2}{r^2}\right)P\Big/\left(1-\frac{r_m^2}{r_H^2}\right) \quad (4\text{-}2\text{-}8)$$

围岩部分的 $\sigma_{Q_2}{}'$及$\sigma_{r_2}{}'$可根据弹性力学轴对称的应力和位移计算。

应力函数是径向坐标 r 的函数,取圆筒的应力表达式 $\sigma_r = \frac{A}{r^2}+2C, \sigma_Q = -\frac{A}{r^2}+2C$。

围岩部分的 $\sigma_{r_2} = \frac{A'}{r^2}+2C', \sigma'_{Q_2} = -\frac{A'}{r^2}+2C'$。由边界条件确定 A、A'、C、C'四值,即可得应力计算式。

当 $r = r_m$ 时,$\sigma_r = 0, \sigma_r = \frac{A}{r^2}+2C = 0$

当 $r = r_H$ 时,$\sigma_r = \sigma_{r_2}, \frac{A}{r_H^2}+2C = \frac{A'}{r_H^2}+2C'$,位移 $u = u'$

当 $r = \infty$ 时,$\sigma_{r_2} = 0$,则 $2C' = 0$

由混凝土及围岩的位移计算及 $C'=0$ 得出 $n\left[2C(1-2\mu)-\frac{A}{r_H^2}\right]+\frac{A'}{r_H^2}=0$。推求得 $A' = -r_H^2P, A = -2r_m^2C, C'=0, C = \frac{Pr_H^2}{2n[r_H^2(1-2\mu)+r_H^2]}, n = \frac{E'(1+\mu)}{E(1+\mu')}$分别代入边界上的应力公式得

$$\sigma_{r_2}{}' = \frac{A'}{r^2}+2C' = \frac{-r_H^2P}{r^2} \quad (4\text{-}2\text{-}9)$$

$$\sigma_{Q_2}{}' = \frac{-A'}{r^2}+2C' = \frac{r_H^2}{r^2}P \quad (4\text{-}2\text{-}10)$$

各参数中,下角标“2”及上角标“′”表示围岩,下角标“1”表示混凝土。

混凝土最终弹性切向应力为 $\sigma_Q = \sigma_{Q_1}+\sigma_{Q_2}$。

升温时 σ_Q 主要是压应力,降温时主要为拉应力。用数值积分法计算 $\Delta r'_H$、Δr_H 时,式中的温度 T 值采用前一时间与后一时间的温度差。

四、纵向允许浇筑分段长度计算

浇筑块的长度(L)与厚度(d)可依弹性地基梁法(见第三章)计算温度应力。通过不同的 $\overline{T}_r$、E_c/E_g、L 计算温度应力,并按水化热温升应力 $\sigma_1^* = K_PK_rA\frac{R\alpha\overline{T}_r}{1-\mu}$反求$A$ 值,绘出温度—应力曲线计算其他情况,最后再加上均匀温差应力 $\sigma_2^* = K_PR\frac{E\alpha(T_P-T_{\min})}{1-\mu}$后确定浇筑块的长度。

五、混凝土徐变应力(σ^*)

自生应力与约束应力的徐变应力计算不同。自生应力是均质体,可按松弛系数法计算;约

束应力是非均质体,并且不符合比例变形条件,故隧洞衬砌的徐变应力应按初位移法计算。

初位移法计算步骤如下:

$\tau=1$ 天,按温度分布差计算弹性位移 $\Delta r^1_{H_2}$、$\Delta r^1_{H_1}$ 及弹性应力 $\Delta\sigma^1_{r_1}$、$\Delta\sigma^1_{Q_1}$、$\Delta\sigma^1_{Q_2}$。$\Delta r^1_{H_2}$、$\Delta r^1_{H_1}$ 即第一天位移。

$\tau=2$ 天,初位移 $\Delta\varepsilon^2_{r_1}=\Delta\sigma^1_{r_1}\cdot C^c_{(2,1)}$,$\Delta\varepsilon^2_{r_2}=\Delta\sigma^2_{r_2}\cdot C^g_{(2,1)}$。按 $\tau=2$ 天的温度计算弹性位移 $\Delta r^2_{H_2}$、$\Delta r^2_{H_1}$。考虑徐变的变位差,$[\Delta r_H]^2=[(\Delta r^2_{H_1}-\Delta\varepsilon^2_{r_1})-(\Delta r^2_{H_2}-\Delta\varepsilon^2_{r_2})]$,按式(4-2-6)、式(4-2-7)、式(4-2-8)计算 $\Delta\sigma^2_{Q_1}$、$\Delta\sigma^2_{r_1}$、$\Delta\sigma^2_{r_2}$。

$\tau=3$ 天,初位移 $\Delta\varepsilon^3_{r_1}=\Delta\sigma^1_{r_1}[C^c_{(3,1)}-C^c_{(2,1)}]+\Delta\sigma^2_{r_1}\cdot C^c_{(2,1)}$,$\Delta\varepsilon^3_{r_2}=\Delta\sigma^1_{r_2}[C^g_{(3,1)}-C^g_{(2,1)}]+\Delta\sigma^2_{r_2}\cdot C^g_{(2,1)}$,$[\Delta r_H]^3=[(\Delta r^3_{H_1}-\Delta\varepsilon^3_{r_1})-(\Delta r^3_{H_2}-\Delta\varepsilon^3_{r_2})]$。$\Delta r^3_{H_2}\cdot\Delta r^3_{H_1}$ 是按 $\tau_3-\tau_2$ 的温度差计算的。另计算出 $\Delta\sigma^3_{Q_1}$、$\Delta\sigma^3_{r_1}$、$\Delta\sigma^3_{r_2}$。

$\tau=4$ 天,同上一样算出 $\Delta r^4_{H_2}$、$\Delta r^4_{H_1}$。初位移 $\Delta\varepsilon^4_{r_1}=\Delta\sigma^1_{r_1}[C^c_{(4,1)}-C^c_{(3,1)}]+\Delta\sigma^2_{r_1}\cdot[C^c_{(4,2)}-C^c_{(3,2)}]+\Delta\sigma^3_{r_1}\cdot C^c_{(4,3)}$,$\Delta\varepsilon^4_{r_2}=\Delta\sigma^1_{r_2}[C^g_{(4,1)}-C^g_{(3,1)}]+\Delta\sigma^2_{r_2}[C^g_{(4,2)}-C^g_{(3,2)}]+\Delta\sigma^3_{r_2}\cdot C^g_{(4,3)}$,$[\Delta r_H]^4=[(\Delta r^4_{H_1}-\Delta\varepsilon^4_{r_1})-(\Delta r^4_{H_2}-\Delta\varepsilon^4_{r_2})]$。再计算出 $\Delta\sigma^4_{Q_1}$、$\Delta\sigma^4_{r_1}$、$\Delta\sigma^4_{r_2}$。$\tau=4$ 天的徐变应力 $\Delta\sigma^*_{Q_1}=\Delta\sigma^1_{Q_1}+\Delta\sigma^2_{Q_1}+\Delta\sigma^3_{Q_1}+\Delta\sigma^4_{Q_1}$,依此类推。

式中上角标 1,2,3…表示龄期;c、g 分别表示混凝土及岩体。

上述计算是逐时段计算,工作量大,可以编成程序。在手算时,可考虑选定一当量松弛系数 K'_P,令 $\sigma^*_Q=K'_P\sigma_Q$。

衬砌混凝土不密实或降温后混凝土与围岩接触面有一定程度的脱开,约束应力可能比计算值小一些。在选定温控要求时,可适当放宽。但如果施工进度快,混凝土未达到最低温度前即进行回填灌浆,则约束应力不可忽视。为验证计算成果的准确程度,如有条件施工时应埋设仪器进行观测或以裂缝实测数据核算校正其计算式。

第三节　碾压混凝土温度应力

碾压混凝土坝(R.C.D)从 20 世纪 60 年代意大利的 Alpe Cera 坝建成以来,在国内外发展很快。我国已建成的碾压混凝土坝有 11 座,最高的重力坝达 101m(福建水口);正在设计与在建的有 24 座,重力坝最高达 128m,拱坝高达 101m。

碾压混凝土(R.C)的胶凝材料与常态混凝土相差不多,但水泥用量少,而掺合料(粉煤灰)的用量有时比水泥用量还多。我国规范规定一般胶凝材料用量为 140～160kg/m³,其中水泥为 50～60kg/m³。碾压混凝土水化热 9～14℃(约为常态混凝土的一半)。因此,碾压混凝土性能也异于常态混凝土,温度变化及其应力与温控亦有所不同。

一、碾压混凝土性能

碾压混凝土(简称 R.C)一般早期强度低,水化热小;抗压强度比常态混凝土约大 10%;抗压徐变较大,但拉徐变比压徐变小约 20%;弹模低,美国中差坝仅为常态混凝土的25%～30%，上静坝是30%～50%；干缩变形也较小，一年的干缩变形收缩率为120～190μm，而常态混凝土干缩变形一年的收缩率一般为270～1 000μm。美国测试11座R.C坝的干缩值仅为常态混凝土的一半。我国也曾做过试验，R.C的干缩值一般为常态混凝土的1/10～1/2。几个碾压混凝土试验资料见表4-3-1。

表4-3-1　碾压混凝土力学性能表

坝名	水泥用量 (kg/m³)	煤灰用量 (kg/m³)	项目	龄期(d)					
				3	7	28	90	180	365
大田坑口（福建）	60	80	R(MPa)	4.1	6.4	9.8	20.5	23.5	24.4
			σ(MPa)		0.33	0.67	1.93	2.58	2.77
			E($\times 10^4$MPa)			1.47	2.26		
			ε_P($\times 10^{-6}$m)			65.5	97.6		
			$\varepsilon_{干}$($\times 10^{-6}$m)		−46.4	−119.3	−307.4		
					−31.3	−144.7	−373		
葛洲坝	52	115	R(MPa)		3.14	9.7	14.9		
			σ(MPa)		0.23	0.76	1.12		
			E($\times 10^4$MPa)			1.3	2.28		
	66	90	R(MPa)		5.3	12.6	20.7		
			σ(MPa)		0.35	0.99	1.96		
			E($\times 10^4$MPa)			1.7	2.77		
上静（美）	108	125	R(MPa)		9.38	14.7	24.2		35.99
			σ(MPa)			0.76	1.03		1.41
			E($\times 10^4$MPa)			0.71	0.91		1.18
	72	160	R(MPa)		5.3	8.4	14.8		32.96
			σ(MPa)						
			E($\times 10^4$MPa)						
	77	140	R(MPa)		7.65	11.17	19.10		34.12
			σ(MPa)		0.38	0.76	0.89		1.38
			E($\times 10^4$MPa)			0.63			1.21
国内	90	53	$\varepsilon_{干}$($\times 10^{-6}$m)	−80	103	150	214	R.C稠度20s	
	90	86	$\varepsilon_{干}$($\times 10^{-6}$m)	−8	31	54	150	R.C稠度18s	
	90	53	$\varepsilon_{干}$($\times 10^{-6}$m)	−254	286	299	383	（常态、坍落度4.5cm）	

注：$\varepsilon_{干}$为干缩变形。

岩滩水电站碾压混凝土围堰中钻取岩芯的应力变形试验，R.C有较大的塑性变形，几乎达到常态混凝土的3倍（常态混凝土最大应力为2.8MPa时，变形ε为60μm；R.C的最大应力为1.4MPa时，ε从40μm延至180μm才断裂）。

二、温度及应力特点

由于R.C.D的特点是纯水泥含量少，不分缝大面积薄层连续浇筑，它的温度特点是水化热低，发热慢，热量散发少，出现最高温度的时间较晚。同时工艺上不能埋设冷却水管，热量不易散发，基础约束最大应力出现时间很晚，可以充分利用混凝土后期强度。但早期抗拉强度低，易于出现裂缝。因此，温控须研究以下几个问题。

(1)几个薄层(0.3~0.7m)连续浇筑的长层间歇期内(包括侧面及顶面)表面应力情况。

(2)长期暴露的表面承受气温变化(包括寒潮)的应力情况。如施工期的横缝面，无常态混凝土(金包银)的上、下游面以及长间歇的顶面。

(3)达到稳定温度场的基础约束应力情况。

根据上述的应力分析，确定相应的各种允许温差及温控措施。

三、温度及应力计算

(1)基础约束最大应力的计算。由于 R.C.D 是连续浇筑的，因此它的最高温度大致是 $T_P + T_r$，$T_r \approx Q_0$，一般 $T_r / Q_0 = 0.8 \sim 0.9$，如果层间的间歇时间较长，可按第三章第三节的有关公式计算最大应力。

$$\sigma^* = K_P \cdot R \cdot E_c \cdot \alpha \Delta T \tag{4-3-1}$$

式中 R——基岩约束系数，可按 $H/L = 1$ 查图 3-3-10 和图 3-3-11。如在施工过程中进行验算时，对于 $H/L < 1$ 的情况可查图 4-3-1；

K_P——松弛系数；

E_c——混凝土弹模；

α——混凝土线膨胀系数。

令$[\sigma] = \sigma^*$，解算出 ΔT，ΔT 即为允许温差。

(2)间歇期内允许温差 Δt 的计算。早期温度变化如图 4-3-2。设基础面上的混凝土较薄，$R = 1.0$，$K_P = 1$，按式(4-3-1)计算。浇筑层表面如采用冷水喷雾，则混凝土表面温度可取$\frac{1}{3}$[水温+2](日本岛地坝经验，2℃是从混凝土表面往下至层高$\frac{1}{4}$处的温度。日本玉川坝经验，喷冷水 2～3mm/h，冷水温度比浇筑层表面温度低 2.5℃，则可使浇筑层表面比气温低 2.5℃)。温度计算参阅第三章第三节相关内容。

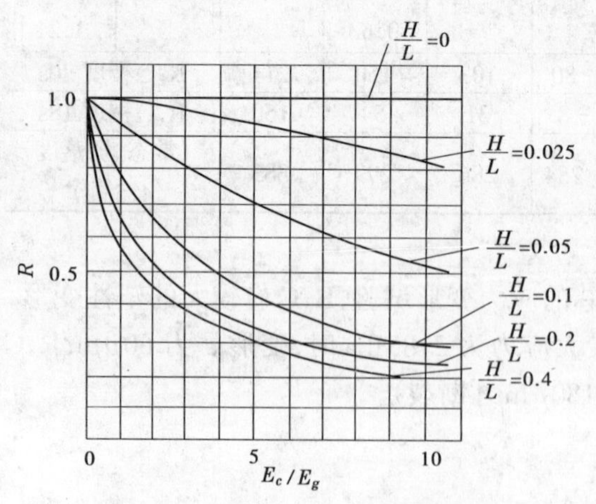

图 4-3-1 R 与($H/L<1$)关系曲线

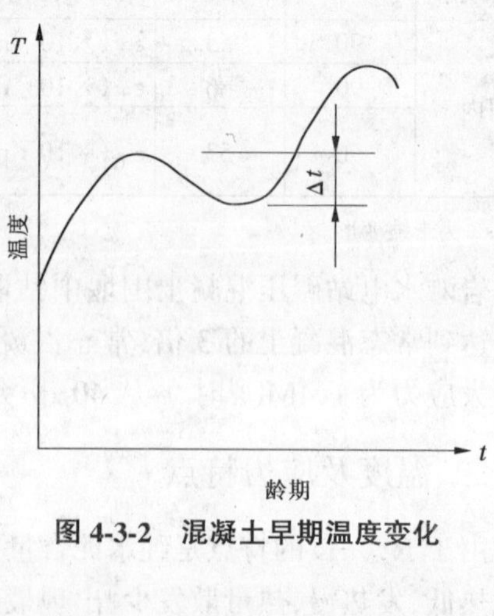

图 4-3-2 混凝土早期温度变化

令$[\sigma] = \sigma^*$，则可计算出允许温差 Δt。

(3)年或月气温变化或寒潮的计算。可参阅第三章第六节的计算公式。由于目前的R.C.D一般采用金包银的方式,二者的热学性能基本相同,仅力学指标不一样,故计算方法可以不变。因为R.C.D断面大,除基础约束外均可参考半无限体的计算公式去计算。

(4)基础约束应力的计算。根据文献[30]的有限元计算,基础约束应力可分为均匀温差及不均匀温差分别计算叠加。利用图4-3-3及图4-3-4进行估算,通过与三维及水电工程常用的平面应变计算比较,计算结果有一定误差,故其应力需加以修正。修正系数参考表4-3-2。大坝上、下游边坡对应力影响不大,可采用 $H=L$ 的柱状块进行有限元分析。

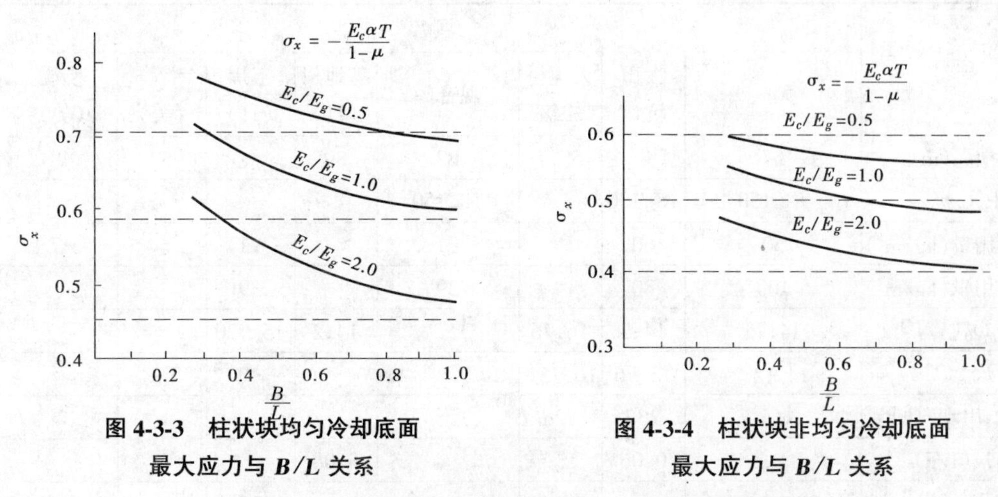

图4-3-3 柱状块均匀冷却底面最大应力与 B/L 关系

图4-3-4 柱状块非均匀冷却底面最大应力与 B/L 关系

表4-3-2 三维与平面应变计算 $\sigma_{x\max}$ 比较表(均匀冷却)

E_c/E_g	计算方法	$\frac{B}{L}$	水平截面位置 Z/H				与平面应变比较(%)	备注
			0	1/12	1/6	1/4		
0.5	平面应变		0.71	0.56	0.41	0.26	100	Z 是竖向坐标以基岩面为0;比较是指 $\frac{Z}{H}=0$ 处 σ_x 的比较
	三维	1.0	0.70	0.53	0.41	0.27	98	
		0.75	0.72	0.51	0.41	0.27	102	
		0.50	0.74	0.55	0.41	0.27	104	
		0.25	0.78	0.56	0.40	0.26	110	
1.0	平面应变		0.59	0.46	0.33	0.20	100	
	三维	1.0	0.60	0.45	0.35	0.23	102	
		0.75	0.62	0.47	0.35	0.23	105	
		0.50	0.65	0.49	0.36	0.24	110	
		0.25	0.72	0.51	0.37	0.24	122	
2.0	平面应变		0.45	0.35	0.25	0.15	100	
	三维	1.0	0.48	0.36	0.28	0.18	107	
		0.75	0.51	0.38	0.28	0.18	113	
		0.50	0.54	0.40	0.29	0.18	120	
		0.25	0.62	0.44	0.31	0.20	138	

R.C.D的温度应力计算有不同看法。有的认为温控问题已经解决了,不需要计算;有的认为还是应该计算,提出温控要求,由于它发展很快,出现问题不多,故计算方法尚未规范化。

四、温控实例与裂缝情况

国内外R.C.D温控要求及裂缝情况见表4-3-3。

表4-3-3 国内外R.C.D温控要求及裂缝情况

项目	坝名							
	大广	大田坑口	天生桥二级	观音阁	岛地川(日)	玉川(日)	上静(美)	柳溪(美)
坝高(m)	57		58.7	82	89		57	48
R.C标号	R_{90}150	R_{90}100		R_{90}150				
水泥用量(kg/m^3)	50	60		91		91		47
煤灰用量(kg/m^3)	100	80		39		39		
Q_0(℃)	14.75	14.2	16.75		14.2	15~20		
T_{max}(℃)	14.12$^{\triangle}$	13.76	10.75*					
T_r 出现时间		28d	22d					
m(1/d)		0.06			0.08			
T_P(℃)	20~24.2		15.0			15		
T_{max}(℃)	34.8~39		25.6			29		
σ_{max}(MPa)	0.94							
允许值 ΔT℃	15~17	12~14				20		
允许值 Δt℃						2		
温控措施	高温季节骨料降温仓面喷雾,晴白天不浇,低温季节多浇					仓面喷雾表面保护		
裂缝情况	高于基岩26~29m处,顺水流向裂缝20条,宽0.05~0.5mm深60~170cm,汛前浇,过洪水后发现			R.C.D1条缝平行坝轴位于顶面。共计浇28.9万m^3。常态混凝土裂缝99条。11.4条/万m^3			坝未设横缝,蓄水前发现水流向缝12条,间距75m	全断面为R.C.D,仪器测出从基岩往上的裂缝

注:"△"实测值为10.75℃,"*"为实测值;ΔT中的低值为$H \leqslant \frac{L}{2}$的允许温差,高值为$H > \frac{L}{2}$的允许温差。

第四节　补偿收缩混凝土温度应力

混凝土由于冷缩产生较大的拉应力引起裂缝。混凝土自生体积变形如能适时膨胀则可以抵消部分冷缩变形，减少拉应力从而防止裂缝。抚顺、永登水泥厂的水泥具有膨胀性，使白山、刘家峡的坝体温度最高达到40℃以上，但未出现危害性裂缝。现在国内已研究出向混凝土拌和物中掺氧化镁（MgO）或U型膨胀剂等约十种膨胀剂应用于建筑水电工程。它使混凝土避免了裂缝，简化了温控，节约了温控费用。此种混凝土称为膨胀混凝土或补偿收缩混凝土。

水电工程大体积混凝土温度应力主要产生在后期，为了获得限制膨胀产生较大的预压应力（早期弹模低徐变大限制膨胀产生的预压应力小），以采用“延迟型”的膨胀混凝土较好。

一、膨胀混凝土的变形与限制

1. 变形

膨胀混凝土的自身体积变形与外界湿度影响的变形可分为两个阶段，但每个阶段均含有膨胀和收缩两种性质的变形。

（1）膨胀期。延迟型膨胀混凝土的膨胀期时间较长，其中也包括收缩期的各种变形（如冷缩在以后叙述）。非延迟型的膨胀期多在早期，时间短，因此膨胀和收缩两个阶段比较明显。

膨胀期变形包括自由膨胀 ε_1；弹性（约束）压缩 S_e；早期塑性收缩 S_P；预压应力的徐变收缩 S_c，限制膨胀变形 ε_{2m}（亦即被约束的膨胀变形）。它们之间的关系为 $\varepsilon_{2m}=\varepsilon_1-(S_e+S_P+S_c)$。

（2）收缩期。收缩期变形包括干缩 S_2；预压应力释放的弹性回伸 ε_r；出现拉应力时的瞬时塑性伸长 ε_c；徐变 C（当预压应力减少，压力徐变使弹性恢复减少用 $-C$；拉应力时，拉应变有利于防裂用 $+C$）。混凝土最后变形为 $D=\varepsilon_{2m}-S_2+\varepsilon_r+\varepsilon_c\pm C$。

变形情况如图4-4-1所示（图中 P 为约束膨胀产生的预压应力），膨胀期一般指湿养护期，收缩期为处于空气中的干缩时期。

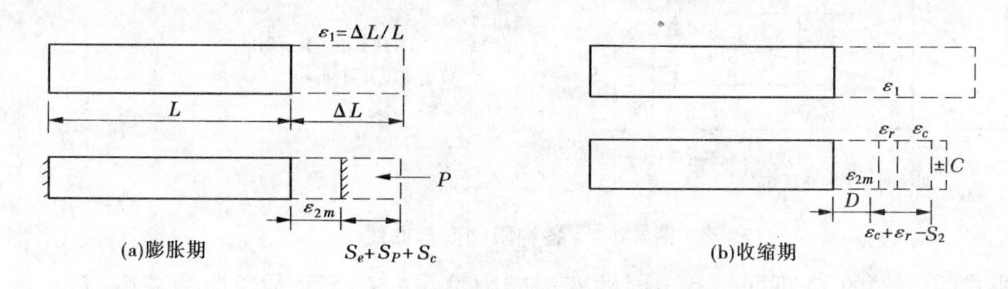

图4-4-1　补偿收缩混凝土的变形

2. 限制程度的划分

为了利用膨胀产生的预压应力或变形，应根据可能的限制条件和需要来选定限制程度。

(1)小限制。包括配筋率≤0.5%时的钢筋约束及一般的基础摩阻限制。此时混凝土预压应力很小，S_e、S_c 可以不计，而 ε_{2m} 却较大，补偿收缩效果好，最终曲线均在膨胀区内。不出现拉力时，$D \geqslant 0$；不出现裂缝时，$|D| < S_k$，S_k 为混凝土极限延伸值（如有钢筋，S_k 应稍大于素混凝土极限延伸值）。

(2)中等限制。包括配筋率<2%及较强的基础嵌固限制。此时预压应力为中等，ε_{2m} 较小。最终曲线在横轴附近，适于荷载大钢筋多的情况，如仅为补偿收缩则不宜采用。

(3)大限制。配筋率≥8%或接近刚性限制，如填槽、孔洞等。预压应力大，S_e、S_P、S_c 均大，$\varepsilon_{2m} \approx 0$，因此变形长度概念不适于大限制情况。计算上得不到补偿收缩作用，但实际补偿收缩作用很好，需考虑膨胀能的作用。膨胀预压的压缩弹性回升足以补偿以后的收缩，同时还可考虑拉伸徐变 Φ_L 的作用。即

$$\frac{\sigma_z}{E}(1+\Phi_L)-\sum S_m = D \tag{4-4-1}$$

$$\sum S_m = S_2 + S_T$$

式中 S_T——冷缩变形；

σ_z——自应力即预压应力。

(4)冷缩与干缩联合补偿。

$$D = \varepsilon_{2m} - S_2 - S_T - \sum S \tag{4-4-2}$$

式中 $\sum S$——其他变形。

各种限制及联合补偿见图 4-4-2。图中：曲线①为自由膨胀曲线，曲线②为收缩曲线，曲线③为曲线②叠加 ε_r 后的曲线，曲线④为冷缩变形平均曲线。图 4-4-2(c)中曲线上的正弦曲线为计算时间内气温变化产生的变形。

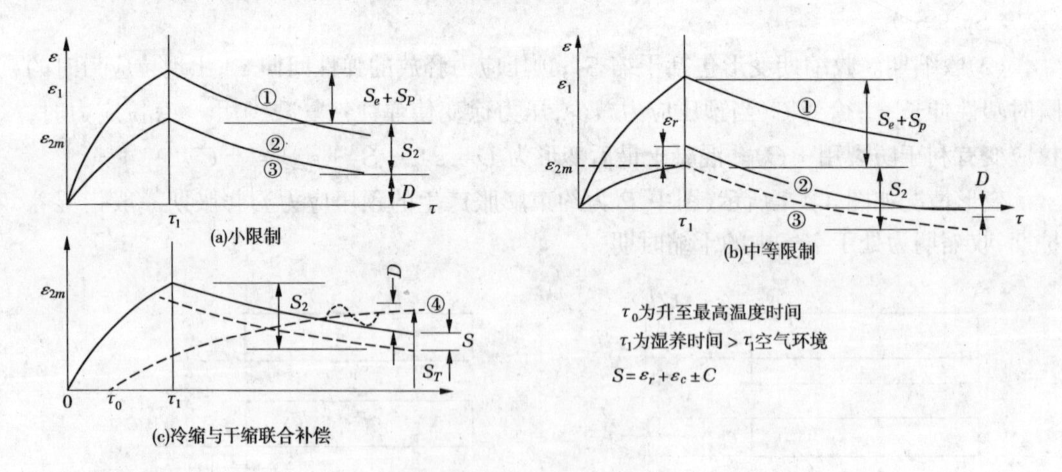

图 4-4-2 各种限制变形曲线

当式(4-4-2)的 D 不同时有不同的变形应力情况。$D>0$，预压应力减少，$D=\varepsilon_{2m}-S_2-S_T+\varepsilon_r-C$；$D=0$ 时，限制膨胀量 ε_{2m} 已完全补偿了(S_2+S_T)，D 计算式同上；$D<0$，补偿收缩后还出现了拉应力，则

$$D = \varepsilon_{2m} - S_2 - S_T + \varepsilon_r + \varepsilon_c + C \tag{4-4-3}$$

此时以变形或应力控制,即

$$|D| \leqslant S_k \text{或} \varepsilon_P, \qquad \frac{DE}{1-\mu} \leqslant [\sigma] \tag{4-4-4}$$

由于干缩只影响混凝土表面一定深度,大体积混凝土内部应力计算时可不计 S_2,上式采用极限拉伸值 ε_P。如为小截面或计算混凝土表面应力时,则应计入 S_2。S_k 为混凝土极限延伸值(与 ε_P 定义不同,S_k 表示可见缝宽大于 0.1~0.15mm 时的拉力试验机上的极限延伸值,多用在建筑部门)。

小截面的干缩与冷缩的 S_k 不同。冷缩是混凝土表面随气温下降产生的,时间短 S_k 值小。干缩需时较长并有徐变作用,比缓慢加荷测得的值还要大 2~3 倍。快加荷的 $S_k=0.01\%\sim0.015\%$,而在长期干缩作用下开裂时 $S_k=0.03\%$,如掺入适量外加剂或采用分散配筋时则可达 0.04%~0.05%,因此选择 S_k 时应予以注意。

3. 变形量计算

(1)弹性压缩变形 S_e 及预压应力释放的弹性回升 ε_r

$$S_e = \frac{\sigma_P}{E}, \varepsilon_r = \frac{\sigma'_P}{E}$$

式中 σ_P——预压应力;

σ'_P——预压应力释放后减少的预压应力。

(2)拉伸塑性变形 ε_c。参考文献[32],拉应力 σ—ε 曲线见图 4-4-3,a 为不计截面改变的弹性直线(即通过原点的切线模量)。b 为计截面变化的弹塑性曲线。c 为不计截面变化的弹塑性(即试验)曲线。

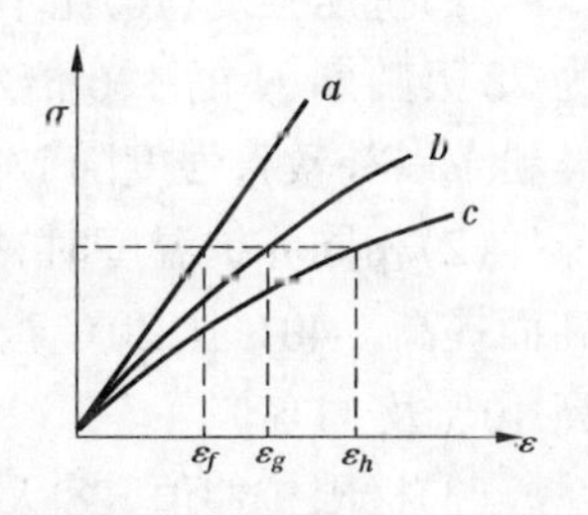

图 4-4-3 拉应力 σ—ε 曲线

$$\varepsilon_g = \ln(1+\varepsilon_f) \tag{4-4-5}$$

$$\varepsilon'_c = \varepsilon_h - \varepsilon_f - (\varepsilon_g - \varepsilon_f) = \varepsilon_h - \varepsilon_g \tag{4-4-6}$$

$$\varepsilon_c = \varepsilon_c' / l_0$$

式中 l_0——试件原始长度。

(3)徐变 C。在 S_2 或 S_T 开始后其值不大,此时混凝土膨胀还在进行,会产生压缩徐变,$C_p=\Delta\sigma_p \cdot C_{(t,\tau)}$,$\tau$ 为 S_2 或 S_T 开始龄期,t 为持荷时间。当式(4-4-3)出现拉应力时,则 C 为拉伸徐变。$C_t=\sigma_t \cdot C_{(t_2,t_1)}$,$t_1$ 为拉应力 σ_t 产生的龄期,t_2 为持荷时间。增加的压应力 $\Delta\sigma_p$ 和 σ_t 可用平均值。如需精确一些可按时段计算累计。

(4)早期塑性收缩 S_P。塑性体积收缩为干水泥绝对体积的 1/100,此值很小可以不计。

(5)干缩 S_2。一般要进行干缩试验,或从水泥石收缩率试验结果进行计算。

$$S_2 = C_s(1-A)^n, \qquad n = \frac{3(1-\mu)}{1+\mu+2(1-\mu)E_c/E_A} = 1.2 \sim 1.7 \tag{4-4-7}$$

或

$$S_2 = C_s \frac{C}{C+[1-(C+V_a+e+f)]m}$$

式中 A——骨料绝对体积，表示 1m^3 混凝土骨料体积；

μ——泊松比；

E_A——骨料弹模；

E_c——水泥弹模；

C_s——水泥石收缩率；

C——水泥体积率(%)；

e——拌和水体积率；

V_a——气孔体积率；

f——尺寸<0.1mm 的粒子体积率；

m——系数，随集料的压缩系数的增大而减小，连续级配的石英集料的 m 值在 0.8～1.0 之间；

$[1-(C+e+V_a+f)]$——集料体积率。

二、膨胀混凝土力学变形性能

混凝土膨胀受限制后的性能与常态混凝土有所不同。而限制程度不同，其混凝土力学变形性能亦各异，一般可以改善其性能。根据成都勘测规划设计研究院科研所掺 MgO 混凝土的试验资料可总结如下：

(1)抗压强度(R)比不掺 MgO 的提高 3%～6%，90 天龄期提高约 10%。360 天龄期为 28 天龄期 R 的 1.6 倍左右，后期强度增长较大。但早期强度较低(一般可考虑掺适量硅粉予以补救)，强度随 MgO 掺量增加而提高。

(2)相同养护温度时，掺比不掺的 R 高 1.9 倍，抗拉强度(σ)高 1.4 倍，且随温度的提高而提高。40℃比 20℃养护温度其 28 天龄期的 R、σ 分别提高 19%和 15%(未掺的只提高 10%及 11%)。

(3)极限拉伸值，28 天时比未掺 MgO 的提高 8%～10%，90 天时提高 13%～20%，养护温度为 40℃比 20℃提高 28%。

(4)弹模。掺 MgO 后弹模亦有提高，一般在 10%以内。龄期 10～12 年比 1 年的弹模增长 10%～16%。

(5)徐变。掺 MgO 后徐变增大，大于不掺的 12%～22%，平均大 15%。

(6)干缩。掺与不掺无显著变化。

(7)膨胀变形。膨胀量的 70%在 3 天以后产生，3 个月达 51%～72%，半年达 68%～82%。观测期 10 年均稳定。最高可达 100～150μm，并随养护温度提高而提高。以 20℃为准，50℃、40℃、30℃，在 10 天前分别提高膨胀速度(平均)5.6、3.2、1.5 倍。10～30 天为 3.7、3.5 倍和 2 倍，以后速率变缓。

(8)掺 MgO 后，混凝土热峰推迟。掺 5%以下的水化热增加 3%～5%，影响不大。

(9)水泥风化程度对膨胀有显著影响，贮存超过 3 个月的膨胀水泥应通过试验确定膨胀量。

三、补偿收缩计算

膨胀混凝土必须有约束才能产生限制膨胀补偿收缩，故使用的部位不同约束情况不一样，计算方法也各异。由于它的变形难以计算准确，目前的计算方法多采用试验—估算法。

1. 大坝基础混凝土

膨胀混凝土的变形随着水化热温升可分为两部分：一部分为水化热温升产生的膨胀变形；另一部分为膨胀混凝土的自身体积膨胀变形，均不计基岩徐变。$C_{(t,\tau)}$为徐变度。

(1)膨胀混凝土自身的限制膨胀 ε_{2mG}

$$\varepsilon_{2mG} = (\varepsilon_1 - S_e - S_P - S_c)R \tag{4-4-8}$$

式中 R 为基础约束系数(第三章第三节)。

预压应力 $P_G = ES_e/(1-\mu)$，　　$S_c = P_G \cdot C_{(t,\tau)} = \dfrac{ES_e \cdot C_{(t,\tau)}}{1-\mu}$

(2)水化热温升限制膨胀 ε_{2mT}不计 S_P 后为

$$\varepsilon_{2mT} = R(\alpha\Delta T - S_c^T - S_e^T) \tag{4-4-9}$$

预压应力 $P_T = ES_e^T/(1-\mu)$，　　$S_e^T = P_T \cdot C_{(t',t_0)} \cdot P_G$，$P_T$ 为平均值。

$$\left.\begin{aligned}&\text{预压应力合计 } P = P_G + P_T\\&\text{限制膨胀量 } \varepsilon_{2m} = \varepsilon_{2mG} + \varepsilon_{2mT}\end{aligned}\right\} \tag{4-4-10}$$

由于冷缩 S_T 时间长，且主要在后期，预压应力的大部分主要在湿养护早期，如图 4-4-4 所示，此后预压应力 P 将有所松弛。混凝土冷却至稳定温度 T_f 的徐变应力(σ')按第三章第三节的方法计算，考虑限制膨胀抵消了部分拉应力后的剩余拉应力 σ^* 为：

$$\sigma^* = \sigma' - \frac{PK_{P(t_2,t_1)}}{1-\mu} \tag{4-4-11}$$

$\sigma^* \leqslant [\sigma]$，即不会产生裂缝。增加的允许温差 ΔT

$$\Delta T = \frac{PK_{P(t_2,t_1)} \cdot (1-\mu)}{E\alpha} \tag{4-4-12}$$

t_1、t_2 见图 4-4-5。式(4-4-11)还应考虑一个安全系数再与允许抗拉强度[σ]进行比较。水化热温升产生的预压应力为最终拉应力的 10%～20%，也可以不考虑它的作用，以它作为安全系数。

上述计算式须进行试算。首先提出要求的 ε_1 及 ε_{2m}，然后经过它们的试验并进行核算，提出对膨胀混凝土的要求。基岩约束系数 R 是一个很重要的数据，也应进行试验。最好在现场选一处有代表性的地基而同时又是偏安全的(弹模较小)的平整地基上浇一定厚度的混凝土进行观测试验，直接反演求出 R 值。

(3)在某些情况下，基础面上布置有钢筋。钢筋约束膨胀混凝土是由钢筋握裹力起作用的。如钢筋处所受膨胀量过大，当预压应力超过或等于握裹力引起的应力时，则钢筋将滑脱失掉约束作用，因此钢筋约束所分担的限制膨胀量不能等于或超过握裹力引起的应力的压缩变形。在此条件下，钢筋影响范围内的限制膨胀量应与基础约束叠加。约束情况见图 4-4-5。

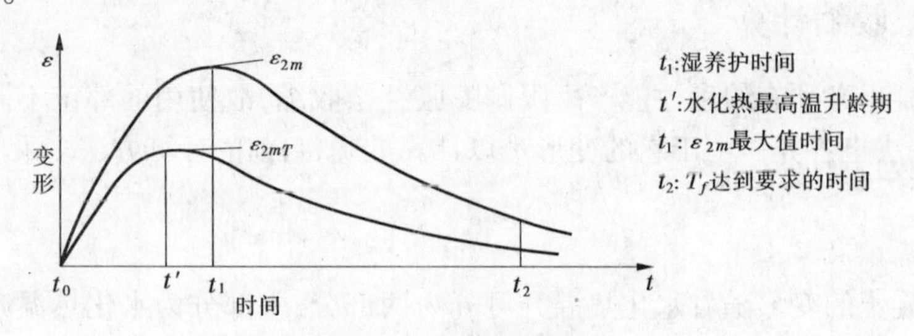

图 4-4-4 膨胀变形曲线

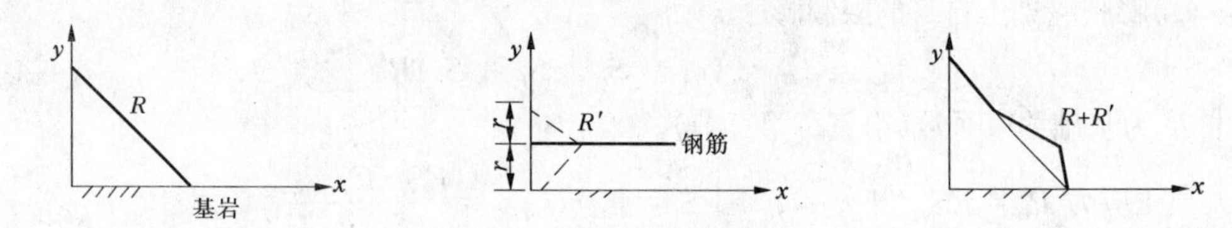

图 4-4-5 基础钢筋约束作用

图中:r 为钢筋握裹力影响半径,R'表示钢筋所起的约束作用。

钢筋能使混凝土膨胀量受到限制,有筋后的限制膨胀量为

$$\varepsilon'_{2m} = \varepsilon_{2mG} + \varepsilon_{2mT} + \sigma_\tau E \tag{4-4-13}$$

式中 $\sigma_\tau E$——钢筋握裹力产生的限制膨胀量;

σ_τ——由预压应力 P 引起的应力,参见第六章第二节有关内容。

以$(\sigma_\tau + P)K_{P(t_2,t_1)}$代替式(4-4-11)中的 $PK_{P(t_2,t_1)}$ 即为有筋后剩余的温度徐变拉应力。

大坝基础膨胀混凝土的约束系数 R 及钢筋的σ_τ 均不是常数,需试算柱状块不同高度的应力情况。如钢筋位置 S(距基岩面)布置较高,钢筋握裹力影响半径 $r \leqslant S$,则钢筋对基岩面的应力无抵消作用,为此钢筋应布置低一些。由于柱状块沿高度的水平拉应力是逐渐变小的,如钢筋附近的温度应力较大,仍满足不了应力要求,则钢筋将起到较好的抵消拉应力的作用。

如将膨胀混凝土作为主要温度控制手段,应该按试验—估算法分析各类变形并取得试验资料,以求设计符合实际,不出现裂缝危及坝身安全。如利用已有的约束条件采用膨胀混凝土作为安全储备,则可按大坝混凝土对水泥的氧化镁含量不大于 5%的膨胀量选定混凝土配比及水泥品种。

水电工程发生冷缩拉应力的时间较晚,须采用延期型膨胀混凝土。即膨胀量主要在约 7 天后发生,到一定时间膨胀稳定且基本不衰减。

2. 填槽混凝土

填槽混凝土包括大限制的孔洞堵塞、大体积预留后浇块、封闭结构的封闭块(如坝内式厂房的顶部封闭块)、坝体两柱状块之间预留的中间后浇块等。其特点是 $\varepsilon_{2m}=0$,自由膨胀量受限制后扣除不可恢复的受压有关变形后,全部能回伸抵消 $S_2 + S_T$ 的收缩,并可留有余地使新老混凝土结合面不致脱离产生裂缝。

能回伸的压缩变形 $$\varepsilon_D = \varepsilon_1 - S_d - S_c - S_P + \varepsilon_c \tag{4-4-14}$$

将预压应力 $P = \dfrac{\varepsilon_D E}{1-\mu}$，$S_c = P \cdot C_P$ 代入上式得

$$\varepsilon_D = (\varepsilon_1 - S_d - S_P + \varepsilon_c) \Big/ \left(1 + \frac{EC_P}{1-\mu}\right) \tag{4-4-15}$$

回伸变形与冷缩干缩叠加为

$$D = (\varepsilon_D + \sigma \cdot C_T) - (S_2 + S_T) \tag{4-4-16}$$

式中 S_d——压缩变形中不可恢复部分，可作加荷循环试验取得；

S_c——压缩徐变；

S_P——塑性收缩；

ε_c——拉伸塑性变形；

C_P、C_T——压缩和拉伸徐变度。

般以不出现或出现少量拉应力(σ)作为控制，即 $D>0, \sigma C_T = 0, \varepsilon_c = 0$。当出现拉应力时，$D<0, \sigma = |D|E$，$\sigma C_T$ 为拉徐变，以 $\sigma = |D| \leqslant \varepsilon_P$ 控制。

隧洞封堵可参考本法。老混凝土中如未降到最低温度及后浇混凝土引起老混凝土的温降温升变形也可考虑进去。上述公式均用变形量计算，与设计的后浇块长度配合一致。

3.膨胀混凝土试验

因各部分变形较难准确计算，经上述计算后尚需进行膨胀及限制膨胀试验以及其他相应的试验。

(1)坝基约束膨胀试验。令混凝土中钢筋的限制等于坝基础约束，则：

$$\frac{1}{1 + D_c/D_s} = \frac{1}{1 + K_L E_c/E_g}, \qquad \frac{D_c}{D_s} = \frac{F_c E_c}{F_s E_s} \tag{4-4-17}$$

整理后得：
$$\mu = \frac{E_g}{K_L E_s}$$

式中 下角标 c、s——混凝土及钢筋的代号；

F——面积；

E_g——基础弹模；

μ——配筋率(%)；

K_L——基岩约束系数，见图 4-4-6。

图中 H 为柱块高，L 为柱块宽。计算出 μ 后进行约束试验。

如坝体中埋有钢筋，由于钢筋的限制范围较大而又分布不均，与小构件双层钢筋约束比较平均有所不同，可研究用原型尺寸做试验，测出梁高沿程的 ε_{2m}。

(2)填槽混凝土可按原型长度(一般 1～2m)做试件试验，防止试件受限制挠曲，测出预压应力。

目前对于膨胀混凝土的试验尚未有较好的规程规范，试验时须认真研究如何才能反映实际限制情况。

四、膨胀混凝土应用实例

国内水电工程掺 MgO 实例见表 4-4-1。

表 4-4-1　国内补偿收缩混凝土实例表(水电工程)

坝名	坝型	使用部位	混凝土标号	膨胀剂	掺量(%)	试验	设计			实例		备注
						ε_1(μm)	ε_1(μm)	ε_{2m}(μm)	P(MPa)	ε_1(μm)	P(MPa)	
石塘	重力	消力地 22m×5.5m×1.8m	R_{90}200	MgO 粉煤灰	4 20					65/90d	0.4～0.6	板为嵌固式,50cm稻草保温
青溪	重力	基础下部	R_{90}150	MgO 粉煤灰	5	200/180d	100～250			85～100	0.27～0.6	P 占温度应力22%～45%,共节约52万元。P 为补偿应力。表面全年保温半年老混凝土上再浇
	H=51m	基础上部 溢流面	R_{90}100 R_{90}200	MgO 煤灰 MgO	30 2	160/180d —						
东风	双曲拱 H=162m	基岩深槽 58m×51m×9m	R_{90}300	MgO 粉煤灰	3.5 30	110/180d 120/240d	≥120			96/180d 103/240d	0.3～0.5	灰较粗,抑制膨胀,与岩石接缝面上部未完全闭合
水口	重力 H=90m	基础		MgO	4.4～4.8					40～60	0.3～0.5	表面保护
铜街子		导流洞堵塞		MgO	4.5	210～250	160～240			191～237		洞径 6m×8m
普定	碾压坝	堵导流洞	R_{28}200	MgO	3.8	105/180d	100	80～90	0.3～0.5			
	H=73m	垫层 1.5m	R_{90}200	MgO 粉煤灰	3.2 45	69.8/180d				49.5		

注:①青溪:8 号廊道顶拱层薄及长期停浇出现裂缝。表面全部保温。

②水口:原不设纵缝,通长 70m,后因故设一纵缝,表中为不设纵缝掺量,表面无保护,10 号坝段顺坝轴贯穿缝,宽 0.15mm,深 0.3～0.5m。

③铜街子:采用低热微膨胀水泥(洛阳 425 号),不作接缝灌浆。高块连续浇筑。

④普定:堵导流孔的混凝土最高温度达 40～50℃,不作接缝灌浆。

⑤东风:为使限制膨胀效果好,分三条横缝,四块分浇,形成约束。浇后表面 60cm 厚石渣保护度汛。

⑥各坝的收缩补偿混凝土均未采用其他温控措施。

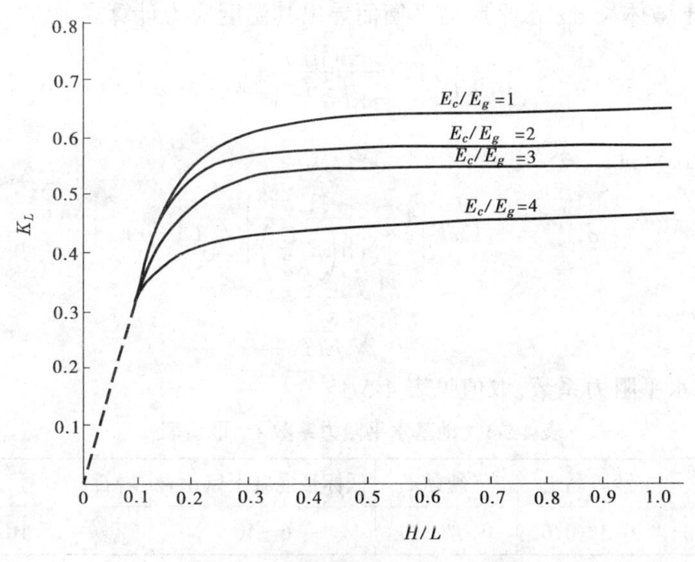

图 4-4-6　基岩约束系数 K_L 曲线

白山桓仁大坝采用本溪抚顺水泥的 MgO 含量大于 4%，白山混凝土膨胀量$(0.7\sim1.0)\times10^{-4}$。实际基础温差有的达 45℃仍未发生裂缝(混凝土极限拉伸值也是$(0.7\sim1.0)\times10^{-4}$，基础允许温差 23℃，混凝土自生膨胀后可提高温差 1 倍)。但混凝土表面水分易蒸发，失水后镁的活性比其他水泥成分较滞后，而混凝土内部仍按时膨胀，等于加大了内外温差。由于早期未采取表面保护，发生近 2 000 条表面裂缝。桓仁及美国的巴克尔坝(1934 年建)也是如此。故采用膨胀混凝土应研究上述情况，对表面保护应予以充分注意。

第五节　工民建建筑物长大混凝土块温度应力

工民建建筑物一般截面尺寸较小，对于尺寸小于 100cm 的构件施工时水化热温升很低，温度应力小，一般不会引起裂缝。运用期的温度应力对超静定结构来说可能很大，可参考本章第一节的计算方法进行计算。但解决办法应考虑改进结构设计、合理配筋、加强养护、提高混凝土抗裂性能及选择低温季节施工等各方面。

某些长大工民建建筑物，要求整体性强、少分缝或不分缝，但主要是受铅直荷载，无水平防渗要求，且多建于软基上。如工厂大面积基础混凝土、高烟囱及其基础、公路刚性路面等，截面尺寸大、厚长比小或结构复杂，又受基础约束，往往易引起裂缝。由于情况复杂，其温度应力应根据实际情况参考有关计算方法、工程实测等进行计算，并提出相应的温控措施进行全面研究。

一、长大块混凝土温度应力

(1)长大块的高长比 H/L 小，属于薄层基础混凝土，可参考第三章第三节有关弹性地基梁的计算方法进行计算。工民建建筑物多建于软基上，基础约束程度很小，以地基剪应力(τ)与混凝土微体长 dx 水平应力平衡而导出其温度应力计算式。

$$\sigma_x = -E\alpha T\left[1-\frac{\mathrm{ch}(\beta x)}{\mathrm{ch}\left(\beta\frac{L}{2}\right)}\right]/(1-\mu) \tag{4-5-1}$$

当 $x=0$ 时,$\mathrm{ch}(\beta x)=1$,

$$\sigma_{x\max} = -E\alpha T\left[1-\frac{1}{\mathrm{ch}\left(\beta\frac{L}{2}\right)}\right]/(1-\mu) \tag{4-5-2}$$

$$\beta=\sqrt{\frac{C_x}{EH}}$$

式中:C_x 为地基水平阻力系数,取值见表 4-5-1。

表 4-5-1　地基水平阻力系数 C_x 取值表　　（单位:MPa/cm)

地基	软黏土	沙质黏土	坚硬黏土	低标号混凝土风化岩	岩石、100 号以上钢筋混凝土
C_x	0.1～0.3	0.3～0.6	0.6～1.0	6～10	10～15

注:①C_x 下限用于基础埋深≤5m,上限用于＞5m。

②露天挑檐、阳台板及截面墙上浇筑板墙 C_x 取 6.0。

③桩基要提高 C_x 值。

按时段计算时,计算式为:

$$\sigma_{x\max}=\sum_{i=1}^{n}\Delta\sigma_i=-\sum_{i=1}^{n}\frac{\alpha}{1-\mu}\left[1-\frac{1}{\mathrm{ch}\left(\beta_i\frac{L}{2}\right)}\right]\Delta T_i E_i \tag{4-5-3}$$

考虑徐变时,上述各式乘以松弛系数 K_P。建筑上的 K_P 计算式为

$$K_{(P,\tau)}=1-\frac{A_1}{\varphi_1}(1-\mathrm{e}^{-\varphi_1\tau})-\frac{A_2}{\varphi_2}(1-\mathrm{e}^{-\varphi_2\tau}) \tag{4-5-4}$$

式中:τ 为持荷历时,即持荷龄期与加荷龄期之差;经验系数 $A_1=0.023\ 7/\mathrm{d}$,$\varphi_1=0.067\ 41/\mathrm{d}$,$A_2=3.451\ 67/\mathrm{d}$,$\varphi_2=9.437\ 97/\mathrm{d}$。松弛系数 $K_{(P,\tau)}$ 也可查表 4-5-2。

表 4-5-2　松弛系数 $K_{(P,\tau)}$ 取值表

τ(d)	0	0.25	0.5	0.75	1.0	3	10	20	40	∞
K_P	1	0.667	0.626	0.617	0.611	0.570	0.462	0.347	0.306	0.283

上述各式适于 $H/L<0.2$ 范围内计算。

(2)混凝土干缩变形。各龄期干缩变形 $\varepsilon_{(y,\tau)}$ 计算式为

$$\varepsilon_{(y,\tau)}=\varepsilon_y^0(1-\mathrm{e}^{-0.01\tau})M_1M_2\cdots M_n \tag{4-5-5}$$

当量温差 $\Delta T=\varepsilon_{y\cdot\tau}/\alpha$。将 ΔT 与温度 T 叠加后进行应力计算。

一般表面保护好,湿度保持好,可以不考虑干缩变形。干缩主要发生在 1 个月龄期以内,最终应力计算可以不叠加。

ε_y^0 为在标准状态下的最终收缩量,可取 3.24×10^{-4}。$M_1M_2\cdots M_n$ 为修正系数。见表 4-5-3。

表 4-5-3　修正系数表

项目	M	项目	M	项目	M
水泥品种	M_1	14	0.93/0.84	0.5	1.31/1.05
矿渣水泥	1.25	20	0.93/0.94	0.6	1.4/1.05
快硬水泥	1.12	≥180	0.93/0.84	0.7	1.43/1.05
低热水泥	1.10	水灰比	M_5	0.8	1.44/1.05
石灰矿渣水泥	1.00	0.2	0.65	配筋率(%)	M_9
普通水泥	1.00	0.3	0.85	0	1.00
火山灰水泥	1.00	0.4	1.00	0.05	0.86
抗硫酸盐水泥	0.78	0.5	1.21	0.10	0.76
矾土水泥	0.52	0.6	1.42	0.15	0.68
骨料	M_2	0.7	1.62	0.20	0.61
砂岩	1.90	0.8	1.80	0.25	0.55
砾岩	1.00	水泥浆量(%)	M_6	操作修正	M_{10}
无粗骨料	1.00	15	0.90	机械振捣	1.00
玄武岩	1.00	20	1.00	手工振捣	1.10
花岗岩	1.00	25	1.20	蒸汽养护	0.85
石灰岩	1.00	30	1.45	高压釜处理	0.54
白云岩	0.95	35	1.75		
石英岩	0.80	40	2.10		
水泥细度	M_3	45	2.55		
1 500	0.90	50	3.03		
2 000	0.93	环境湿度(%)	M_7		
3 000	1.00	25	1.25		
4 000	1.13	30	1.18		
5 000	1.35	40	1.10		
6 000	1.68	50	1.00		
7 000	2.05	60	0.88		
8 000	2.42	70	0.77		
养护时间(d)	M_4	80	0.70		
1	1.11/1	90	0.54		
2	1.11/1	截面周长/截面积	M_8		
3	1.09/0.98	0	0.54/021		
4	1.07/0.96	0.1	0.76/0.78		
5	1.04/0.94	0.2	1/1		
7	1/0.9	0.3	1.03/1.03		
10	0.96/0.89	0.4	1.2/1.05		

注：M_4 及 M_8 中，分子表示在自然状态下硬化，分母表示在蒸汽养护条件下硬化。

(3)裂缝计算。如不采取温控措施,在自然状态下浇筑混凝土,则允许浇筑块长度 L 如下式。以 $\sigma_{max}=\varepsilon_P \cdot E_{cp}$ 代入式(4-5-1),最大长度 L_{max} 为

$$L_{max} = 2\sqrt{\frac{EH}{C_r}}\operatorname{arcch}\frac{|\alpha T|}{|\alpha T| - \varepsilon_P} \tag{4-5-6}$$

以最大应力 σ_{max} 接近抗拉强度 R_f,但未达到开裂程度考虑。如开裂则 $L_{min}=\frac{1}{2}L_{max}$,平均 $L=1.5\sqrt{\frac{EH}{C_x}}\operatorname{arcch}\frac{|\alpha T|}{|\alpha T|-\varepsilon_P}$。

如布置有钢筋,可使 ε_P(极限拉伸值)提高,根据齐斯克列里经验公式:

$$\varepsilon_P = 0.5R_f\left(1+\frac{10\mu_p}{d}\right)\times 10^{-4} \tag{4-5-7}$$

式中 R_f——混凝土设计抗拉强度,MPa;

μ_p——配筋率;

d——钢筋直径,mm。

如开裂时,其最大裂缝宽度为

$$\delta_{f\max} = 2\psi\sqrt{\frac{EH}{C_x}}\alpha T \operatorname{th}\left(\beta\frac{L_{max}}{2}\right) \tag{4-5-8}$$

式中:$\psi=FH(t)$,为裂缝宽度衰减系数,其中 F 为考虑钢筋作用的阻止扩展系数;$H(t)$ 为开裂后徐变作用两侧混凝土不能全部恢复弹性变形位置的系数;ψ 值见表 4-5-4。

表 4-5-4　ψ 值表

配筋率(%)	0~0.2	0.3~0.4	0.5~0.6	0.7~0.8	0.8~1.0
F	1.0	0.8	0.6	0.4	0.2
$H(t)$	0.3	0.3	0.3	0.3	0.3
$\psi=FH(t)$	0.3	0.24	0.18	0.12	0.06

二、烟囱等管道温度应力

烟囱等管道为圆环构件。已知内外壁温度时,其弹性应力可按下面介绍的方法进行计算。

设内壁温度为 T_a,外壁温度为 T_b,并以 T_b 为基准,内外壁温差 $T_A=T_a-T_b$。壁内温度分布为

$$T = \frac{T_A\ln\left(\frac{b}{r}\right)}{\ln\left(\frac{b}{a}\right)}$$

按圆筒坐标计算的运用期各方向应力为

$$
\begin{cases}
\sigma_r = A\left[\dfrac{\ln\left(\dfrac{b}{r}\right)}{\ln\left(\dfrac{b}{a}\right)} - \dfrac{\dfrac{b^2}{r^2}-1}{\dfrac{b^2}{a^2}-1}\right] \\
\sigma_\theta = A\left[\dfrac{\ln\left(\dfrac{b}{r}\right)-1}{\ln\left(\dfrac{b}{a}\right)} + \dfrac{\dfrac{b^2}{r^2}+1}{\dfrac{b^2}{a^2}-1}\right] \\
\sigma_z = A\left[\dfrac{a\ln\left(\dfrac{b}{r}\right)-1}{\ln\left(\dfrac{b}{a}\right)} + \dfrac{2}{\dfrac{b^2}{a^2}-1}\right]
\end{cases}
\tag{4-5-9}
$$

式中：$A=\dfrac{-\alpha T_A E}{2(1-\mu)}$，$a$ 为圆环内半径；b 为圆环外半径；r 为应力计算点半径。施工期的温度应力可参考本章第一节、第二节的计算。

三、工程实例

(1)宝钢转炉基础。尺寸为 90.8m×31.3m×2.5m，约 7 000m^3 混凝土，28 小时连续浇完，无裂缝。内部最高温度 53.1℃，与当时气温差 30℃，逐时段计算的最大拉应力 $\sigma_{150天}=1.51$MPa(内表温差 22℃)，保温措施见图 4-5-1。

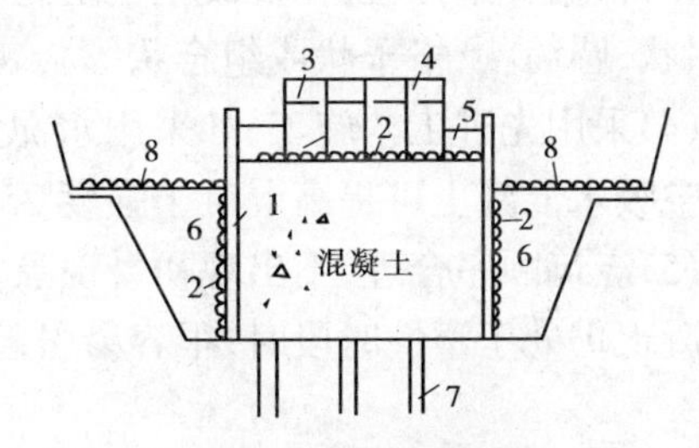

图 4-5-1 保温措施

1—钢模板；2—两层草袋；3—碘钨灯；4—脚手架；5—水养护；6—空气；7—桩基；8— 油布

(2)重庆某钢筋混凝土烟囱，高 240m，壁厚 70～20cm，底部外径 23.2m，烟囱外径 6.96m，内径 6m，共用 3 532m^3 混凝土。采用水浴法养护降温。

浇 50m 以下时，水(喷水或淋水)流到地面再延长 3～5min 停水。升至 50m 以上，水沿筒壁流至地面即停水。浇后 15 小时即开始水浴。当气温 $T_a=20\sim30$℃时，淋水间隔时间 $\Delta t=45$min，$T_a>30$℃，$\Delta t=30$min。实测最高温度内部 47.5℃，外表温度 38.4℃，内外温差 9.1℃(壁厚 53cm 处)。无裂缝。

(3)某厂烟囱高 240m，基础混凝土外径 33m，内径 17.2m，最厚处 7.9m，为环形结构。混凝土为 200 号，基础混凝土上下为 1.83～2.33m 素混凝土(150 号)垫层，上铺二道沥青，干铺一油毡作为隔离层。基础混凝土 4 天浇完(1 810m^3)，从一端分两边同时浇向另一端，浇后 3 天最高温度为 52.3℃($T_p=16\sim20$℃)，内外温差 30.7℃，第 6 天侧面发现裂缝，宽 0.05～0.2mm，长 1.32～2.7m。计算内外温差应力可达 4.59MPa。出现裂缝的原因，经分析认为一是浇筑时间太长，开始浇筑处已开始降温产生拉应力，而另一端还处于混凝土塑性阶段；二是只注意了外部约束应力而忽视了内外温差应力。

四、温控及工艺要求

根据温度应力与浇筑块长度 L 的分析，在一定 L 值内拉应力 σ 随 L 增加而加大。但

当 L 值达到一定值(临界值)后,σ 并不随 L 加长而提高或者 σ 增率很低而趋于稳定。如果按上述公式计算,C_x 较大时的不分缝浇筑,可能满足不了应力要求,但若温控措施得当,使临界浇筑块长度 L 值增大,则 L 可达更大值也不需分缝。因此,温控措施至关重要。

浇筑块的温度应力包括基础约束应力及内外温差应力两部分。工民建建筑物一般无水平防渗要求,荷载也主要是铅直的,所以只要将上述两部分产生应力的温控做好并注意合理的浇筑程序,大块不分缝浇筑是可能达到的。

(1)表面严格保温或蓄水淋水养护降温,减少内外温差及干缩。

(2)基础争取采用垫层,降低水平阻力系数 C_x,使 $\left[1-\dfrac{1}{\mathrm{ch}\left(\beta\dfrac{L}{2}\right)}\right]$ 约束作用大大降低。如在两端各 $\left(\dfrac{1}{4}\sim\dfrac{1}{5}\right)L$ 内设滑动层,基础的计算长度可以采用一半。如采用桩基,水平阻力约提高20%。

(3)根据日本经验,在混凝土建筑物表面,每隔其厚度的20%左右距离设应力缓和沟(放射状、圆筒状、格子状或组合状等),表面拉应力可减少20%~50%。

(4)采用先进工艺施工,如采用水泥裹沙工艺,可使混凝土节约水泥15%~20%;采用真空吸水混凝土可提高混凝土强度25%~40%,节约水泥19%,从而降低水化热。

(5)浇筑顺序合理,不出现初凝现象,浇筑时间不宜过长。当先浇混凝土已降温而后浇混凝土仍处于塑性时段时,很容易引起裂缝。

第六节 其他特殊部位混凝土温度应力

施工、温控要求或建筑结构形式引起了一些特殊部位的温度问题。这些问题有时是局部的,但可能也是关键的。温控不当产生裂缝后将影响建筑物的整体性,还可能引起施工布置、工艺、进度的变化,应认真对待。但因为情况特殊,计算有时只能估算。

一、填槽混凝土

因温控要求,需将混凝土结构中的一段混凝土预留缺口(一般1~2m长)暂时不浇,待先浇混凝土冷却至最低温度(运转期)或某个温度时再补浇的混凝土;或较宽的断层回填混凝土,均称作填槽混凝土。

根据温度叠加原理,填槽混凝土温度可分解为如图4-6-1所示两种情况。

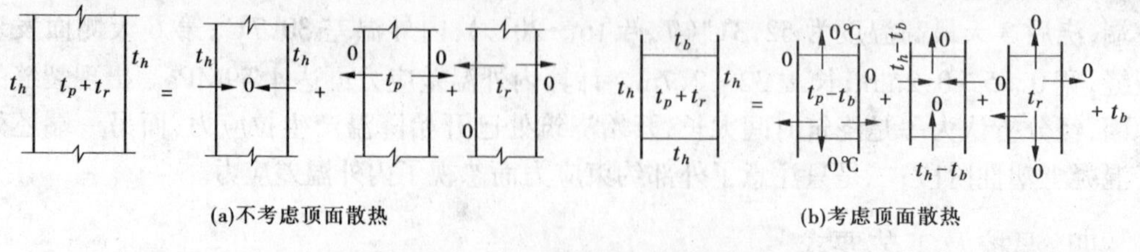

(a)不考虑顶面散热　　(b)考虑顶面散热

图4-6-1 填槽混凝土的温度分解

不考虑顶面散热时，混凝土平均温度为

$$t_{cp} = (1 - X_b)t_h + t_p X_b + t_r \tag{4-6-1}$$

考虑顶面散热时

$$t_{cp} = (t_p - t_b)X_2' + (t_h - t_b)X_1' + t_r + t_b \tag{4-6-2}$$

式中：X_b 为固定热源向两侧散热残留比，其值可查图 4-6-2 求得；$(1 - X_b)$为倒灌比，即两侧混凝土或岩体向槽混凝土传热；$X'_2 = X_b \cdot X_2$，X_2 值可查图 3-3-4 求得，即填槽混凝土向两侧和顶面散热残留比；$X_1' = 1 - (1 - X_b')(1 - X_1)$，即两侧与底向填槽倒灌综合残留比，$X_b' = (1 - X_b) \cdot X$，即近似表示侧面倒灌入槽再经半个层高向顶面散热残留比，X 值可查图 3-3-5 求得；X_1 值可查图 3-3-3 求得；t_b 为混凝土表面温度，一般当填槽混凝土厚 6m 以上可不考虑顶面散热；t_r 为水化热温升，其值可按表 3-3-1 格式计算，但残留比用 X_b 或 X_2'。

边界条件：$x = 0$ 及 $x = l'$，$\dfrac{\partial \tau}{\partial x} = 0$，$2l$ 为边界范围，l'为计算范围。

混凝土内点温度计算见式(4-6-3)，设 $t_n = 0$，混凝土初温为 t_0，则

$$t^c_{(x,\tau)} = t_0\left\{1 - \frac{1}{2}\sum_{n=1}^{\infty}\left\{Pc\left[\frac{(2n-2)\frac{l}{R} + (2n-1) \mp \frac{x}{R}}{2\sqrt{F_0}}\right] - Pc\left[\frac{2n\frac{l}{R} + (2n-1) \mp \frac{x}{R}}{2\sqrt{F_0}}\right]\right\}\right\} \tag{4-6-3}$$

两侧岩石点温度计算见式(4-6-4)：

$$t^g_{x,\tau} = t_0\left\{\frac{1}{2}\sum_{n=1,2,3}^{\infty}\left\{Pc\left[\frac{(2n-2)\frac{l'}{R} + (2n-3) \mp \frac{x}{R}}{2\sqrt{F_0}}\right] + Pc\left[\frac{2n\frac{l'}{R} + (2n-1) - \frac{x}{R}}{2\sqrt{F_0}}\right] - Pc\left[\frac{(2n-2)\frac{l'}{R} + (2n-1) + \frac{x}{R}}{2\sqrt{F_0}}\right] - Pc\left[\frac{2n\frac{l'}{R} + (2n+1) - \frac{x}{R}}{2\sqrt{F_0}}\right]\right\}\right\} \tag{4-6-4}$$

式中：$F_0 = \dfrac{a\tau}{R^2}$；$Pc = 1 - \mathrm{erf}(x)$，可查表 2-1-4 求得。若 $t_n \neq 0$，则可令 $t_0' = t_0 - t_h$，以 t_0' 代替 t_0 按上式计算，将结果叠加 t_n 即为所需的温度。

填槽混凝土视为全约束，约束系数 $R = 1$，则徐变应力为

$$\sigma_x = K_P E\alpha(t_{\max} - T_f) \tag{4-6-5}$$

若 $\sigma_x \leqslant [\sigma]$，则填槽混凝土不会与老混凝土脱离。$[\sigma]$为新老混凝土结合面的黏结强度，综合各种试验，$[\sigma]$为 10～15kg/cm^2。

如用膨胀混凝土填槽，可用膨胀变形控制，参见本章第四节。

孔洞堵塞可用圆筒坐标的差分法计算温度，但圆心处为绝热（参考本章第二节计算混

凝土变位量)。假设堵塞混凝土为全约束,按 $K_P E\varepsilon=\sigma_r$ 估算应力。

二、冷却井混凝土温度计算

大体积混凝土施工中可采取预留圆形冷却井的方式来冷却周围混凝土。对于圆形冷却井,一般按圆筒散热计算。设柱状块中有若干个冷却井,其井径为 $2c$,冷却混凝土直径为 $2b$,固定热源(T_0)的混凝土平均温度为

$$\overline{T}_m = \frac{4bcT_0}{b^2-c^2}\sum_{n=1}^{\infty}\frac{e^{-a\alpha_n^2 b^2}b^{\frac{\tau}{2}}}{\alpha_n^2 b^2}\times$$

$$\frac{y_1(\alpha_n b)J_1(\alpha_n c)-y_1(\alpha_n c)J_1(\alpha_n r)}{\frac{c}{b}[J_1(\alpha_n b)y_1(\alpha_n c)-J_1(\alpha_n c)y_1(\alpha_n b)]+[J_0(\alpha_n c)y_0(\alpha_n b)-J_0(\alpha_n b)y_0(\alpha_n c)]}$$

$$=HT_0 \tag{4-6-6}$$

式中 α_n——$J_0(\alpha_n c)y_1(\alpha_n b)-J_1(\alpha_n b)y_0(\alpha_n c)=0$ 的根,可用试算法求出;

J_0——第一类零阶贝塞尔函数;

J_1——第一类一阶贝塞尔函数;

y_0、y_1——第二类零阶及一阶贝塞尔函数,可查有关数学手册求得,但由于该函数在 $x\to 0$ 时变化很快,一般用近似式计算。

令 $H=f\left(\frac{a\tau}{D^2}\right)$,$D=2b$,当 $b/c=10$ 或 100 时,可查图 4-6-3;如 $b/c\neq 10$ 或 100,可修改导温系数 a,修改式为 $a'=a\frac{\lg 100}{\lg(b/c)}$。

混凝土亦可按圆筒坐标轴对称热传导的差分法进行计算,当冷水冷却时,井内混凝土表面为一类边界,采用冷气冷却时为三类边界,其放热系数 β 按下式计算。

$$\beta = B\frac{(\rho\omega)^{0.8}}{d^{0.2}} \tag{4-6-7}$$

式中 ρ——气体容重,kg/m^3;

ω——气体流速,m/s;

d——井直径,m;

B——常数,其取值见表 4-6-1,气流顺井轴向流动。

水化热温升混凝土平均温度 $\overline{T}_m$ 计算式为

$$\overline{T}_m = Q_0 F\left(\frac{a\tau}{b^2}\cdot b\sqrt{\frac{m}{a}}\right) \tag{4-6-8}$$

式中 Q_0——混凝土绝热温升;

m——混凝土发热速率;

F——残留比,当 $b\sqrt{m/a}=1.5$ 及 2.0 时,$b/c=100$,可查图 4-6-4 求得。

水化热温升也可按日算出 ΔQ 作为固定热源进行计算,然后叠加。

上述公式均未考虑冷却井沿程水温增加,参考文献[17]中采用的时差法考虑了沿程水温增加及顶面自然散热的计算,可参考。

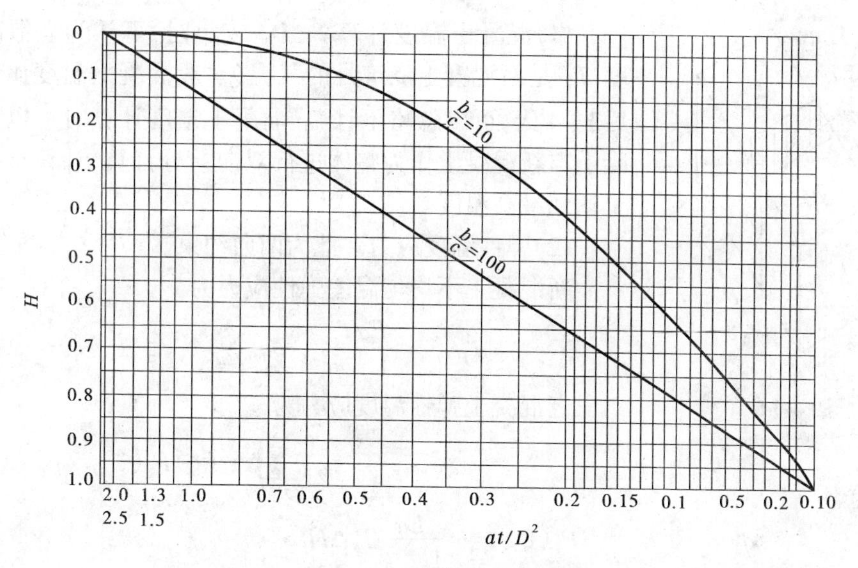

图 4-6-3 残留比 X_2 曲线

表 4-6-1 ρ、B 表

温度(℃)	0	25	50
B	2.68	2.75	2.80
ρ(kg/m³)	1.252	1.146	1.056

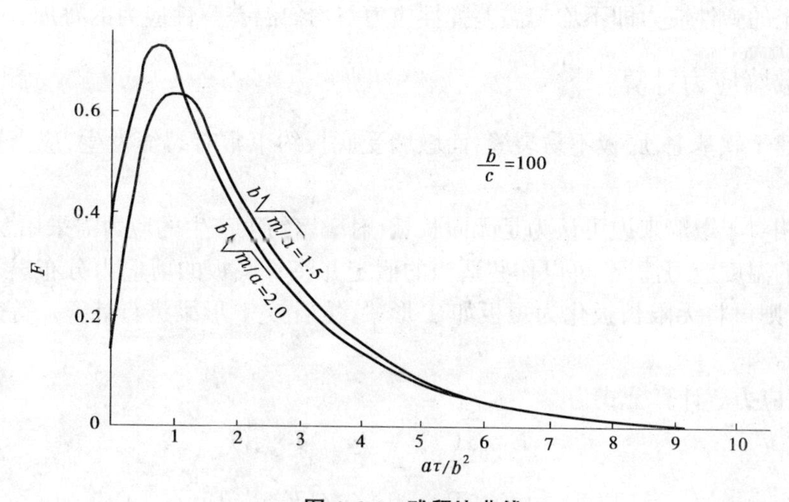

图 4-6-4 残留比曲线

三、新老混凝土柱块温度应力

设柱块中间为老混凝土，两边各贴一块新混凝土。新混凝土冷却后，由于受老混凝土和基岩的约束而产生应力，如图 4-6-5 所示。

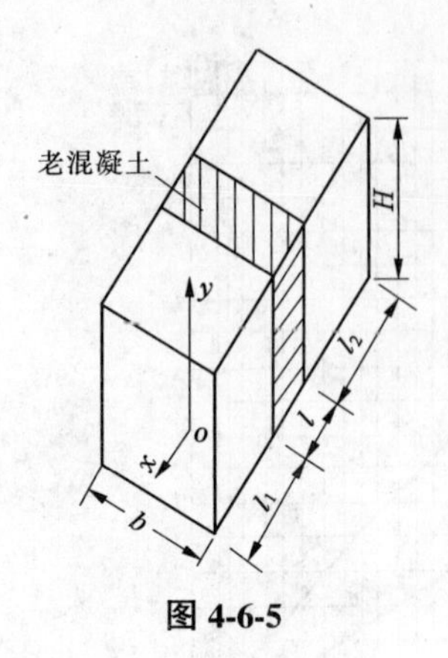

图 4-6-5

(1)混凝土温度计算。当 l 较小时,可认为老混凝土温度 T_v 是新混凝土浇筑月的气温(一般混凝土温度比气温滞后3~4天,可以忽略不计)。混凝土温度计算时可以将老混凝土与新混凝土作为整体进行双向差分计算,计算至新混凝土达到最高温度。

(2)弹性温度应力。此为两向约束。

新混凝土不均匀温差弹性应力为

$$\sigma^1_{x(y)}=\frac{E\alpha T_y}{1-\mu}-\frac{1}{2L}\sum_{i=1}^{n}A_y(\zeta)P_i(\zeta) \tag{4-6-9}$$

老混凝土弹性温度应力为

$$\sigma_{x(y)}=-\frac{1}{2L}\sum_{i=1}^{n}A_y(\zeta)P_i(\zeta) \tag{4-6-10}$$

$$P_i(\zeta)=-\frac{E\alpha}{1-\mu}T_i\Delta H_i$$

式(4-6-9)与式(3-3-17)相同,但右边第二项除以$\frac{1}{2}$,因此双向约束比仅基础约束应力要大。

均匀温差弹性应力

$$\sigma^2_{x(y)}=\frac{RE_c\alpha}{1-\mu}(T_P-T_f) \tag{4-6-11}$$

式中:R 为两向约束,$R=1-[(1-R_x)\times(1-R_y)]$,其中 R_x、R_y 为各向约束系数。

新混凝土的弹性应力即不均匀温差弹性应力与均匀温差弹性应力的叠加。

四、闸墩墙应力计算

闸一般建于软基上,底板不易裂缝,而墩墙受底板约束常有裂缝发生,应当进行温度应力计算。

闸底板相对于墩墙来说可认为是无限长板,对墩墙约束产生的应力需采用三维分析。根据无外载的温度应力情况,可以作些适当的假定并将长底板的剪应力分布以等效应力分布来代替,则可将无限长板化为短板如T形梁,然后按T形梁进行计算。等效应力分布见图4-6-6。

(1)约束应力。计算公式为

$$\sigma^1_x=E_{(y)}\alpha(T_m-\psi y-T_{(y,z)}) \tag{4-6-12}$$

$$T_m=\iint E_{(y)}T_{(y,z)}\mathrm{d}y\mathrm{d}z\Big/\int E_y b_{(y)}\mathrm{d}y$$

$$\psi=\iint E_{(y)}T_{(y,z)}y\mathrm{d}y\mathrm{d}z\Big/\int E_y b_{(y)}y^2\mathrm{d}y$$

式中:T_m 为以 E 为权的平均温度;ψ 为以 E 为权的等效温度梯度,原点放在以 E 为权的断面形心上,即 $\int Eby\mathrm{d}y=0$;$c=\int Eby'\mathrm{d}y'/\int Eb\mathrm{d}y'$,$y'=y+c$,见图4-6-7。

混凝土浇后,弹模是变化的,可按 $\Delta\tau$ 时段逐段计算叠加。

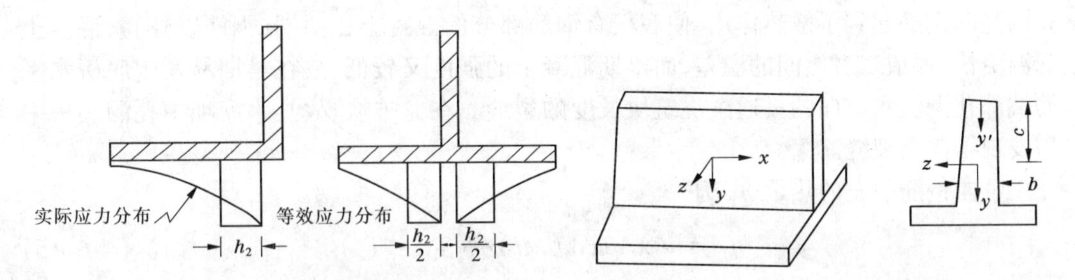

图 4-6-6　等效应力分布转化　　　　图 4-6-7　原点的设置

$$\Delta\sigma^1_{x\tau_i} = E_{(\tau_i,y)}\alpha\left[\Delta T_{m(\tau_i)} + \Delta\psi_{(\tau_i)}y - \Delta T_{(\tau_i,y,z)}\right]$$

$$\sigma_x^{*1} = \sum K_{P(t,\tau_i)}\Delta\sigma'_{x(\tau_i)}$$

(2)自生应力。墙温度对称分布。

$$\sigma_x^2 = E\alpha(T_m - T_{(y,z)}) \tag{4-6-13}$$

$$T_m = \iint T_{(y,z)}\mathrm{d}y\mathrm{d}z \Big/ \iint b_{(y)}\mathrm{d}y,\ \sigma_x = \sigma_x^1 + \sigma_x^2$$

五、并缝混凝土

柱状块之间的纵缝到一定高度后即需将两柱状块并为一块浇筑,此块混凝土即称并缝混凝土;并缝混凝土受下层老混凝土约束的同时又受下层混凝土降温拉应力的作用,因此会产生比一般柱状块更大的拉应力。

纵缝内设有键槽,影响因素也较多,应力复杂,采用有限元计算时如考虑键槽作用也很复杂,计算时可以作一些简化,如设纵缝可以传热及压应力,但不传拉应力,或者不考虑键槽作用,然后以实测资料去修正。

建议采用下述方法进行粗略估算,参考实例提出温控要求。

并缝情况如图 4-6-8。设丙块中心的拉应力由两部分组成,一部分为忽视纵缝,下层为一整体 L 约束丙块产生的应力 σ_{x_1},另一部分为甲、乙块降温收缩应力撕拉丙块中心应力 σ_{x_2}。

设 $T_1 > T_2$,则丙块降温差 $\Delta T_3 = T_3 - T_2 - \Delta T_2$。$\sigma^*_{x_1} = RK_PE\alpha\Delta T_3$,甲、乙块温差 $\Delta T_2 = T_1 - T_2$,$\sigma^*_{x_2} = K_PE\alpha\Delta T_2$。

$$\sigma^*_x = \sigma^*_{x_1} + \sigma^*_{x_2} \tag{4-6-14}$$

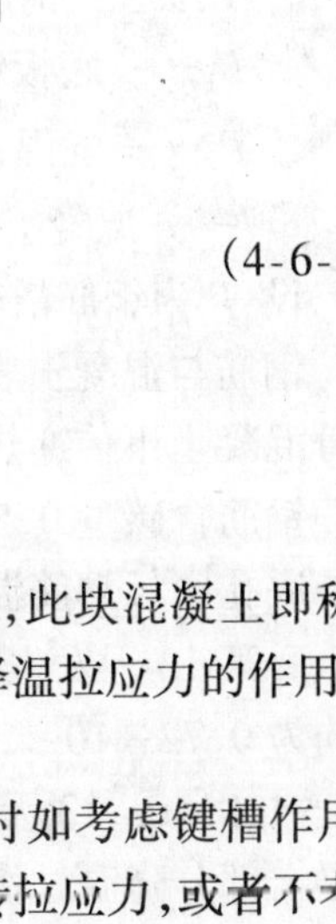

图 4-6-8　并缝示意图

如 $T_1 = T_2$,则 $\Delta T_3 = T_3 - T_2$,应力只有 $\sigma^*_{x_1}$。

R 为约束系数,$R = f\left(\dfrac{h}{L}\right)$。由于下层混凝土不是一个整体,可以比查得的值降低一些。如 h 很薄,还需考虑丙块表面的内外温差应力。

六、竖向钢筋露于混凝土外的影响

孔洞等的底板水平钢筋未铺设整个底板宽度,仅比孔洞宽度稍长。底板混凝土浇后,孔洞竖向钢筋起到了散热作用,使底板有钢筋部分的混凝土比两端(钢筋以外)素混凝土降温更快,形成二者之间的温差,而早期混凝土的强度又较低,故在早期易发生底板水平筋端部孔洞流水方向的贯通全浇筑块长度的裂缝。在龙羊峡、故县水库坝中孔洞底板中均发现了此类裂缝。

竖向钢筋散发的热量 q_1 为

$$q_1 = \sqrt{\lambda A \beta u}\,\mathrm{th}(Ml) \cdot (T_1 - T_a) \tag{4-6-15}$$

$$M = \sqrt{\beta u / \lambda A}$$

式中 λ、β——钢筋的导热系数及表面放热系数;

A、u——钢筋的截面积及周长;

T_1——底板钢筋混凝土温度;

T_a——气温;

l——混凝土外竖筋露出长度。

设 T 为钢筋散热后的降温值,$T = q / C\rho$。

钢筋与混凝土表面同时散热,使用时差法逐日计算。素混凝土仅表面散热。假设两部分混凝土不传递热量。

钢筋含碳量0.5%~1.5%时,λ 为46.1~31.3kcal/(m·h·℃),浇筑后第5天计算出故县底孔底板钢筋混凝土部分温度为18.2℃,素混凝土部分温度为22.9℃,相差4.7℃。浇筑后第13天发生裂缝时,前者降至4.2℃,后者才降至11.4℃,二者相差7.2℃。变形差约为 0.72×10^{-4},13天龄期混凝土极限拉伸值 0.8×10^{-4}。相对温差产生的拉应力1.6~1.9MPa,13天时的抗拉强度约1.6MPa,变形、应力均接近或超过允许值,同时钢筋混凝土部分降温过快达1.75℃/天。底板内上、下层温差也较大,促使产生裂缝。

由于钢筋成排竖立,保温比较困难,可以规定底板浇后短时间即浇筑边墙混凝土以避免此类裂缝产生。

七、封拱混凝土

坝内式厂房顶部(腹拱)混凝土及拱坝后浇封拱坝段混凝土均称作封拱混凝土。此部分混凝土温度将影响整个结构的施工期或运用期的坝体应力状况,其应力计算以有限元法计算较好。对于较小工程一般按照经验进行适当温控。

国内已建坝内式厂房的规模见表4-6-2,其中凤滩、枫树、牛路岭三坝的应力分析如下。

(1)枫树。发电坝段纵缝传递压应力、剪力、不受拉力,以整个剖面进行有限元计算,令 $\sigma_x \leqslant 0$ 控制。如缝上某处 $\sigma_x > 0$,则在该处附近将节点分开,等效地施以大小相等的反向 $-\sigma_x$ 再一次进行计算,如此反复计算至 $\sigma_x \leqslant 0$ 为止,将历次计算叠加即为最终应力。计算了封拱块升温时的早期封拱应力及从最高温度降到稳定温度的晚期温度应力。确定了封拱允许温差 ΔT,120m高程以下 $\Delta T \leqslant 10$℃,120~130m高程 $\Delta T = 14$~15℃。

(2)凤滩。顶拱处分为三仓两条纵缝并予灌浆。计算了灌浆温度至稳定温度场的应力,坝上游产生拉应力,空腹周围产生压应力。灌浆温度采用年平均气温。为改善上游坝

表 4-6-2 已建拱形厂房表

坝名	上犹江	古田四级	凤滩	枫树	石泉	岩屋潭	牛路岭
大坝形式	空腹重力	空腹宽缝重力	空腹重力拱坝	空腹重力	空腹重力	空腹重力	空腹重力
厂房形式	坝内	坝后	坝内	坝内	坝后	引水式	坝内
最大坝高(m)	68	31	112.5	93.3	65	66	90.5
坝底宽度(m)	58.3	26.2	60.7	86.5	41.0	50.6	63.8
空腹、尺寸:长(m)	91.0	4.2	255.8	57.0	102.5	59.0	81.3
宽(m)	19.5	6.83	20.5	25.5	14.0	16.5	22.4
高(m)	23.0	9.72	40.1	31.25	15.0	24.0	28.5
坝体混凝土($\times10^4m^3$)	20.0	1.9*	107.5	73.1	37.0	9.7	40.7
装机($\times10^4$kW)	4×1.5	3.4	4×10	2×7.5	3×4.5	3×0.3	4×2
建成时间(年·月)	1957.1	1971	1978.5	1973.12	1973.12	1978.5	1979.5

注:①“*”仅计空腹宽缝一个坝段,不是全坝。

②崖屋潭为块石混凝土。牛路岭位于海南。凤滩、枫树位于湖南、广东。

踵应力条件,将空腹顶以上坝体及下游坝腿的温度降至比年平均气温低 4.6℃,使灌浆后升温产生上游坝踵 0.26MPa 的压应力。

(3)牛路岭。两端拱座斜缝插筋不灌浆作为固端,从封拱块最高温度降至稳定温度计算应力,拱顶坝踵坝趾出现三个较大拉力区,数值很大。与自重、水压叠加后的最大拉应力达 1.41MPa。将其一端拱座松开,即下游侧纵缝不插筋只灌浆(斜缝灌浆质量不好)作为铰支座,使应力达到允许值。

三坝的分缝布置见示意图 4-6-9。

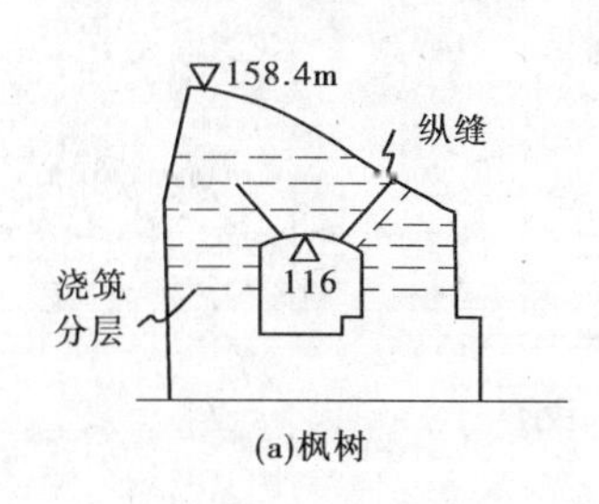

(a)枫树

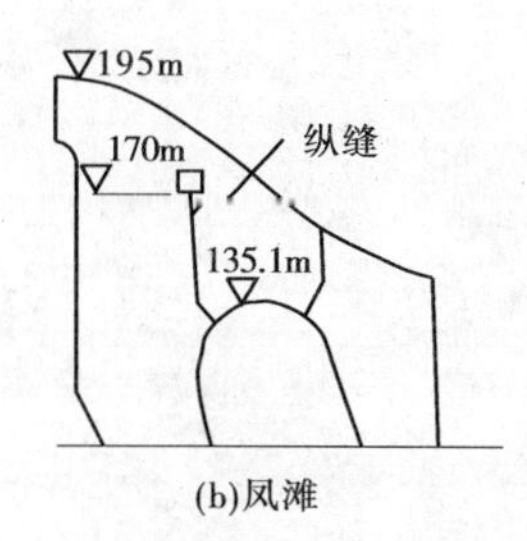

(b)凤滩

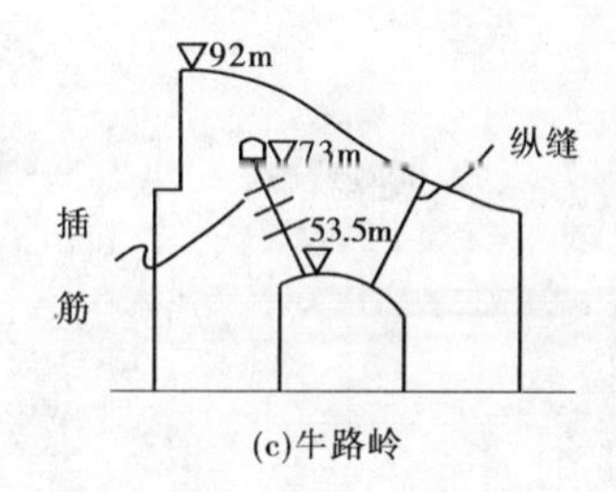

(c)牛路岭

图 4-6-9 三坝的分缝布置

青海拉西瓦双曲拱坝坝高 250m,其封拱温度计算时以不同封拱温度叠加运用期荷载进行应力计算,并以两种允许条件予以控制。①不允许坝体开裂;②允许坝面有微小裂纹,以半无限体半椭圆形裂纹受均匀拉应力的应力强度因子 $K<K_{Ic}$ 控制(参考第六章第三节)。

通过计算得出,情况②比情况①提高封拱温度 2.30℃,按初设选定的封拱温度计算,最大压力发生在下游高程 2 240m 拱端,应力为 7.66MPa,最大拉应力发生在上游高程 2 360m拱端,应力为 1.64MPa,均可满足混凝土允许应力要求。

封拱块最好在冬季浇筑,采用连续正常间歇施工,以减低应力。腹拱的封拱块,混凝土高度超过其断面宽度 1/2 时,则上部混凝土温度对坝踵影响较小,浇筑温度可以放宽。

封拱块混凝土浇筑之前的有关老混凝土最好降至稳定温度场,使应力易于控制。但往往较难实施,因此要根据现场施工可能性进行多种情况计算。

第五章　温度控制防裂措施

第一节　温度控制设计的主要内容

混凝土温控的目的是防止混凝土温度变化引起裂缝,但混凝土温度变化情况是与建筑物的施工安排、施工进度密切相关的,而温度的计算并不能完全按照计划进行,因为实际情况变化多端。一个较大工程的施工很少有完全按计划进行的,完全仿真计算是一种理想的情况,仅供参考。因此,应选取某个剖面或半无限体可能出现的绝热边界条件最易产生裂缝的情况去研究。通过温控使此情况下的应力不超过允许抗拉强度或变形不超过极限拉伸值,也就解决了同类不同剖面的温控问题。如果建筑物剖面尺寸、形状变化很大,为节省温控费用、方便施工及施工调度,可以分项进行计算。完全仿真计算时,可能就不出现上述情况,也就不计算这种裂缝的危险状况而实际却又很可能出现的问题。当然,正常的浇筑情况尤其要进行计算。

温控措施选择的原则是:通过考虑分缝分块浇筑对温度应力大小的分析,在允许条件下优先采用费用低、实施简单、进度快(建筑物)、可能出现裂缝少的温控措施及浇筑施工布置。那些需要严格温控防止裂缝的出现几率小、设防标准高及对进度的影响在充分论证后才可采用费用高、实施难度大的温控方法。

由于混凝土温度随浇后龄期变化,浇筑温度及散热受各月气温的影响,原则上每个计算剖面均须计算各月浇筑后的冷却过程中出现某龄期的拉应力是否大于允许抗拉强度$[\sigma]$,尤其要注意早龄期、浇后第一个冬季及晚期(即冷至运转期最低温度时)等龄期;如超过$[\sigma]$则应采用各种温控措施进行重算直到满足拉应力不大于$[\sigma]$为止。

温控设计要充分研究现场的气象资料,选择合适的、正确的气象计算数据,必须重视混凝土热学力学性能试验,了解各种原材料的性能,帮助改进完善试验,确定选用各种计算数据。做好这些工作对象温控难易程度、温控费用大小与施工进度非常有利。

通过各种计算,温控设计应提出以下主要内容的报告:

(1)提出坝体稳定温度场及各灌浆层的灌浆温度或构件运用期的最低温度。

(2)考虑温控难易及施工进度、浇筑布置,进行分缝分块的论证确定。

(3)分析各种截面在各种温度情况下的应力,从而确定柱块或通仓或薄层长间歇混凝土的基础混凝土允许温差和上部混凝土的内外允许温差;确定相应的允许最高温度及各月允许的浇筑温度;确定上、下层浇筑块之间的各种间歇期及上层不同的混凝土厚度的允许上下温差(包括各月浇筑)。

(4)为达到上述三大温差的要求所采取的各类温控措施,包括浇筑层厚度、加冰或加冷水拌和、水管冷却、表面流水及骨料降温措施等。

(5)封闭式构件或多孔洞构件等复杂结构的应力分析,确定不超过允许拉应力的温度控制措施及浇筑工艺措施。

(6)冬季混凝土防冻。包括浇筑时的防冻及养护期的防冻,确定各种冬季日气温条件下的浇筑温度及保温措施,以及相应的允许浇筑时间安排(如全天或白天浇筑及不允许浇筑)。

(7)1个月以内各种混凝土龄期遭遇选定的寒潮及日气温变差的应力分析,确定表面保护要求。一般日气温变差只对某些重要部位采取表面保护。

(8)研究并选定是否需全年表面保护的部位。一般在坝体上游面进行常年保护以防出现表面裂缝,避免蓄水后水压力作用下裂缝将继续撕裂发展。

(9)一、二期水管冷却计算,阐明其降温作用;二期水管冷却历时及冷冻水要求。过水围堰过水或度汛前浇筑的混凝土将被水淹泡或地下渗水(基坑)浸泡的防裂计算及其措施。

(10)坝内式厂房封闭块(一般为厂房顶部)及各种预留槽(块)混凝土的浇筑允许温度和最高温度,回填混凝土时两侧老混凝土允许温度。一般为最低温度或灌浆温度。

(11)隧洞衬砌混凝土厚度≥2m的温度应力分析及温控要求。框架构件厚度≥1.0m或矩形截面>1.5m×1.5m的温度应力分析与温控要求。当结构很复杂时,构件厚度虽小于上述值亦应研究是否进行计算。

(12)其他大体积混凝土如消力池等的温控要求,特殊部位如并缝溢流面二期混凝土、孔洞回堵、预留坝内钢管周围混凝土等的应力分析及温控要求。

(13)冷热容量平衡计算,确定设备容量及选型。

(14)温控观测设计。根据温控设计选取典型部位埋设温度计、应变计、无应力计、测缝计,以了解分缝的开启度、二期水管冷却效果、闷管水温与观测温度的核对等;复杂部位的应力与变形资料,核算温控的效果与计算式的精度及施工期建筑物的裂缝。还有水库水温观测等。

第二节 夏季混凝土浇筑温度控制措施

经过温控计算,确定了各月的浇筑温度,但以混凝土原材料的自然温度拌出的混凝土在大部分月份不能满足允许浇筑温度的要求,因此需人为改变原材料温度。各种原材料的比热及用量不同,对混凝土温度的影响也不同,如表5-2-1所示。

表5-2-1 1m³ 混凝土中各原材料对混凝土温度的影响

原材料	重量(kg)	比热 C (kcal/(kg·℃))	降1℃所需热量 (kcal)	混凝土可降温度 (℃)
石子	1 600	0.2	320	0.55
砂	550	0.2	110	0.19
水	120	1.0	120	0.21
水泥	150	0.2	30	0.05
混凝土	2 420	0.24	580	1.00

一、加冰拌和

根据确定的浇筑温度或二期冷却要求的水温进行冰及冷水的配制。制冷水所需制冷量

$$H_w = W_w C_w \Delta T \quad (\text{kcal/h}) \tag{5-2-1}$$

式中 W_w——冷却水量；

ΔT——水降温前后温度差。

制冰所需制冷量

$$H = (H_1 + H_2 + H_3 + H_4 + H_5)K \tag{5-2-2}$$

式中 K——冷损系数，一般为1.15～2.0；

H_1——冰桶内水结成冰的耗冷量；

H_2——冰桶耗冷量；

H_3——盐水池搅拌机运转时的发热量；

H_4——制冰池传热损失；

H_5——冰桶脱冰时的融化损失。

$$H_1 = \frac{G \cdot 1\,000[(t_s - 0) + 80 + 0.5(0 - t_b)]}{24} \tag{5-2-3a}$$

$$H_2 = 1\,000G \times W \times 0.1(t_s - t_y)/24g \tag{5-2-3b}$$

$$H_3 = 860N \tag{5-2-3c}$$

$$H_4 = \sum F \cdot \lambda(t_a - t_y) \tag{5-2-3d}$$

$$H_5 = 900F_b \times \frac{\delta}{g} \times H_1 \tag{5-2-3e}$$

式中 G——制冰量，t/d；

t_s——制冰用水温度；

t_y——盐水温度；

t_b——冰的终温，一般比盐水温度(t_y)高2℃；

W——每个冰桶重量，kg；

N——搅拌机轴功率，kW；

F——制冰池周壁面积，m^2；

λ——F相应的导热系数，一般壁底为0.5，顶面为2.0kcal/(m^2·h·℃)；

t_a——制冰间气温，一般为15～20℃；

F_b——冰块表面积；

g——冰块重量，kg；

δ——冰块融化层厚度，一般为0.002m。

冰冻结时间

$$t = \frac{Al}{t_y}(l + B) \quad (\text{h}) \tag{5-2-4}$$

式中　l——冰块上端断面短小边长,m;

A、B——系数,与冰块横断面有关,取值见表 5-2-2。

冰的物理性质:容重 $0.8t/m^3$,密度 0.917,比热 0.5kcal/(kg·℃)(0～－26℃),潜热 80kcal/kg,导热系数 2kcal/(m^2·h·℃),水变成冰后体积膨胀约 9%。

表 5-2-2　*A*、*B* 值表

冰块截面长短边比	1.0	1.5	2.0	2.5	4.0
A	3 120	4 060	4 540	4 830	5 320
B	0.036	0.030	0.026	0.024	0.023

二、骨料预冷

1.自然冷却降温

骨料露天堆放时其温度受气温影响很大。在太阳暴晒下可达 40℃以上。采取高堆料廊道出料,可将骨料温度控制在月平均气温左右。实例如表 5-2-3 所示。

表 5-2-3　料堆骨料温度表

工程	料堆高(m)	月份	月平均气温(℃)	廊道温度(℃)	骨料出料温度(℃)				
					砂	小石	中石	大石	特大石
丹江口	9.0	6	27.7	21.5	27.1	22.1	20.4	21.2	19.8
		7	28.4	27.4	25.6	26.1	25.5	25.6	25.5
		8	26.7	25.8	25.4	25.6	25.4	25.0	24.8
乌江渡	6～8	8	24.9		24.1	24.4	22.8	21.7	22.9

采用 6m 以上的堆料高度,较长的(≈100m)出料地下廊道;料堆外表喷洒凉水等措施就能使骨料温度不受日气温变化影响,还可能比月平均气温低2～3℃,这已成为常规的降温措施。

2.水浸法冷却骨料

本法不适于砂子冷却,因为在入拌和楼时无法掌握砂子的含水量。先建石子骨料塔,后将骨料置于塔中,通以冷水,将骨料冷至所需要的温度,经卸出脱水送入拌和楼。将骨料折算成球体,经过水温 T_w 浸泡 t 时后的球体平均温度为

$$T = \frac{6T_0}{\pi^2}\sum_{n=1}^{\infty}\frac{1}{n^2}e^{-an^2\pi^2 t/r} = E_r \cdot T_0 + T_w \tag{5-2-5}$$

式中　$E_r = f\left(\frac{at}{r^2}\right)$,可查表 5-2-4 取得其值;

T_0——骨料初温与 T_w 之差;

r——骨料折算成球体的半径,r 值有三种计算方法:①按各级骨料粒径范围之平均值;②日本计算法,$2r = D_{min} + \frac{1}{3}(D_{max} - D_{min})$;③丹江口采用颗粒重量求

$2r$，$2r=\sqrt[3]{\frac{6\omega}{\pi\rho}}$，$\omega$ 为每级骨料的平均重(kg/颗)；

ρ——骨料密度，kg/m^3；

t——浸泡时间；

a——骨料导温系数。

表 5-2-4 E_r 值表

at/r^2	E_r	at/r^2	E_r	at/r^2	E_r	at/r^2	E_r	at/r^2	E_r
0	1.0	0.000 70	0.829	0.001 8	0.730	0.010	0.433	0.020	0.274
0.000 01	0.975	0.000 80	0.820	0.002 0	0.720	0.011	0.422	0.025	0.225
0.000 02	0.968	0.000 90	0.808	0.002 5	0.690	0.012	0.400	0.030	0.182
0.000 04	0.957	0.001 00	0.798	0.003 0	0.665	0.013	0.385	0.040	0.123
0.000 10	0.935	0.001 10	0.788	0.004 0	0.620	0.014	0.369	0.050	0.088
0.000 20	0.907	0.001 20	0.779	0.005 0	0.580	0.015	0.350	0.060	0.060
0.000 30	0.887	0.001 30	0.772	0.006 0	0.545	0.016	0.336	0.070	0.039
0.000 40	0.868	0.001 40	0.761	0.007 0	0.515	0.017	0.322	0.080	0.030
0.000 50	0.856	0.001 50	0.754	0.008 0	0.489	0.018	0.308	0.100	0.014
0.000 60	0.844	0.001 60	0.745	0.009 0	0.466	0.019	0.293	∞	0

一罐骨料浸水冷却所需时间包括充冷却水至罐顶溢水口、装卸骨料、排水及 t 之和。在骨料空隙 40%时，充水时间 t_1 近似为

$$t_1 = \frac{1}{3}\frac{V\cdot 1\,000}{60\cdot q} \quad (\text{min}) \tag{5-2-6}$$

式中 V——预冷罐容积，m^3；

q——充水流量，L/s，每罐冷却水耗用量 $Q_w=\frac{q\cdot t_1\cdot 60}{1\,000}(m^3)$，再加水损失即为总耗水量。

水浸法实例，丹江口及印度巴克拉坝均使用过水浸法。丹江口冷却水温 3～4℃，通水量 30～35L/s，骨料最终温度 3.5～5.0℃。巴克拉坝的辅助时间：充满 1/3 罐水的时间 10min，装料再充水、排水、卸料各 15min，共 55min 循环冷却 1 罐骨料。各级骨料净冷却时间如表 5-2-5 所示。

表 5-2-5 各级骨料净冷却时间

丹江口	粒径(mm)	80～120	40～80	20～40	5～20
	冷却时间(min)	40～45	35～40	30～35	25～30
巴克拉	粒径(mm)	175	76	38	19
	冷却时间(min)	45	35	30	30

3.冷气预冷骨料

将冷风直接通入拌和楼料仓进行骨料冷却。

1)冷容量计算

理论冷却容量为

$$N = W_g(T'_g - T_g)C_g + W_w(T_g' - T_g)C_w \tag{5-2-7}$$

总冷容量

$$H = N \times S \quad (\text{kcal/h})$$

式中 T'_g、T_g——骨料冷却前后温度；

W_g、C_g 及 W_w、C_w——每立方米混凝土需冷却的骨料及其含水量的重量及比热；

S——小时混凝土浇筑强度。

2)冷风量计算

冷风量 G 为

$$G = \frac{\varphi H}{i_2 - i_1} \quad (\text{kg/h}) \tag{5-2-8}$$

式中 φ——冷量损失；

i_2、i_1——回风与进风的热焓(kcal/kg),与风温湿度有关。

根据 t_1、d_1,查 $i—d$ 图得 i_1、i_2,按下述方法查 $i—d$ 图。设进风温度 t_1,根据葛洲坝试验,回风温度 t_2 比骨料温度低2~3℃,骨料初温 T'_g,终温 T_g(即要求的冷却温度),则回风温度为:初始回风温度 $t_2 = T'_g - 3$,最终回风温度 $t'_2 = T_g - 3$;其他符号意义同前。

平均回风温度 $\bar{t}_2 = \frac{t_2 + t'_2}{2}$ + 鼓风机升温(约3℃)。相应的湿量,t_1 时湿度100%,吸湿量 $d_1 = 2.6$g/kg。骨料含水量为 ω,则每立方米骨料重量 M 的附着水量为 ωM。每立方米风的吸湿量为 $d'_2 = \frac{\zeta \omega M}{v}$kg/m^3,$d_2 = \frac{d'_2}{r_g}$kg/kg($\zeta$ 为吸湿率,可按70%~80%考虑,v 为冷却1m^3 骨料耗风量)。

总吸湿量 $\bar{d}_2 = d_1 + d_2$,即终止冷却时的吸湿量。i_2 可按下式计算

$$i_2 = 0.24t + (595 + 0.47t) \times 0.001d \tag{5-2-9}$$

工艺示意图见图5-2-2。

3)冷却时间计算

若按冷却1罐料计算,并设每小时能冷却的次数为 n。

$$nW'_g C_g \Delta T = F\beta_m \Delta T_m \tag{5-2-10}$$

$$\Delta T_m = \frac{\Delta T_2 - \Delta T_1}{2.303\lg(\Delta T_2 / \Delta T_1)}$$

式中 W'_g——1罐料总骨料重量；

ΔT——骨料冷却降温量；

F——骨料表面积,m^2；

β_m——综合放热系数,一堆骨料的放热系数不能以一个骨料来代表,通过试验求出综合的放热系数；

ΔT_m——骨料与冷风的对数平均温差；

ΔT_2、ΔT_1——骨料在料仓进出口温度与该处冷风温度之差。

式(5-2-10)也可计算水浸法的冷却时间，但与气冷法的 β_m 不同，见表 5-2-6 和表 5-2-7。表 5-2-6 为丹江口试验，β_m 与通水流量、骨料粒径、预冷罐容积形状及冷却过程均有关系。对 $50m^3$ 预冷罐及 40～80、80～120 骨粒的 β_m 如表 5-2-7 所示。

表 5-2-6　丹江口试验 β_m 值

粒径(cm)	水浸法	气冷法
4～8、8～15	50～100	15～40
0.5～2、2～4	10～30	5～6

表 5-2-7　β_m 取值　（单位：kcal/(m^2·h·℃)）

通水流量(L/s)	20	30	40	50	350
β_m	60	80	100	120	200

4)骨料平均温度

按球体热传导方程第三类边界推导出平均温度与上述计算核对。

$$\overline{T}_\tau = ET_0 + T_c \tag{5-2-11}$$

$$E = \frac{\overline{T}_\tau - T_c}{T_e - T_c} = \sum_{n=1}^{\infty} K_n e^{-\mu_n F_0}, \qquad T_0 = T_e - T_c$$

$$K_n = \frac{6B_i^2}{\mu_n^2(\mu_n^2 + B_i^2 - B_i)}, \qquad F_0 = \frac{a\tau}{r_2}(\text{福里哀准数})$$

式中：$B_i = \dfrac{\beta_m r}{\lambda}$(毕欧准数)；$K_n$ 取值见表 5-2-8；μ_n 取值见表 3-6-1，一般收敛很快，$n=1$ 即可相差不大；T_e 为骨料初温；T_c 为介质(水或气)温度，$T_c = \dfrac{1}{2}(t_1 + t_2)$，由于 β_m 不易确定，也可按下述方法计算骨料温度。

5)按骨料孔隙冷风流量计算单层骨料冷却

设层厚 ΔH，骨料成梅花形排列，竖向空隙串通，骨料平均半径 R，空隙折成圆形当量半径 r。通冷风平均温度 T_{wcp}，经 τ 时间后骨料平均温度残留比 E_R 为

$$E_R = \frac{T_\tau - T_{wcp}}{T_0 - T_{wcp}} = e^{-0.0077-2.048F} \tag{5-2-12}$$

式中：$F = \dfrac{a_f\tau}{D^2}$，其中 $D = 2R$，$a_f = \dfrac{2a}{\lg(R/r)}$($m^2$/h)，$a$ 为骨料导温系数；T_0、T_τ 分别为骨料初温及 τ 时骨料温度。

根据 3 个由骨料垒成的等边三角形的空隙几何图形，可求出空隙当量 $r = \sqrt{\dfrac{A_0}{\pi}} = 0.1133D$($A_0$ 为空隙面积，$A_0 = \dfrac{D^2}{2}\sin60° - \dfrac{1}{8}\pi D^2 = 0.0403D^2$)。

骨料散热为第三类边界，骨料计算粒径 D_a 应增大，$D_a = D + \dfrac{2\lambda}{\beta}$，其中 β 为集料表面放热系数，砂石料可近似取 $\beta = 3.53v + 5$(kcal/(m^2·h·℃))，其中 v 为空隙中冷风速度(m/s)。因为骨料空隙(35%～40%)中有一部分不与外界相通，实际过风面积约为全截

面积的 20%。全截面计算的风速 v',则实际风速 $v = v'/0.2$。

表 5-2-8 K_n 值表

B_i	K_1	K_2	K_3	K_4	K_5	K_6
∞	0.607 9	0.152 0	0.067 5	0.024 3	0.038 0	0.016 9
51.00	0.642 7	0.151 8	0.067 1	0.023 6	0.038 0	0.015 8
21.00	0.688 6	0.151 0	0.065 2	0.018 0	0.036 3	0.010 8
10.00	0.766 7	0.149 6	0.048 5	0.009 1	0.019 6	0.004 7
9.00	0.773 7	0.145 3	0.045 5	0.007 9	0.017 5	0.004 0
8.00	0.788 9	0.139 6	0.040 8	0.006 7	0.015 2	0.003 3
7.00	0.806 8	0.131 9	0.036 0	0.005 5	0.012 8	0.002 7
6.00	0.828 0	0.121 5	0.030 5	0.004 4	0.010 4	0.002 1
5.00	0.853 3	0.107 5	0.024 5	0.003 2	0.007 9	0.001 5
4.00	0.882 9	0.089 0	0.018 0	0.002 1	0.005 5	0.001 0
3.00	0.917 1	0.065 5	0.011 5	0.001 3	0.013 4	0.000 6
2.50	0.935 3	0.052 0	0.008 5	0.000 9	0.002 4	0.000 4
2.00	0.953 4	0.038 0	0.005 7	0.000 6	0.001 6	0.000 3
1.90	0.956 9	0.035 2	0.005 2	0.000 5	0.001 4	0.000 2
1.80	0.960 5	0.032 5	0.004 7	0.000 5	0.001 3	0.000 2
1.70	0.964 1	0.029 7	0.004 3	0.000 4	0.001 1	0.000 2
1.60	0.967 8	0.027 0	0.003 8	0.000 4	0.001 0	0.000 2
1.50	0.970 7	0.024 3	0.003 4	0.000 3	0.000 9	0.000 1
1.40	0.973 9	0.021 7	0.003 0	0.000 3	0.000 8	0.000 1
1.30	0.977 0	0.019 2	0.002 6	0.000 3	0.000 7	0.000 1
1.20	0.980 0	0.016 7	0.002 2	0.000 2	0.000 6	0.000 1
1.10	0.982 8	0.014 4	0.001 9	0.000 2	0.000 5	0.000 1
1.00	0.985 5	0.012 2	0.001 6	0.000 1	0.000 4	0.000 1
0.90	0.988 1	0.010 1	0.001 3	0.000 1	0.000 3	
0.80	0.990 5	0.008 1	0.001 0	0.000 1	0.000 3	
0.70	0.992 6	0.006 4	0.000 8	0.000 1	0.000 2	
0.60	0.994 4	0.004 8	0.000 5		0.000 1	
0.50	0.995 9	0.003 4	0.000 4		0.000 1	
0.40	0.997 4	0.002 2	0.000 3		0.000 1	
0.30	0.998 5	0.001 3	0.000 1			
0.20	0.999 4	0.000 6	0.000 1			
0.15	0.999 6	0.000 3				
0.10	0.999 7	0.000 1				
0.09	1.000 0	0.000 1				
0.08	1.000 0	0.000 1				

该层骨料 τ 时后的最终骨料温度为

$$T_\tau = E_R(T_0 - T_{wcp}) + T_{wcp} \tag{5-2-13}$$

风温升

$$\Delta T_w = \frac{\Delta H(T_0 - T_\tau) r_g c_g F}{3\,600 v' r_a i_a F} \tag{5-2-14}$$

令 $K = \dfrac{\Delta H \rho_g C_g}{3\,600 v' \rho_a i_a}$, $\Delta T = T_0 - T_\tau$, $\Delta T_w = K\Delta T$, $T_{wcp} = T_{c_0} + \dfrac{K\Delta T_w}{2}$ 代入式

(5-2-13),则

$$T_\tau = \frac{E_R\left[T_0\left(1-\frac{K}{2}\right)-T_{c_0}\right]+T_{c_0}+T_0K/2}{1+K(1-E_R)/2} \tag{5-2-15}$$

式中　T_{c_0}——进风温度；

F——冷却仓的截面面积,m^2；

ρ_g、C_g——骨料容重及比热；

ρ_a——冷风容重,一般可用 1.29kg/m³；

i_a——冷风平均热焓,风温在 −20～10℃范围内,可近似按 $i_a = 2\ 222.18 - \sqrt{4\ 950\ 190-(T_{ucp}+23.35)^2}$ 计算。

6)整仓气冷的方式

整仓气冷分倒仓冷却与连续冷却两种方式。倒仓冷却为一种粒径骨料有两个冷却仓,以便一个仓卸料拌和,另一仓正在冷却,倒换使用;连续冷却即是一个料仓分层存放骨料,下层冷却快达到要求即卸料拌和,同时上层进料。前者只有进风口的风温是恒温,而后者还有上层进料也是恒温(骨料初温)。每层料允许停留冷却时间 $\tau' = \frac{F\Delta H\rho_g}{Q_v}$($Q_v$ 为进出料流量),由浇筑强度决定 τ',可参照表 5-2-9 进行计算。如不能满足要求,则须修改浇筑强度或选择合适的拌和设施。

(1)倒仓冷却计算。将料仓分为 n 个 ΔH 厚度按上式计算。

(2)连续冷却计算可参考表 5-2-9,即第四层冷却到要求即卸出。逐层计算。

4.在冷却房内皮带运输骨料进行气冷

用较短皮带组合成长皮带,两节皮带联结处能使骨料翻动使骨料均匀冷却,也可与水浸或气冷罐组成综合冷却。如骨料很干燥,还可喷洒冷水加速冷却。

将皮带上的骨料视为一平板,厚度 $2l$,一面绝热,一面为第三类边界散热,其平均温度残留比为

$$\overline{E} = \sum_{n=1}^{\infty} B_n e^{-\mu_n^2 F_0} \tag{5-2-16}$$

式中:$B_n = \frac{2B_i^2}{\mu_n^2(B_i^2+B_i+\mu_n^2)}$,可查表 5-2-10。

当皮带机气冷砂子时,其湿度影响很大。湿度增加,比热增加,导热系数减小,冷却时间增长。

5.葛洲坝工程采用气冷骨料实例

在拌和楼冷却粒径为 2～4cm 和 4～8cm 两种骨料,其初温为 28.4℃,降至 5℃,冷却工艺如图 5-2-1 所示。冷却系统工艺计算数据见表 5-2-11,每立方米骨料耗冷量见表 5-2-12。此为各月的统计资料。由于冷风系统封闭不严,风损较大,因而设计与实际的耗冷量相差较大。

表 5-2-9　倒仓骨料冷却计算

$\Delta\tau$ (1)	层 j (2)	E_R (3)	试算 (T'_{wcp}) (4)	T_0 (5)	K (6)	$1-K/2$ (7)	T_{c_0} (8)	$T_0K/2$ (9)	A (10)	B (11)	$T_{ij}=\frac{A}{B}$ (12)	ΔT_w [(5)-(12)]×(6) (13)	T_{CD} (8)+(13) (14)	T_{wcp} (15)	T_{CP} (16)
1-20′	1	0.806 9	1.0	25.0	0.554 7	0.722 7	-5.0	6.93	20.54	1.054	19.49	3.06	-1.94	-3.47	
	2	0.806 9	2.0	25.0	0.270 0	0.8650	-1.94	3.38	20.45	1.026	19.94	1.37	-0.57	-1.26	
	3	0.806 9	3.5	25.0	0.150 2	0.924 9	-0.57	1.88	20.43	1.015	20.13	0.732	0.162	-0.20	19.95
	4	0.806 9	4.0	25.0	0.127 8	0.936 1	0.162	1.60	20.51	1.012	20.27	0.600	0.77	0.46	
2-20′	1	0.806 9	1.0	19.49	0.554 7	0.722 7	-5.0	5.41	15.81	1.054	15.00	2.49	-2.51	-3.75	
	2	0.806 9	2.0	19.94	0.270 0	0.730 0	-2.51	2.69	16.12	1.026	15.71	1.141	-1.37	-1.94	
	3	0.806 9	2.0	20.13	0.270 0	0.730 0	-1.37	2.72	16.93	1.026	16.50	0.979	-0.39	-0.88	15.88
	4	0.806 9	8.0	20.27	0.057	0.943	-0.39	0.58	16.39	1.006	16.30	0.226	-0.14	-0.28	
3-20′	1	0.806 9	0.5	15.00	0.562	0.438	-5.0	4.22	11.96	1.054	11.34	2.05	-2.95	-3.97	
	2	0.806 9	1.0	15.71	0.554 7	0.445 3	-2.95	4.36	12.95	1.054	12.29	1.90	-1.05	-2.00	7.94
	3	0.806 9	1.0	16.50	0.554 7	0.445 3	-1.05	4.58	14.00	1.054	13.28	1.79	0.74	-0.16	
	4	0.806 9	3.0	16.30	0.175	0.825	0.74	1.43	13.57	1.017	13.35	0.517	1.26	1.00	

注:1. T_{ij}为该层该时间骨料终温,即下时段该层的初温。T_{c_0}为该层进风温度。1层的T_{CD}即2层T_{c_0}。T_{CD}为该层的回风温度。A、B即式(5-2-15)的分子、分母。

2. 第一层直接由冷风机供风,任何时段的T_{c_0}均为-5℃。T_{CP}为该时段骨料平均终温。

3. 计算时,先设T'_{wcp},按$i_a=2\,222.18-\sqrt{4\,950\,190-(T_{wcp}+23.35)^2}$计算$i_a$,再计算$K$,然后算$T_{wcp}$。当$T'_{wcp}\approx T_{wcp}$,即计算结果可信,否则重新试算。本表二者相差较大,未再修正,仅为计算方法示例。

表 5-2-10　B_n 表

B_i	B_1	B_2	B_3	B_4	B_5	B_6
∞	0.810 6	0.090 1	0.032 4	0.016 5	0.010 0	0.006 7
50.0	0.826 0	0.089 9	0.032 3	0.016 1	0.009 5	0.006 1
30.0	0.835 4	0.089 3	0.031 5	0.015 2	0.008 6	0.005 3
15.0	0.856 5	0.088 5	0.027 9	0.012 0	0.006 0	0.003 3
10.0	0.874 3	0.088 9	0.023 6	0.009 0	0.004 0	0.002 0
9.0	0.879 6	0.082 1	0.022 2	0.008 1	0.003 5	0.001 7
8.0	0.885 9	0.079 7	0.020 5	0.007 2	0.003 0	0.001 5
7.0	0.893 2	0.076 6	0.018 5	0.006 2	0.002 5	0.001 2
6.0	0.902 1	0.072 3	0.016 2	0.005 1	0.002 0	0.000 9
5.0	0.913 0	0.066 4	0.013 5	0.004 0	0.001 5	0.000 7
4.0	0.926 4	0.058 2	0.010 4	0.002 9	0.001 0	0.000 5
3.0	0.943 0	0.046 8	0.007 0	0.001 9	0.000 6	0.000 3
2.0	0.963 5	0.031 3	0.003 7	0.000 9	0.000 3	0.000 1
1.5	0.974 9	0.022 0	0.002 3	0.000 5	0.000 2	0.000 1
1.0	0.986 2	0.012 4	0.001 1	0.000 2	0.000 1	
0.9	0.988 2	0.010 5	0.000 9	0.000 2	0.000 1	
0.8	0.990 3	0.008 8	0.000 7	0.0001		
0.7	0.992 0	0.007 0	0.000 6	0.000 1		
0.6	0.993 9	0.005 4	0.000 4	0.000 1		
0.5	0.995 5	0.004 0	0.000 3	0.000 1		
0.4	0.997 3	0.002 7	0.000 2			
0.3	0.998 2	0.001 6	0.000 1			
0.2	0.999 5	0.001 7				
0.1	1.000 0	0.000 2				

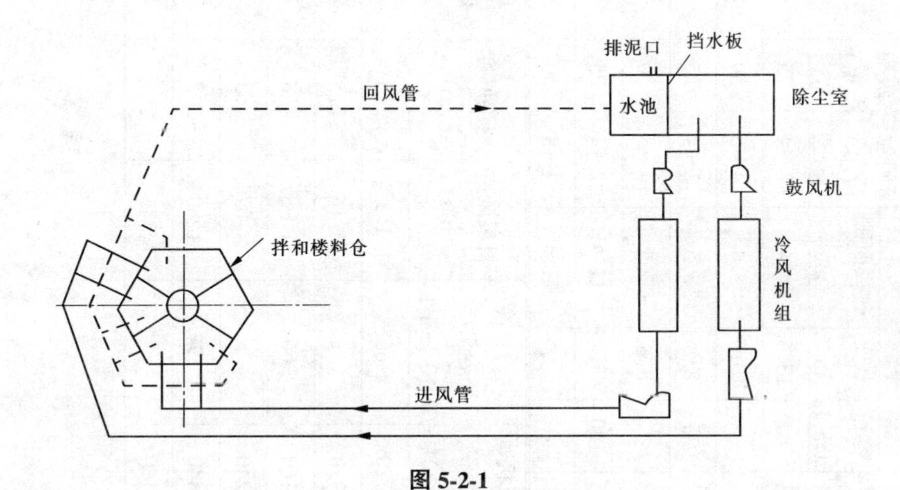

图 5-2-1

经过几年实践，在第二期工程中先采用皮带长 150m(0.3m/s 速度)的冷却廊道，洒2℃水经 6min 冷却，使石子从 28℃降到细石 6℃、中石 7℃、大石 8℃以及特大石 13℃，再送入料仓通入 -5℃的冷风冷至 -5～0℃。综合其他降温措施(加冰，冷水拌和)使混凝土出机温度达到 7.2℃，平均温度 9～12℃。

表 5-2-11　葛洲坝工程风冷骨料系统工艺计算数据表

拌和楼	冷冻楼	料仓			骨料粒径 (cm)	级配 (%)	一次冷却骨料 (m^3)	冷却时间 (min)	用风量 (m^3)	循环风量 (m^3/h)	冷风机出口		回风平均		风放热量 (kcal/h)
		容积 (m^3)	截面 (m^2)	过风面积 (m^2)							温度 (℃)	湿度 (%)	温度 (℃)	湿度 (%)	
4×2 400	二江	80	13.5	5.4	2~4	25	64	200	83 000	30 000	−5.0	100	17	50	23.3
			13.5	5.4	4~8	50	64	100	102 000	73 500	−5.0	100	17	50	55.0
3×1 600	西坝	35	8.8	3.5	2~4	25	32	100	41 500	30 000	−5.0	100	17	50	22.3
			8.8	3.5	4~8	50	32	50	51 000	73 500	−5.0	100	17	50	55.0
4×5 000	二江	100		11.4	2~4	25	95	100	123 500	89 000	−5.0	100	17	50	66.0
				11.4	4~8	50	95	50	152 000	218 000	−5.0	100	17	50	162.0

拌和楼	冷风机蒸发面积 (m^2)	制冷机冷容量 ($×10^4$ kcal/h)	料层风速 (m/s)	料层厚度 (m)	单位层厚阻力 ($×10^{-3}$MPa)	料层总阻力 ($×10^{-3}$MPa)	鼓风机(台)		送风管		回风总管		冷风机风阻 ($×10^{-3}$MPa)
							串联	并联	面积 (m^2)	风速 (m/s)	面积 (m^2)	风速 (m/s)	
4×2 400	2 720	66	1.3	2.5	4.266	10.07	2		1.68	4.1	2.38	10.1	7.73~9.60
	2 720		3.16	2.5	6.933	17.33	2		1.68	10.1			
3×1 600	2 160	66	1.98	4.3	10.0	42.66	2		0.80	8.6	1.68	14.2	7.73~9.60
	3 240		4.07	4.3	11.07	48.00	2		0.80	21.2			
4×5 000	5 440	198	1.80	2.7	8.00	21.33	2	2	1.60	12.8	3.6	19.8	7.73~9.60
	8 160		4.45	2.7	13.33	36.00	2	3	2.00	25.4			

注:冷却时间包括装卸及级配影响。

表 5-2-12　$1m^3$ 骨料设计及实用耗冷量

项目	耗冷量($\times 10^4$kcal)
试验设计	1.1
实际	1.5～2.4

6. 蒸汽制冷冷却骨料

在冷却仓内存入骨料，将仓内汽压降低到高度真空，水分汽化带走骨料热量达到降低骨料温度。为此须使用高速蒸汽(1 000m/s 以上)抽出仓内气体造成真空。其流程示意图如图 5-2-2 所示。

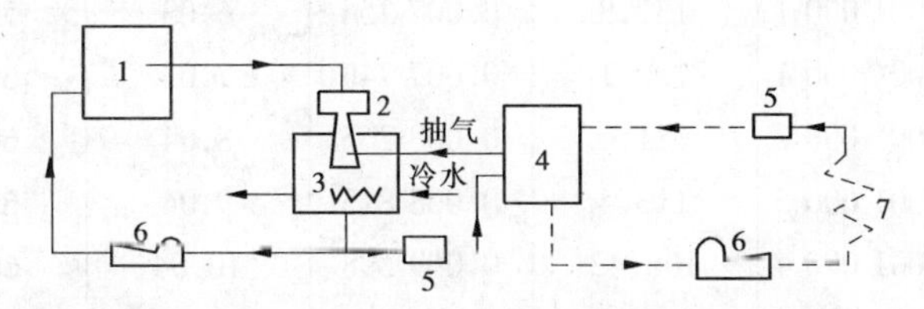

图 5-2-2　蒸汽制冷冷却骨料流程示意图

1—锅炉；2—喷嘴；3—冷凝器；4—料仓或蒸发器(制冷水池)；
5—调节阀；6—水泵；7—冷冻水用户调节阀用于料仓内骨料洒水

每小时混凝土骨料冷却总制冷量(H)

$$H - N \cdot S, N = kc_g w_g (t_1 - t_2) \tag{5-2-17}$$

蒸汽装置能产生的冷容量 H_0

$$H_0 = G_0 r_0 \tag{5-2-18}$$

式中　r_0——水汽化热，kcal/kg，参照表 5-2-13 及图 5-2-3 选用；

G_0——骨料表面水蒸发量，kg/h；

k——损失系数，取 1.1。

蒸汽消耗量为

$$G'_p = G_0 / u \quad (\text{kg/h}) \tag{5-2-19}$$

每个喷嘴的蒸汽消耗量为

$$G_p = 3\,600 \times 199 \sqrt{\frac{P}{v''}} \times f_c \tag{5-2-20}$$

式中　u——喷射器喷射系数，根据喷射装置计算，刘家峡使用 0.3～0.39；

P——蒸汽压力 0.5～0.6MPa；

v''——蒸汽比容，可查表 5-2-13；

f_c——喷嘴直径，一般 3～15mm，最大 30mm，刘家峡用 20mm。

可用 n 个喷嘴组成一个喷射装置，其蒸汽总消耗量 $G'_p = n \cdot G_p$。

由于骨料冷却时的 G_0、r_0 均是变量，故冷却时间内的平均 $\overline{H}_0$ 应是骨料初温终温的平均值。各类锅炉喷射器的制冷均有一个曲线，图 5-2-4 为铭牌制冷量 25×10^4kcal/h 的

表 5-2-13　水蒸汽热力性质表

t(℃)	p (kg/cm^2)	v' (m^3/kg)	v'' (m^3/kg)	r'' (kg/m^3)	i' (kcal/kg)	i'' (kcal/kg)	r_0 (kcal/kg)
0	0.006 228	0.001 000 2	206.3	0.004 847	0	597.3	597.3
1	0.006 694	0.001 000 1	192.7	0.005 189	1.01	597.7	596.7
2	0.007 198	0.001 000 1	180.7	0.005 555	2.01	598.2	596.2
3	0.007 723	0.001 000 1	168.2	0.005 945	3.02	598.6	595.6
4	0.008 289	0.001 000 1	157.3	0.006 357	4.02	599.1	595.1
5	0.008 890	0.001 000 1	147.2	0.006 793	5.03	599.5	594.5
6	0.009 530	0.001 000 1	137.8	0.007 256	6.03	599.9	593.9
7	0.010 210	0.001 000 1	129.1	0.007 746	7.03	600.4	593.4
8	0.010 932	0.001 000 2	121.0	0.008 265	8.04	600.8	592.8
9	0.011 699	0.001 000 3	113.4	0.008 815	9.04	601.2	592.2
10	0.012 513	0.001 000 4	106.42	0.009 398	10.04	601.7	591.7
11	0.013 376	0.001 000 5	99.91	0.010 01	11.04	602.1	591.1
12	0.014 291	0.001 000 6	93.84	0.010 66	12.04	602.6	590.6
13	0.015 261	0.001 000 7	88.18	0.011 34	13.04	603.0	590.0
14	0.016 289	0.001 000 8	82.90	0.012 06	14.04	603.5	589.5
15	0.017 376	0.001 001 0	77.97	0.012 82	15.04	603.9	588.9
16	0.018 527	0.001 001 1	73.38	0.013 63	16.04	604.3	588.3
17	0.019 745	0.001 001 3	69.10	0.014 47	17.04	604.7	587.7
18	0.021 03	0.001 001 5	65.09	0.015 36	18.04	605.1	587.1
19	0.022 39	0.001 001 7	61.34	0.016 30	19.04	605.6	586.6
20	0.023 83	0.001 001 8	57.84	0.017 29	20.04	606.0	586.0
21	0.025 34	0.001 002 0	54.56	0.018 33	21.04	606.4	585.4
22	0.026 94	0.001 002 3	51.49	0.019 42	22.04	606.9	584.9
23	0.028 63	0.001 002 5	48.62	0.020 57	23.04	607.3	584.3
24	0.030 41	0.001 002 8	45.93	0.021 77	24.03	607.8	583.8
25	0.032 29	0.001 003 0	43.40	0.023 04	25.03	608.2	583.2
26	0.034 26	0.001 003 3	41.03	0.024 37	26.03	608.6	582.6
27	0.036 34	0.001 003 6	38.82	0.025 76	27.03	609.1	582.1
28	0.038 53	0.001 003 8	36.74	0.027 22	28.03	609.5	581.5
29	0.040 83	0.001 004 1	34.78	0.028 75	29.03	610.0	581.0
30	0.043 25	0.001 004 4	32.93	0.030 36	30.02	610.4	580.4
31	0.045 80	0.001 004 7	31.20	0.032 05	31.02	610.8	579.8
32	0.048 47	0.001 005 1	29.58	0.033 81	32.02	611.3	579.3
33	0.051 28	0.001 005 4	28.05	0.035 65	33.02	611.7	578.7
34	0.054 23	0.001 005 7	26.61	0.037 58	34.02	612.1	578.1

曲线。

净冷却时间为

$$t = \frac{H}{H_0} \tag{5-2-21}$$

冷却1罐骨料的时间包括充水、装料、排水预真空、净冷却时间及破坏真空、卸料时间。刘家峡分别为7分钟、18分钟、12分钟、30分钟(20～40mm骨料,对于40～80mm骨料为60分钟)、5分钟、18分钟共90～120分钟。先充水再排水使罐内形成高度真空的时间短。罐顶部留一定气体空腔 V_0。设初始真空度为 A_m,按波义耳定律 $P_0V_0 = PV$ 计算出 V(V 为排水后的气体充填的体积空腔及骨料孔隙)。以 V 调整排水的程度(即罐底留水的体积),使之达到 A_m。由 A_m 引起的气压根据表5-2-13查 r_0,P_0、V_0 为排水前的大气压及空腔体积。

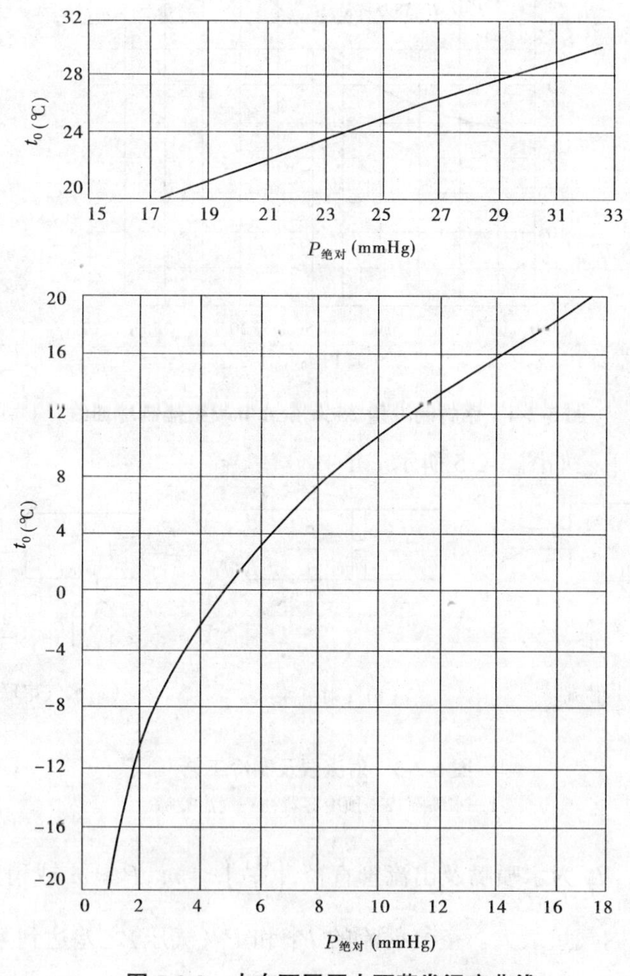

图5-2-3　水在不同压力下蒸发温度曲线

7. 高压水制冷

如骨料或冷冻水降温幅度不太大,又有高压水及足够水量时,可以利用高压水制冷。

它的原理与高压蒸汽制冷一样。江西罗湾地下厂房采用库内高压水制冷却水,取得了较好效果。该处水头160m,库水温22～23℃,降到10～15℃。如需采用,应进行射流泵等各项试验。下述罗湾经验以备参考。

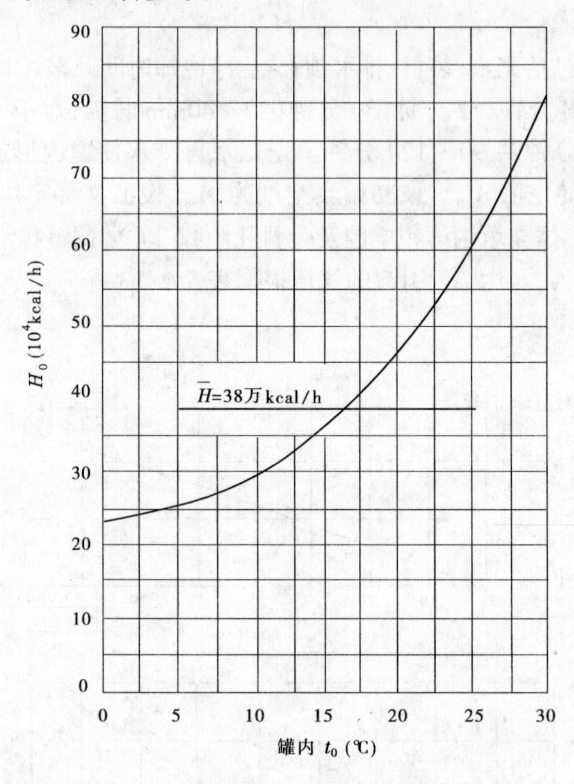

图 5-2-4 铭牌制冷量25万 kcal/h喷射器制冷曲线

射流泵及制冷工艺如图5-2-5所示。

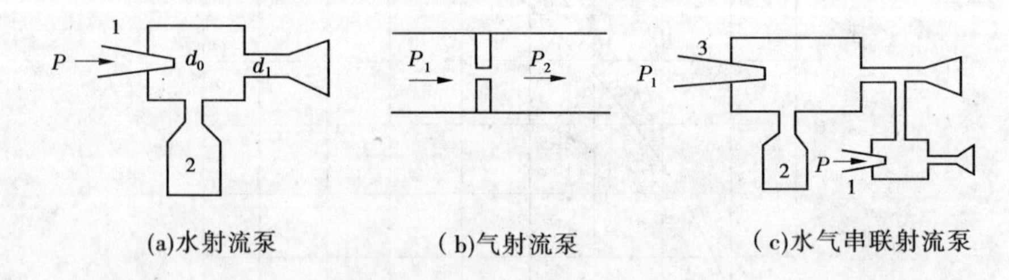

图 5-2-5 射流泵及制冷工艺

1—水喷嘴;2—预冷容器;3—气流喷嘴

图5-2-5中 d_0、d_1 为水喷嘴及出流管直径,$\left(\frac{d_1}{d_0}\right)^2=m$,$P\approx m$ 或稍大于 m 时的吸预冷容器(水或料仓)内气量最大。空气射流的 P_1 和 P_2(气压)之差达到某值时,气流速度达到最大,以后流速不再增大。$\frac{P_2}{P_1}=0.528$ 时,孔口风速可达音速。大气串联泵运用时应先开水射流泵造成一定真空,再开气射流泵。

一级水射流泵，水压用 6～7kg/cm^2。如尽量利用已有水头可采用二级或三级泵。二级泵布置如图 5-2-6 所示：$\left(\frac{d_1}{d_0}\right)^2 = m_1$，$\left(\frac{d_2}{d_1}\right)^2 = m_2$，$\left(\frac{d_2}{d_0}\right)^2 = m_1 \cdot m_2 = m$；$m_1 < m_2$ 时效果较好。

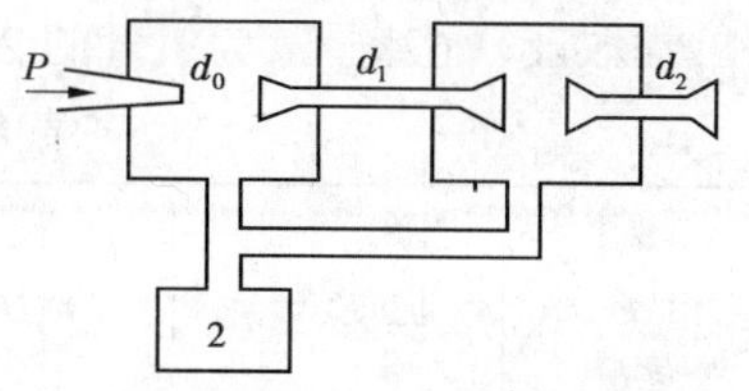

图 5-2-6 二级泵布置

实际施工时采用一个大气泵与两个射流泵联合运用使 25℃ 水降到 16℃，但钢板容器未加隔热保温，气温 34℃。

8. 预冷骨料的综合法及蒸汽制冷实例

印度 1974 年建成的依迪基双曲拱坝采用在皮带上的喷水冷粗骨料及冷风吹细(砂)骨料并掺冰拌和混凝土，使浇筑温度达到 12.6℃ 和 15.5℃。美国赫尔斯基重力坝(100m 高)在冷却棚前利用棚内冷却回归水进行预冷(水温 5～7℃)，棚内皮带上用2～2.8℃水洒在砂及粗骨料上，运砂皮带上设翻砂机翻砂，骨料进入料仓后用 -18℃ 冷风继续冷却。

国内蒸汽制冷冷却骨料实例见表 5-2-14。

表 5-2-14 国内蒸汽制冷冷却骨料实例

工程	骨料温度(℃)		粒径(mm)	冷却时间(min)	
	初温	终温		净冷却时间	循环 1 次
刘家峡	23	4.5	40～150	60	120
			5～40	30	90
桓仁	15	4	40～80	40	
	24	4	40～80	50	
石家庄	20～30	5	40～80	35～40	
	20～30	0	40～80	50～60	
	20～30	5	80～150	40～50	
	20～30	0	80～150	>60	

刘家峡因骨料冷却与混凝土拌和时间未配合好，致使骨料停在罐内 3 小时，使温度回升至 22℃。

美国哈威法尔坝采用锅炉压力 0.88MPa，蒸汽量 15 400kg/h，气温 26.7℃，骨料冷至 4.4℃，冷 1 罐骨料用时 40～45min。苏联契尔凯拱坝粗骨料预冷后不能满足要求，后又采用蒸汽预冷砂子。设计冷却 260m^3/h 砂子，制冷 79.2 万 kcal/h，砂子初温 19℃ 降到 6℃，混凝土出机口温度 11.6℃。

三、液氮冷却混凝土

20 世纪 60 年代末美国开始采用液氮冷却混凝土或原材料。液氮一般产于制氧厂。空气中氮占 78%，可利用氧气沸点 -183℃，氮沸点 -195.8℃ 分离精镏即可得氧、氮。除厂家自身冷却消耗部分氮外，还可提取约 10% 的液氮出售。如广州气体厂制氧 220 m^3/h，提取液氮 62kg/h，为氧气的 28%～31%。氮的物理特点如表 5-2-15 所示。

表 5-2-15　氮物理特征值表

相界	温度(℃)	标压 A	通称压力 1.033A (kg/cm^2)	汽化潜热	
				kcal/kg	kJ/kg
固相	-210.05	0.124	0.128	51.4	214.9
液相	-195.85	1.000	1.033	47.5	198.6
气相	-146.95	33.519	34.62	0	0

液氮由厂家供应，现场设备简单，操作方便，美国使用此法较多。工地仅设双层壁密闭真空绝热密封罐，罐内液氮温度为 -195.6℃，压力 4.2～5kg/cm^2；液氮经输液管引至喷枪，喷液入冷却物；液氮运输亦需密封冷却罐车，输液管也需绝热保护。此系统必须绝热保温密封，否则冷损失很大。美国已形成专利，安装拆除培训操作全由专利公司负责。

葛洲坝工程局施工研究所曾在自然情况下进行过试验，冷损失大，冷却成本高，但资料仍可参考。其汽化潜热试验的潜热为 38.4kcal/kg 低于表 5-2-15 的 47.5kcal/kg。38.7kcal/kg 约为氮温度为 -173.2℃ 时的潜热，则温度损失 11.5%，汽化热损失 19.15%。

直接冷却混凝土试验见表 5-2-16。

表 5-2-16　直接冷却混凝土试验

室温(℃)	预冷混凝土(m^3)	掺液氮(kg/m^3)	出机口混凝土降温(℃)	混凝土降1℃掺量	液氮(kcal/kg)		有效热/汽化热	备注
					汽化热	有效热		
29.5	0.05	17.7	2.0	8.9	80.8	58.4	0.72	潜热 38.4kcal/kg 计潜热高于 38.4kcal/kg 有效热为混凝土吸收值；“*”指 1m^3 混凝土汽化热按 38.4kcal/kg 计算
18.5	0.03	33.3	5.5	6.0	89.3	95.4		
29.5	0.05	40.3	3.5	11.5	183.3	102.1	0.56	
27.0	0.05	65.0	4.5	14.4	294.7	131.3	0.45	
29.5	0.05	74.4	4.0	18.6	338.0	116.7	0.35	
18.5	0.03	119.0	9.5	12.5	315.7	164.7	0.52	

根据试验资料，在无绝热密封条件下，潜化热损失近 20%，而在喷入混凝土中冷却过程又损失了 50%～60%，从而加大了冷却成本。

根据冷量平衡及上述试验可以计算出表 5-2-16 中的汽化热及有效热，也可作为初步的液氮掺量计算式。

制冷水

$$C_w(t_2 - t_1)G_w + C_i(t_2 - t_1)G_i = K_nG_n + G_nC_n(t_1 - t_0) \qquad (5\text{-}2\text{-}22)$$

直喷混凝土降温ΔT计算式

$$W_c C_c \Delta T = [K_n G_n + C_n K_n (t_3 - t_0)]K \tag{5-2-23}$$

式中：C为比热；G为容重；角标w、n、c、i为水、液氮、混凝土及冷却水容器；K_n为液氮潜热，t_2、t_1为水的终温及初温；t_3为混凝土终温；$\Delta T = T_4 - T_3$，T_4为混凝土未预冷前的出机温度，K为冷损失系数；t_0为液氮温度，-196℃；$C_n = 0.244$kcal/kg；W_c为混凝土重量；$C_i G_i (t_2 - t_1)$可认为是容器冷损，如进行绝热保温，则无此项。

液氮冷却实例及降温效果见表 5-2-17。

(1)美国亚特兰大国际机场采用冰水浆冷却搅拌混凝土，满足了浇筑温度T_P = 21.1℃的要求。

(2)密西西比河支流红河二级船闸，最高气温 35℃，T_P = 18.3～29.4℃，直接冷却混凝土。

表 5-2-17　液氮冷却降温效果

预冷方法	冷却物温度(℃)	降低混凝土温度(℃)
冷水	最低 0.56	2.8～4.4
冷水浆		4.4～5.6
冷却水泥	−1.1～10	1.7～2.8
三者联合		8.9～12.8

注：冷水浆为液氮与拌和水同时输入喷射成冰粒水混合状喷入混凝土。

(3)澳大利亚塔洛洼大坝，气温T_a − 38℃，T_P = 18℃，采用直接冷却混凝土。

(4)澳大利亚格罗芙面板堆石坝混凝土，稳定温度要求达到 7℃，允许最高温度 37℃。夏季浇筑时T_a = 25℃，水化热温升 29℃，T_P = 8℃，考虑运输等回升 3℃，要求出机温度为 3～5℃。施工时采用液氮直接冷却混凝土。拌和楼容量为 5m^3，喷液氮以 5 秒为单位计，喷射 2 分钟 15 秒后，可使混凝土温度降低 10℃，喷 10 分钟时，最高可降温 30℃。

(5)澳大利亚汤姆逊河大坝(165m 高堆石坝)的两座引水塔混凝土，强度为 35MPa，采用：级配混凝土，水泥用量 330kg/m^3。要求稳定温度 7℃，允许最高温度 37℃。夏季自然拌和的出机温度 22℃。设计要求全年浇筑温度T_P≤11℃，考虑温度回升 9℃，则要求出机口温度应达到 3℃。施工时采用直接喷液氮入搅拌车内。搅拌车容量为 4～5.5m^3，一般喷液氮 1～3min 即与满足要求，搅拌机循环时间为 5 分钟左右，包括测试混凝土温度时间。

四、通水冷却

1. 一期水管冷却

第一期水管冷却可削减混凝土水化热温升，有效降低其最高温度。削温效果主要决定于水管的间距(水平S_1×垂直S_2)及水管长度。如长度＞350m，则需将浇筑面分成两个冷却区，分别布置蛇形管。

冷却水管以梅花形布置时的冷却效果较好，但为了方便施工均采用矩形布置。后者比前者冷却效果差 10%。计算时可将实际水管布置的面积增大 10%作为混凝土被冷却面积的直径 D。D 的圆周作为绝热边界。水管布置见图 5-2-7。

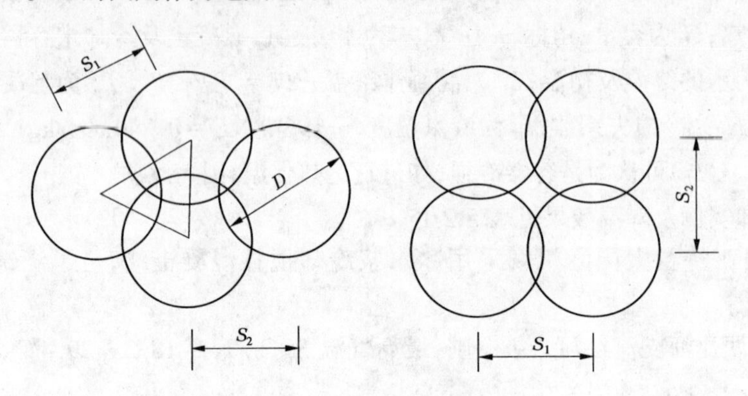

图 5-2-7　水管布置图

梅花形布置：

$$S_1 = 1.1547S_2, D = 1.2125S_2 = 2b \tag{5-2-24}$$

矩形布置：

$$D = 1.25\sqrt{S_1 S_2} = 2b \tag{5-2-25}$$

1)水化热水管冷却残留比 X' 计算

(1)水化热为非线性增量变化。X' 的影响因素为

$$X' = f\left(\frac{at}{b^2}, \frac{\lambda L}{C_w q_w \rho_w}, b\sqrt{m/a}\right)$$

式中　L——蛇形管长度；

C_w、q_w、ρ_w——冷却水的比热、通水流量(一般为 15L/min 或 $0.9m^3/h$)、密度。

X' 可查图 5-2-8 取得，若 $2 > b\sqrt{m/a} > 1.5$ 可进行插补。

(2)固定热源。如 $T_P - T_a = T_0$，则称为固定热源，水化热为变热源。将发热历程划分为若干时段，每个时段增生的水化热也可视为固定热源，各龄期 t 分别计算后叠加而得水化热温升(见表 3-3-1)。固定热源残留比 $X = f\left(\frac{at}{D^2}, \frac{\lambda L}{C_w q_w \rho_w}\right)$，查图 5-2-9。

图 5-2-8、图 5-2-9 是按 $\frac{b}{c} = 100$ 制成的(c 为冷却水管外半径)，若 $\frac{b}{c} \neq 100$ 可用 a' 代替 a 去计算。

$$a' = a\frac{\lg 100}{\lg(b/c)} \tag{5-2-26}$$

图 5-2-8 的 $\frac{\lambda L}{C_w q_w \rho_w} = \infty$，即 $q_w = 0$，为绝热温升；$\frac{\lambda L}{C_w \rho_w q_w} = 0$，$q_w = \infty$。不考虑冷却水沿程升温的影响。

2)冷却速度

混凝土浇后即可进行通水冷却，此时混凝土强度低，为防止冷却过快引起裂缝，需控制通水温差(混凝土温度与冷却水温之差)及降温速度。一般按经验，通水温差为

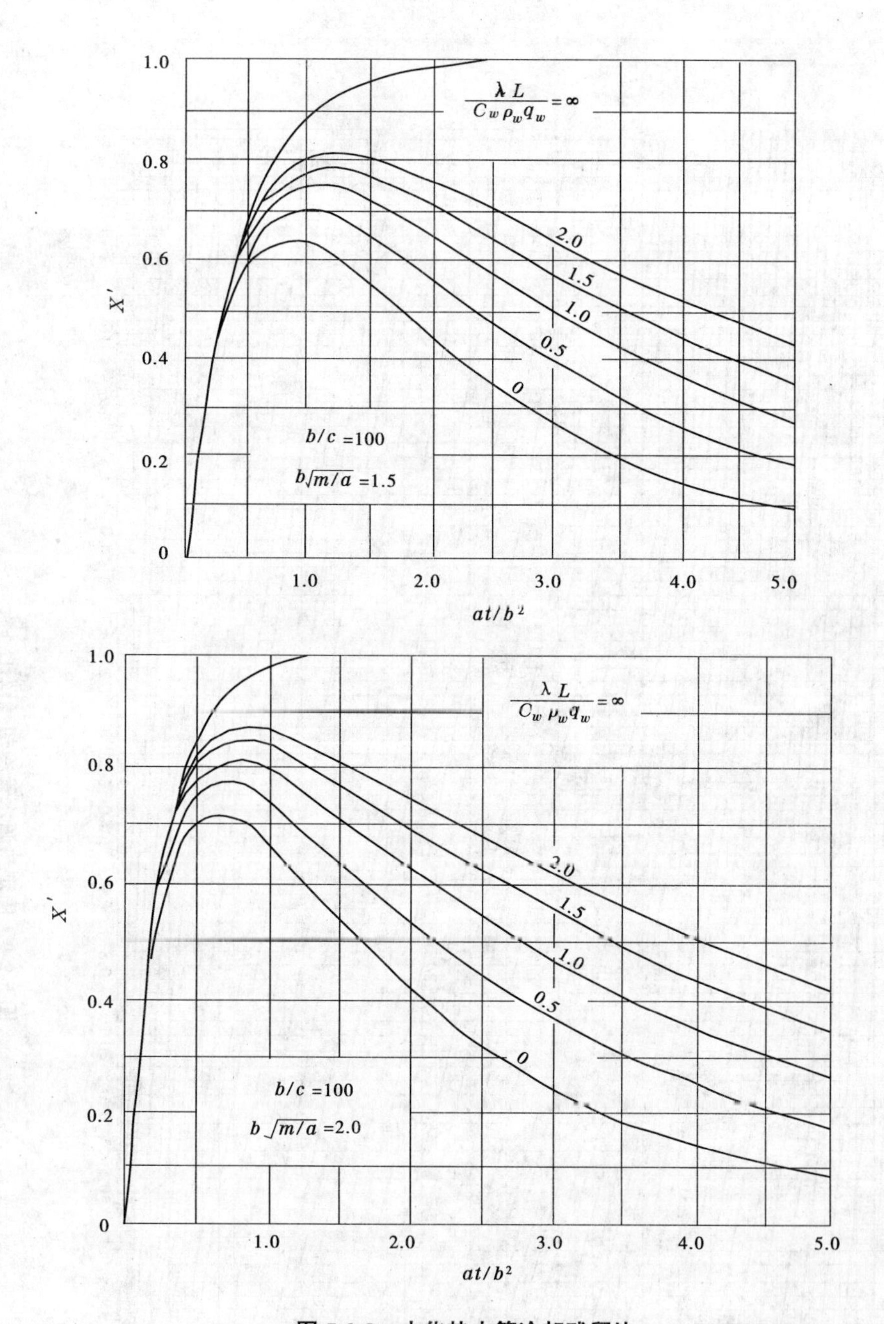

图 5-2-8　水化热水管冷却残留比

15～20℃,多是使用当时的河水,每天降温≤0.6℃,通水历时 15～20 天。停水后不会引起混凝土温度回升接近已达到的最高温度时即可停止通水。当采用塑料拔管代替冷却钢管时,需控制通水流速,以免冲蚀混凝土。根据风滩室内试验,拔管后(浇后第二天)通水的初期流速≤0.26m/s,相应流量 17.9L/min,管壁不会受到损坏。

2.二期水管冷却

二期水管冷却是将坝体温度冷却到灌浆温度后进行接缝灌浆。坝体混凝土浇后达到

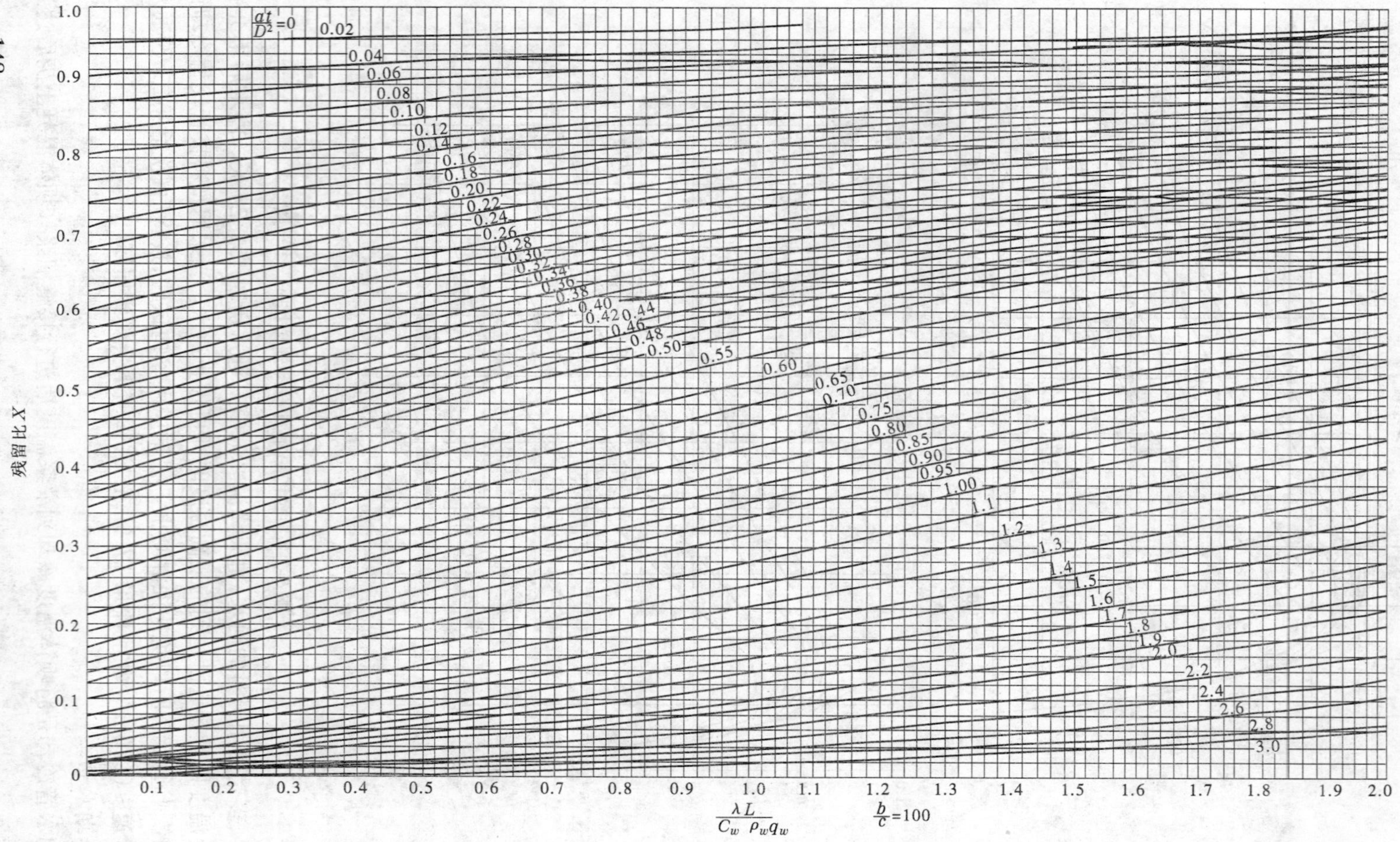

残留比 X

$\frac{\lambda L}{C_w \rho_w q_w}$　　$\frac{b}{c}=100$

图 5-2-9　固定热源水管冷却残留比

最高平均温度，一般须经历较长时间的自然冷却及坝体上下的热量传递，计算该时的混凝土温度，如不能达到灌浆温度，则应进行二期水管冷却。开始计算二期水管冷却时的混凝土温度称为初温 T'_m，T'_m 与通水水温之差称为通水温差。为节约冷却费用，减少通水温差，一般在 11 月以前用河水冷却并尽量利用冬季低温河水降温，最后用冷冻水降至灌浆温度。通过计算，确定二期水管冷却开始时间，并应按时通水。

1）冷却后的混凝土温度

$$\left.\begin{aligned} T_m &= T_w + XT_0 \\ T_{lw} &= T_w + YT_0 \\ T_{lm} &= T_2 + ZT_0 \\ T_0 &= T'_m - T_{w0} \end{aligned}\right\} \tag{5-2-27}$$

式中 T_m——冷却后混凝土平均温度；

T_{lw}——水管长 l 处的冷却水温；

T_{lm}——二级管处混凝土截面平均温度；

T_w——冷却水进口处水温；

X、Y、Z——残留比，可分别查图 5-2-9、图 5-2-10、图 5-2-11 得到。

图 5-2-9、图 5-2-10、图 5-2-11 均是按 $b/c = 100$ 制定的，当 $b/c \neq 100$ 时，可按式(5-2-26)修正。

2）冷却要求及水管布置与安装

为满足一、二期冷却，必须根据坝体浇筑安排考虑如何通过干支管进入蛇形管供水冷却，同时还要考虑各灌浆层冷却的次序及下部二期冷却而上部尚在一期冷却等情况。因此，水管系统的布置必须从全坝施工安排来考虑，否则影响制冷及供水容量，尤其将影响施工进度或推迟水库蓄水。

灌浆层冷却时，在其上需有不少于 9m 高的混凝土柱体同时进行冷却。但冷却达到的温度可高于该层的灌浆温度，作为下层的向上过渡层。它既可作为下层灌浆时的压重（当上面仅有 9m 高时）又能促使下层更快冷却，也减少下层冷却时上层所施加于下层的约束而增加下层的拉应力。冷却通水时，每 12 小时应通过倒向装置使蛇形管内水流方向倒向一次，使坝体均匀冷却，当使用冷冻水时，柱体外水管应进行保温以减少管内水温回升。计算式为

$$\Delta T = \frac{qL}{1\,000w}℃, \qquad q = \frac{t_0 - t_n}{\frac{1}{2\pi\lambda}\ln\frac{D}{d} + \frac{1}{\beta_m \pi D}} \tag{5-2-28}$$

式中 ΔT——管内冷却水回升温度；

q——冷损失；

t_0——管外气温；

t_n——冷却水温；

λ——保温材料导热系数；

β_m——保温层向外放热系数；

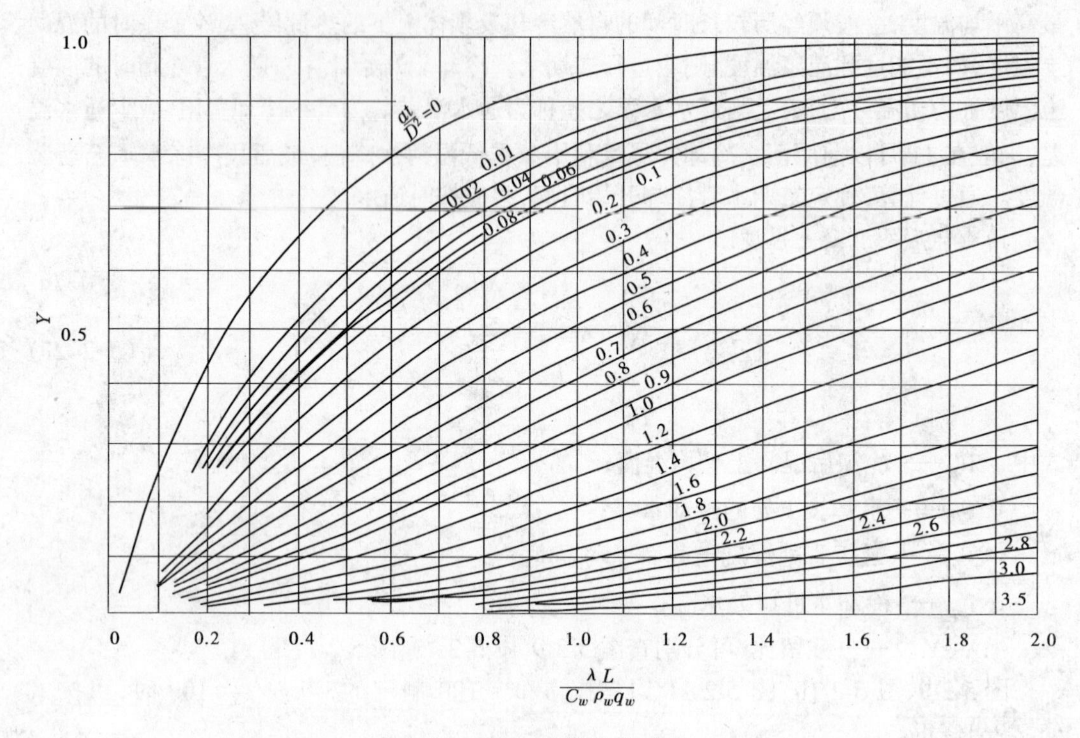

图 5-2-10　残留比曲线

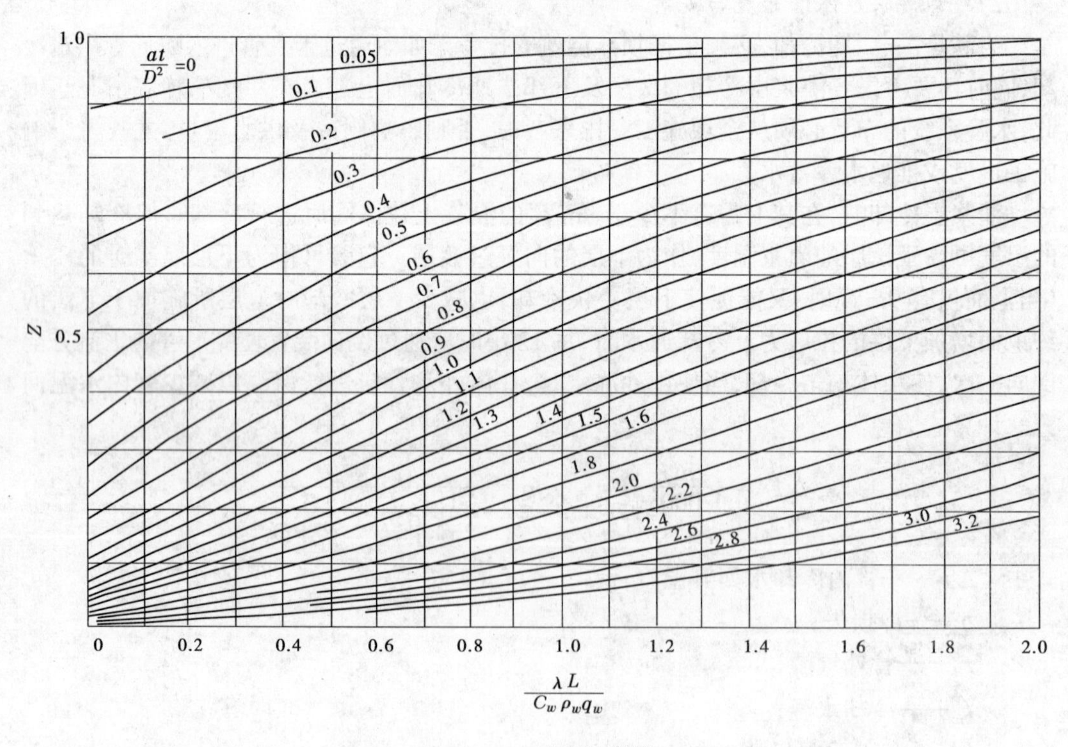

图 5-2-11　残留比曲线

D——保温后管子外径(包括保温层);

d——无保温水管外径;

w——通水流量,m^3/h。

冷却速度过快及二期冷却开始时间过早,可能引起水管周围混凝土发生裂缝。而水管间距较小(水管距柱边缘也小),又遇上外界气温剧变,甚至可能引起水平裂缝(浙江紧水滩电站通过有限元计算证明了这种裂缝的存在),故需控制通水温差不大于20℃,降温速度不大于15℃/月。一般不应将一、二期冷却连续进行,二者的间隔时间不少于1个月,使混凝土有较高的抗拉强度利于避免裂缝。如需一、二期连续通水降温,则应核算混凝土应力是否超过抗拉强度。

蛇形管一般采用ϕ25mm钢管埋入混凝土中,总长度很大,已建某些大坝水管总长见表5-2-18。

表5-2-18

坝名	三门峡	新安江	响洪甸	(美)包尔德	(美)大苦力	流溪河
水管总长(km)	160	300		952	3 240	29.6
$m/1m^3$ 混凝土	0.21	0.23	0.35	0.38	0.43	0.23

国内每立方米混凝土的钢管为0.4~0.5kg。为节约管材,20世纪60年代开始,我国采用充气塑料管埋入混凝土中,混凝土终凝后放气,抽出塑料管,12小时后开始通水冷却。但开始通水时需控制通水流量≤$0.5m^3/h$,两天龄期即可正常通水约$1.0m^3/h$,以免通水冲蚀孔中混凝土。如浇筑层厚达到3m以上,水化热高峰一般在浇后4~5天,通水亦可在第二天开始。在施工中要特别注意水管堵塞,尤其是拔管,更易堵塞。有的工程堵塞达50%~60%,使冷却不能正常进行,造成接缝灌浆的困难。

3)影响冷却效果的因素

影响冷却快慢的因素有水管间距、通水流量及水温、管长等。其中影响最大的是水管间距、水温及蛇形管长度。它的选择需满足施工进度要求并力求节约。蛇形管间距比3m×3m更大时,冷却效果很差。它的长度超过300~350m时,由于管中水温回升很大,冷却效果也很差。当浇筑块面积大,蛇形管长度大于350m,可分为2~3区分别布置蛇形管。管径一般采用ϕ25mm,通水流量约$1m^3/h$。根据凤滩实测,蛇形管的进出口水温差在6~11℃之间。

第三节　冬季混凝土浇筑温度控制措施

冬季混凝土施工需解决浇筑时的混凝土冻结及养护期冻坏两个问题。混凝土受冻将引起强度降低及减弱混凝土接触面的抗渗作用并增加混凝土透水性。在解冻后正温养护条件下的强度降低:浇后即受冻,强度R损失40%~60%;终凝后受冻,R损失小于10%~15%。新老混凝土接合面一经受冻,其结合强度及抗渗即遭破坏。一般要求该面温度不低于0℃或1℃。

水工混凝土施工规范(SDJ207—82)规定,大坝外部和有筋混凝土强度达到10MPa及内部混凝土达到5MPa之前,任何部位不得低于1℃或出现0℃,以防冻结。

在混凝土温度计算中,要考虑低温对发热速率(m)的影响。一般来说,每提高10℃,水泥水化热反应加快1倍。

冬季浇筑的上下层温差,一般不超过其允许温差,但由于下层为负温也会引起较大的拉应力并吸收上层温度不利于防冻,因此要加强下层表面保温,使下层混凝土在一定范围内的温度不为负值。需要时也可对下层进行预热,使它保持0℃以上。

一、混凝土浇筑及养护期气温的确定

为避免混凝土受冻需采用一定的防护保温措施。气温选择过低,则保温措施花费较大。如施工进度很紧要求整个冬季不停工,则需在很低气温下浇筑,必须采取骨料加热,增大投资。故应统计历年气温资料。各种日平均低气温(如5~0℃,0~-5℃…)情况下的天数,权衡利弊确定浇筑时的最低日平均气温及其日气温变差。养护期时间较长,出现低温的机会多,且无法选择较高气温进行养护,此期应选用比浇筑气温更低的日平均气温,作为保护标准,一般可以考虑十年一遇的低温及其过程。更低的气温也应计算保温措施,以便能及时进行临时加强保温工作。故县大坝统计-5℃以下的天数仅1~2天(1年),浇筑气温定为最低-5℃。在-5~-10℃施工时须将骨料加热,增大投资较多。养护期选定为日平均气温-6.5℃,约为十年一遇的低气温。

二、蓄热法浇筑

依靠浇筑温度及水化热积蓄温度防冻的方法称为蓄热法。其措施要保证一定的入仓温度(T_{pl})及混凝土表面保温效果。

1.选择入仓温度

按单向热量差分计算。设混凝土每浇一层厚30~50cm,暴露3~4小时再覆盖一层,在此期间水化热尚未产生,表面散热,计算其表面温度$T_n \geq 0$℃或+1℃,则认为合适。

内点计算式。设相邻距Δx的三点1、2、3,热量由1向3传导,2点热量进出之差Δq为

$$\Delta q=\frac{\lambda(T_{1,\tau}-2T_{2,\tau}+T_{3,\tau})\Delta\tau}{\Delta x} \tag{5-3-1}$$

2点在$\tau+\Delta\tau$时的温度为

$$T_{2,\tau+\Delta\tau}=T_{2,\tau}+\frac{\Delta q}{C_\rho\Delta x} \tag{5-3-2}$$

混凝土表面点的热量是从附近内点T_k输入并向空气中散发。

$$\left.\begin{aligned}&\text{输入热量}\quad q_k=\frac{\lambda(T_{k,\tau}-T_{n,\tau})\Delta\tau}{\Delta x}\\&\text{散发热量}\quad q=\beta(T_{n,\tau}-T_a)\Delta\tau\\&\text{表面点}\quad T_{n,\tau+\Delta\tau}=\frac{q_k-q}{C_\rho\Delta x/2}+T_{n,\tau}\end{aligned}\right\} \tag{5-3-3}$$

Δt 为计算时段，β 为放热系数，可考虑风的影响，也可按一类边界将虚拟厚度 $s=\dfrac{\lambda}{\beta}$ 增加到该批混凝土上，虚拟边界点为常温（气温）。日气温是按正弦变化的，亦可按三角形变化计算各时段的平均气温，然后计算在各种假定的 T_{pl} 下各点温度不出现 0℃或 1℃的允许浇筑时间（如全天、白天可浇），直至达到设计要求为止，否则应提高入仓温度（T_{pl}）重算。

按温度或热量的单向差分计算是一致的，但对于边界条件复杂的平面计算，使用热量差分计算更适于它的边界条件。

某坝计算的冬季入仓温度如表 5-3-1。

表 5-3-1　某坝允许浇筑时间及入仓温度表

日平均气温（℃）	白天最低气温（℃）	计算气温（℃）	项目	T_{pl}（℃）					
				$\beta=16$（kcal/（m²·h·℃））			$\beta=20$（kcal/（m²·h·℃））		
				3	5	10	3	5	10
3.0	6.7	−3.0	表面达到 0℃的时间（h）	3.0	4.5	7.5	2.0	3.0	6.5
			允许浇筑时间	全天	全天	全天	白天	全天	全天
−1.0	2.7	−7.0	表面达到 0℃的时间（h）	0.5	1.5	4.0			3.0
			允许浇筑时间	白天	白天	全天	白天	白天	全天
−0.3	0.7	−9.0	表面达到 0℃的时间（h）		1.0	3.0			
			允许浇筑时间	白天	白大	全大	白大	白天	白天
−5.0	−1.3	−11.0	表面达到 0℃的时间（h）		0.5	2.5			
			允许浇筑时间	白天	白天	白天	白天	白天	白天

注：每批混凝土覆盖间隔时间 3 小时。

2. 养护期温度及龄期计算

计算方法有两种：一种为双向差分法，另一种为公式法。但后者对棱角及复杂边界出现 0℃则无法算出。

1）浇筑层有保温层的双向差分

设在基岩上浇一层混凝土，基岩计算深度可取（0.5～1.0）H，该处边界为已知温度，可从地温资料的年变化计算出浇筑月的地温，利用对称取浇筑块一半进行计算。见图 5-3-1。

设 $\Delta x=\Delta y$，基岩与混凝土热学性能相同。内点温度计算为

$$t_{0,\tau+\Delta\tau}=T_{0,\tau}+K(T_{1,\tau}+T_{2,\tau}+T_{3,\tau}+T_{4,\tau}-4T_{0,\tau})+\Delta Q_{\tau} \tag{5-3-4}$$

式中：$K=\dfrac{a\Delta\tau}{\Delta x^2}\leqslant\dfrac{1}{4}$；$\Delta Q_{\tau}$ 为 τ 时段的水化热增量。

角点 B 温度计算式为

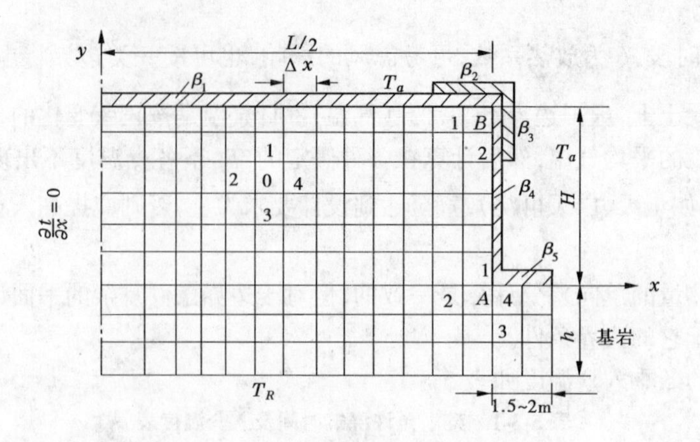

图 5-3-1　双向差分法计算简图

$$T_B = \frac{\dfrac{T_1}{\Delta y} + \dfrac{T_2}{\Delta x} + \dfrac{T_a}{\lambda}(\beta_2 + \beta_3)}{\dfrac{1}{\Delta y} + \dfrac{1}{\Delta x} + \dfrac{1}{\lambda}(\beta_2 + \beta_3)} \tag{5-3-5}$$

角点 A 计算式为

$$T_{(A,\tau+\Delta\tau)} = T_{(A,\tau)} + \frac{2a\Delta\tau}{3\Delta x^2}(T_{(1,\tau)} + T_{(4,\tau)} - 2T_{(A,\tau)}) - \frac{\Delta\tau}{3C_p\Delta x}[\beta_4(T_{(1,\tau)} + T_{(A,\tau)} - 2T_a) + \beta_5(T_{(4,\tau)} + T_{(A,\tau)} - 2T_a)] + \frac{\Delta Q_\tau}{3} \tag{5-3-6}$$

一般的边界温度可按单向差分方法计算。

类似于角点的特殊点温度均可参照图 5-3-1、图 5-3-2 的方法进行推演求出。这类点很多,不予一一列出。

为了便于分析研究,可对浇筑温度 T_{pl} 与水化热温升 Q_r 分别计算然后叠加。T_{pl} 与 T_g、T_a 组合一块计算,Q_r 与 $T_g = T_a = 0$℃组合为一种情况计算。如计算上部混凝土防冻时,可设新、老混凝土接触面为绝热边界,亦即认为下层表面有较好的保温措施,使之与新混凝土有较接近的最高温度。

表面 β 的选定除了应满足防冻要求外,对于薄层混凝土还应保证其最低温度不应冷至灌浆温度以下,否则可能形成超冷而产生裂缝。

在各天混凝土温度计算后,按下述任一方法确定养护保温时间。

(1)按下式计算养护期混凝土平均温度 t_y

$$t_y = \frac{0.5t_0 + t_1 + t_2 + \cdots + 0.5t_n}{n} \tag{5-3-7}$$

式中　t_0——混凝土浇完时的温度;

t_1、t_2、…、t_n——养护期各天的混凝土温度。

以 t_y 查混凝土试验的温度龄期与强度曲线,确定达到防冻临界强度所需时间,无资料时可参考图 5-3-2。

混凝土最易受冻的时间是浇后应即遇上选定的养护期气温。此时因水化热积累不

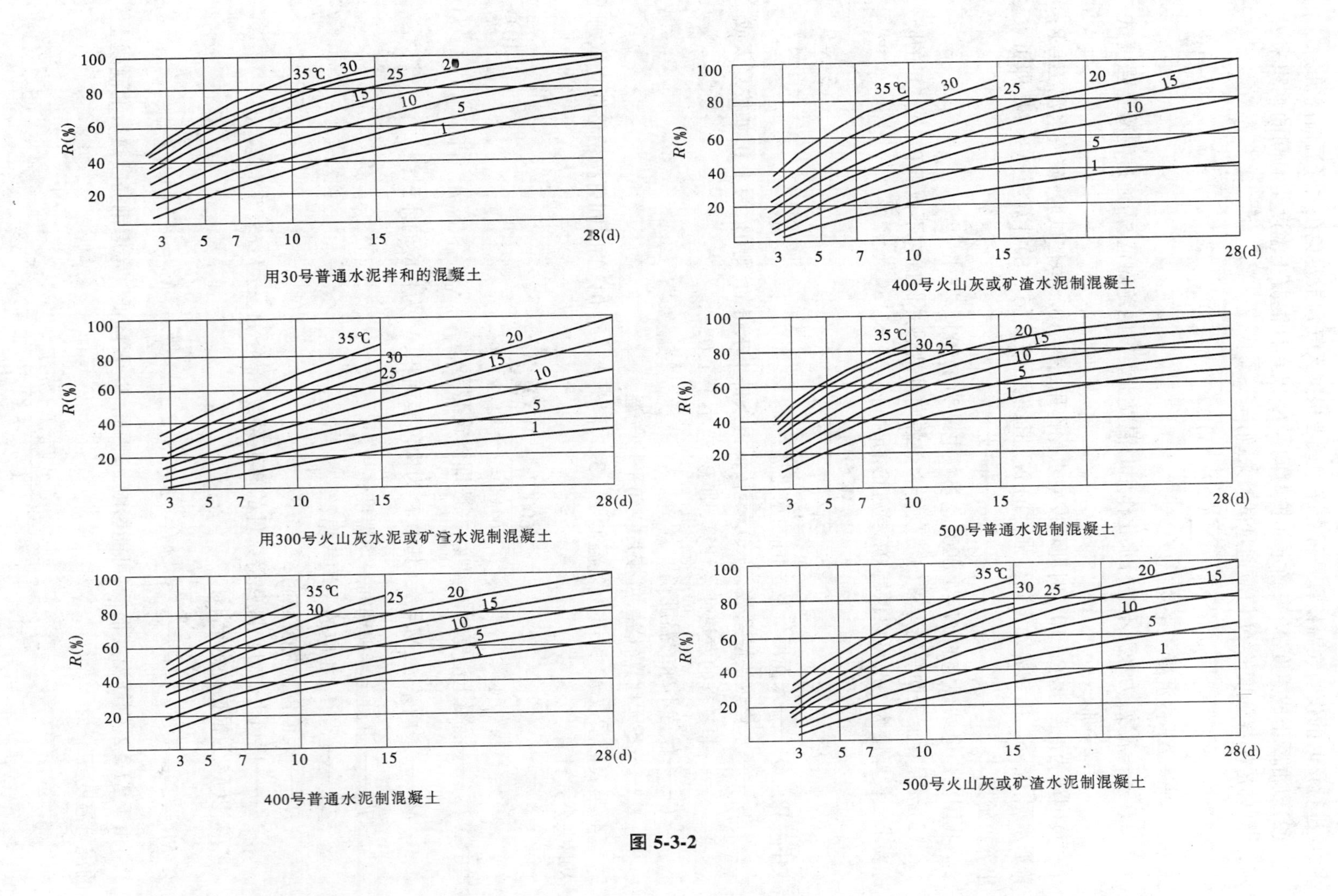
R(%)
100
80
60
40
20
3
5
7
10
15
28(d)
35℃
30
25
20
15
10
5
1
用30号普通水泥拌和的混凝土
400号火山灰或矿渣水泥制混凝土
用300号火山灰水泥或矿渣水泥制混凝土
500号普通水泥制混凝土
400号普通水泥制混凝土
500号火山灰或矿渣水泥制混凝土

图 5-3-2

多,应进行该时的夜间气温核算是否受冻。或者根据天气预报避免在大降温前浇筑。

(2)以混凝土成熟度 N 来确定养护时间。N 以累计混凝土温度与时间的乘积来表示,达到防冻临界强度的 N 值应通过试验来确定。

$$N = \sum (t_\tau + B)\Delta_\tau \quad (\mathrm{h/℃}) \tag{5-3-8}$$

式中 t_τ——$\Delta\tau$ 内混凝土平均温度;

B——常数,为水泥不进行水化作用时混凝土温度的绝对值,需通过混凝土强度试验确定。

英国认为混凝土在 -10℃时即不发生水化作用,$B=10$。桓仁试验:矿渣水泥 $B=8$;普通水泥 $B=5$。由试验确定临界强度的 N_a 值,然后按式(5-3-8)计算至 $N=N_a$ 即可求出养护龄期。

我国白山电站规定的 $N=1\ 800$,龙羊峡电站为 1 500。

(3)按混凝土表面一定厚度的热量作为热源向外散热并保持它不低于 0℃或 1℃的防冻要求。设厚度为 1m,可以保持 0℃或 1℃的时间 τ 为

$$\tau = \frac{W_c Q_\tau B_\tau}{24\beta(T - T_a)} \quad (天) \tag{5-3-9}$$

式中 W_c、Q_τ——水泥用量及 τ 时的水化热;

B_τ——水化热快慢系数,当 Q_τ 是按低温条件下求得的,则 B_τ 为 1.0,如按夏天或非冬季的发热速率计算,则 B_τ 应小于 1.0;

T——保持不冻的温度;

T_a——冬天计算气温,可按月或旬平均气温。

(4)当表面系数 M 大于 2,气温低于 -3℃,混凝土冷至 0℃的时间可按伯格斯克拉姆达耶夫公式计算。

$$\tau = \frac{600T_P + W_c Q_\tau}{M(T_{cp} - T_{acp})} \cdot \frac{R}{\alpha} \tag{5-3-10}$$

式中 T_P——混凝土浇完时的温度,一般即浇筑温度;

M——表面系数,$M=\frac{F}{V}$,其中 F 为构件表面积,V 为相应的体积;

T_{cp}——混凝土养护期间平均温度;

T_{acp}——与 T_{cp} 相应的平均气温;

R——表面保温材料热阻;

α——以风力、湿度、隔热等条件的修正系数,部分 R、α 可查表 5-3-2。

T_{cp} 以 M 为根据确定于下:

$$M = 2 \sim 3, T_{cp} = \frac{T_P + 5}{2};\quad M = 3 \sim 8, T_{cp} = \frac{T_P}{2};\quad M = 8 \sim 12, T_{cp} = \frac{T_P}{3}$$

由于 $M>2$,钢筋温度很低,可能影响 τ,因此 T_P 要降低。考虑钢筋吸热后的混凝土的浇筑温度 T'_P 为

$$T'_P = \frac{C_c r_c T_P + C_s r_s T_a}{C_c r_c + C_s r_s} \tag{5-3-11}$$

式中　下角标 c、s——混凝土、钢筋的代号；

C、r——比热及容重。

表 5-3-2　不同保温材料 R、α

保温材料	R(kcal/(m²·h·℃))			以风力为转移的修正系数 α		
	模板厚度(cm)			风速(m/s)		
	2.5	3.8	5.0	≤3	4~5	6~9
简单的模板	0.22	0.30	0.38	1.15	1.25	1.4
有 1~1.5mm 厚油毡纸层的模板	0.23	0.31	0.39	1.15	1.25	1.4
有 1.2cm 厚麻毡层的模板	0.52	0.60	0.68	1.15	1.25	1.4
一层油毡纸和二层 2.0cm 粗毡的模板	0.73	0.81	0.89	1.29	1.50	1.75
一层油毡纸和 7cm 厚刨花板的模板	0.82	0.90	0.98	1.40	1.65	1.9
一层油毡纸和 5.0cm 稻草板的模板	1.23	1.31	1.39	1.40	1.65	1.9
一层油毡纸，10cm 厚锯末和 1.9cm 厚木板的模板	1.61	1.69	1.77	1.15	1.25	1.35
5.0cm 厚的保温稻草板或芦苇板(没有模板)	$R=1.0$	$R=1.0$	$R=1.0$	1.50	2.0	2.5

如 $M>3$，对模板未加热则模板将吸热降低 T_P，降低的温度 Δt 为

$$\Delta t = \frac{T_P - T_a}{1 + \dfrac{800}{M\sum Crd}} \tag{5-3-12}$$

式中　C、r、d——各个保温材料(包括模板)的比热、容重及厚度。

三、暖棚法浇筑

暖棚内温度宜取混凝土养护时的初温，一般取为 $T_B=10℃$。其热工计算如下。

1. 棚壁耗热量(H_1)

$$H_1 = \sum \beta F(T_B - T_a)B \tag{5-3-13}$$

式中　F——棚壁面积，m²，包括侧面模板及顶面，若棚高超过 4m，棚内 $T_B=\dfrac{T_c+T_s}{2}$；

T_c——棚顶温度，无资料时，$T_c=T_s+(0.5\sim1.5)(h-2)$，$h$ 为棚高；

T_s——浇筑处温度；

T_a——气温，设计时可按查蒲林公式计算

$$T_a = 0.4T_{cp} + 0.6T_j \tag{5-3-14}$$

T_{cp}——多年最冷月的气温平均值；

T_j——极端最低温度；

β——有保温层等的放热系数。

$$\beta = \frac{1}{\frac{1}{\alpha_1} + \sum_{i=1}^{n} d_i / \lambda_i + \frac{1}{\alpha_0}} \tag{5-3-15}$$

式中 α_1——室内表面吸热系数；

α_0——室外表面放热系数，可查表 5-3-3；

d_i、λ_i——各种棚壁保温材料的厚度及导热系数，式(5-3-15)右边分母为热阻；

B——修正系数，见表 5-3-4。

表 5-3-3 α_0、α_1 表

围护结构的种类	α_0	α_1
外墙面、平屋面	20.0	7.5
热流由下往上传的模板	10.0	7.5
热流由上往下传的模板	5.0	5.0
双层窗门	20.0	9.0

2. 进料口冷空气渗入耗热量(H_2)

$$H_2 = \frac{n}{3} V(T_B - T_a) \tag{5-3-16}$$

式中 $\frac{1}{3}$——空气比热与容重乘积的近似值，kcal/(m^3·℃)；

n——每小时换气次数，可选 1～3 次/h；

V——棚内空间体积，m^3。

3. 进料吸热量(H_3)

$$H_3 = W_g C(T_B - T_s) B_k \tag{5-3-17}$$

式中 W_g——进料及工具等重量，kg/h；

C——相应的比热；

T_s——进料入棚前的温度；

B_k——吸热系数，见表 5-3-5，B_k 随存放时间加长而递减，吸热量递增。

4. 基础或老混凝土吸热量(H_4)

$$H_4 = \frac{F}{10} \rho C B_g (T_B - T_F) \tag{5-3-18}$$

式中 F——基础或老混凝土面积，m^2；

ρ——与 F 相应的容重，kg/m^3；

T_F——相应的表面温度；

B_g——吸热系数，见表 5-3-6。

表 5-3-5 和表 5-3-6 为累计系数。如 4 小时 $B_g = 0.20$，6 小时则 $B_g = 0.20 + 0.15 = 0.35$，其余类推。

表 5-3-4　B 及 β 值表

保温围护层构造		β 值，当 B 为				保温层围护种类	B_1	B_2
		2.60	2.00	1.60	1.30			
稻草或芦苇板组成，厚度	5cm	3.47	2.65	2.10	1.70	1. 由易透风的材料组成	2.60	3.00
	10cm	1.75	1.35	1.10	0.90	2. 由易透风的材料组成，但混凝土表面铺一层不易透风的保温材料		
	15cm	1.20	0.90	0.75	0.60		2.00	2.30
箱形保温：模板厚 2.5cm，覆板厚 2.0cm，锯末填充其总厚度为	10cm				0.80	3. 由易透风的材料组成，在围护层外面铺一层不易透风的保温材料		
	15cm				0.60		1.69	1.90
	20cm				0.45	4. 围护层是易透风的材料，而上下层各铺一层不易透风的材料		
模板厚度 2.5cm，棉麻毡保温，总厚度为	12.5mm				2.75		1.30	1.50
	25.0mm				1.80	5. 纯由不透风材料组成的围护层	1.30	1.50
	37.5mm				1.35			
	50.0mm				1.10			
	62.5mm				0.90			
无模板，棉麻毡保温，厚度	12.5mm				4.35			
	25.0mm				2.55			
	37.5mm				1.65			
	50.0mm				1.20			
锯末层保温，厚度	10.0cm	2.00	1.55	1.25	1.00			
	15.0cm	1.35	1.05	0.85	0.70			
	20.0cm	1.05	0.80	0.65	0.63			

注：1. B_1 为风速＜4m/s，位于高于水平≤25m；B_2 为刮大风情况。

2. 不易透风材料指焦油毡，棉麻毡，胶合板，装得好的模板。易透风材料指芦苇板，稻草板，锯末，炉渣等。

表 5-3-5　B_k 表

料物种类	存放时间(h)					
	第 1 时	第 2 时	第 3 时	第 4 时	第 5 时	小计
散粒料物	0.40	0.25	0.15	0.1	0.05	0.95
非散粒料物	0.50	0.30	0.20			1.00

表 5-3-6　B_g 表

加热历时(h)	4	6	8	10
B_g	0.20	0.15	0.10	0.05

暖棚加热时最大需热量

$$H = H_1 + H_2 + H_3 + H_4 + \Delta H \tag{5-3-19}$$

式中：ΔH 为各类热损失；其他符合意义同前。

式(5-3-18)表示基础或老混凝土在暖棚内自然吸热。如 T_F 在 0℃以下，基础或老混凝土必须浇前加热时，则要求基础深 y 处应达到规定的温度 T_u。

$$T_u = T_F + (T_{(u,t)} - T_F)\left[1 - f\left(\frac{y}{2\sqrt{at}}\right)\right] \tag{5-3-20}$$

式中　T_F——表面温度，可取最冷月平均气温；

$T_{(u,t)}$——加热温度，宜用 30～40℃，避免损失热量过多及产生过大岩石温度应力；

a——基岩导温系数；

t——加热时间。

$f\left(\frac{y}{2\sqrt{at}}\right) = 1 + \frac{T_F}{T_{(u,t)} - T_F}$为克拉姆朴函数，查图 5-3-3 得 n 代入式(5-3-20)算得 T_u。并令$\frac{y}{2\sqrt{at}} = n$ 试算出 y 与 t。如不符合要求，调整 $T_{(u,t)}$ 重算。根据《水工混凝土施工规范》(SDJ207—82)规定：加热深度 $y \geqslant 10$cm，加热至正温，可用 2～3℃。

加热需要的热量 Q

$$Q = Fy_0\rho C\left(\frac{T_{(u,t)}}{2} - T_F\right)\frac{n_k}{t} \tag{5-3-21}$$

式中　n_k——隔热层散热、基础吸热及供热速度而变化的耗热系数，一般为 2～3。

四、电加热养护

如混凝土需加热才能防冻或需缩短养护时间时，可以通电提高温度。桓仁大坝曾用电加热提高下层温度以减少上下温差。根据云峰电站统计资料，电加热 600m³ 混凝土需耗电20kW·h。

通电产生的热量

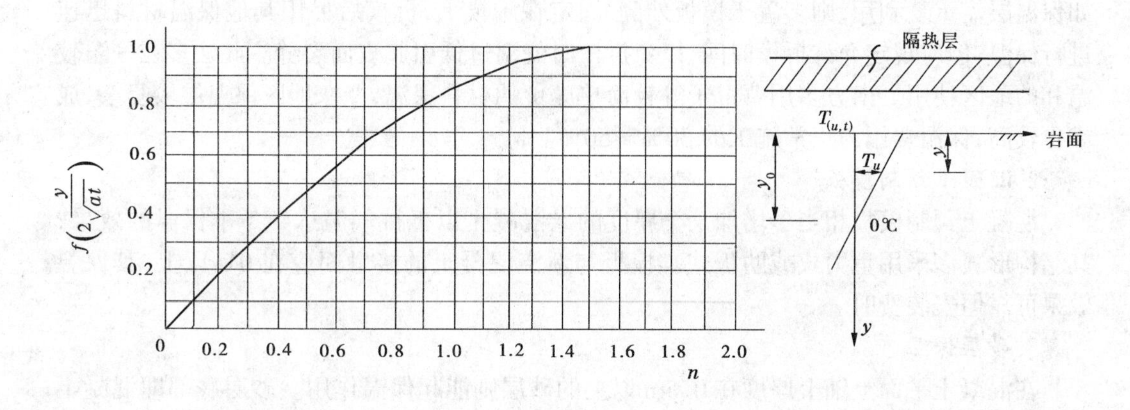

图 5-3-3

$$H = 0.864 I^2 Rt \quad (\text{kcal/h}) \tag{5-3-22}$$

式中 I——电流，A；

R——电阻，Ω；

t——通电时间，h。

使用电压一般为 50～110V，$M>6$ 时，每小时加热不超过 8℃；$M<6$ 时，每小时不超过 5℃。

恒仁电加热经验，布孔成梅花形，孔距采用 1.5m（最好 1.0m）。在加热深度范围钻孔放电阻丝，7～10 个孔串联成一组，用 380V 电压（未发现混凝土带电现象）。加热孔内一般温度 50℃左右。混凝土温度分布情况见表 5-3-7。

表 5-3-7　混凝土温度分布情况

项目	距表面（cm）			距加热孔（cm）	距表面（cm）		
	0	75	150		125	75	25
加热前温度	−7.2	−5.2	−3.0	20	3.7	7.3	12.0
加热后温度	+7.2	+4.0		75	2.0	4.5	9.0

注：表中左右两部分不是一个测孔资料。

在有暖棚情况下，66 小时后可使混凝土平均升温 7～9℃。无暖棚表面用草垫子保温时 4～5d 后亦可达到该温度。

五、保温措施

1. 保温模板

如冬季气温较低，模板（钢板模不保温）不足以防冻，则需增加保温层。保温层有单层材料或多层材料或两层硬材料之间填充散粒保温材料组成。如需长期表面保护时，多在木模内侧贴保温材料（如气垫薄膜、岩棉），拆模后保温材料则贴在混凝土表面，不再拆除。

如保温层需重复利用,则多置于模板外侧,固定在木模上,拆模后另用其他保温材料迅速进行保温,但应规定允许拆模时间,以免拆模时气温过低引起表面裂缝。此法多在气温较温和的地区使用。南方多用草帘子等较简单廉价的材料保温,严寒地区保温层较复杂,成本也较高,保温费用为正常施工的30%~50%。

2.混凝土预制模板

混凝土预制模板相当于增加某个厚度的老混凝土以抵抗气温达到冬季保温的效果,其结构形式多采用重力式或肋板式。模板与新浇混凝土的接触面应在0℃以上,其保温效果可靠但安装费时。

3.砂层保温

在混凝土平面上铺上厚度在0.5m以上的砂层则能起保温作用。砂层底部即混凝土表面温度变幅 T_L 为:

$$T_L = A\mathrm{e}^{-\sqrt{\pi/aP}\left(d+\frac{\lambda}{\beta}\right)} \tag{5-3-23}$$

式中 A——气温变幅;

P——周期;

d——砂层厚度;

β——砂层表面放热系数。

式(5-3-23)是按半无限体推导的,周期可根据寒潮或气温变化选定。砂的热学性能见表5-3-8,砂层的长短期保温效果见表5-3-9。

表 5-3-8 砂热学性能表

材料	λ (kcal/(m·h·℃))	比热 C (kcal/(kg·℃))	a (m^2/h)	容重 ρ (kg/m^3)
干砂	0.28	0.19	0.000 985	1 500
湿砂	0.97	0.50	0.001 17	1 650

表 5-3-9 沙层保温 T_L/A 表

<table>
<tr><th colspan="3" rowspan="2">砂层厚度(m)</th><th colspan="3">湿砂</th><th rowspan="2">0.5</th><th rowspan="2">1.0</th><th rowspan="2">1.5</th><th rowspan="2">2.0</th></tr>
<tr><th>0.1</th><th>0.2</th><th>0.3</th></tr>
<tr><td rowspan="5">周期</td><td colspan="2">1d</td><td>0.21</td><td>0.07</td><td>0.02</td><td></td><td></td><td></td><td></td></tr>
<tr><td colspan="2">4d</td><td>0.45</td><td>0.26</td><td>0.16</td><td></td><td></td><td></td><td></td></tr>
<tr><td colspan="2">10d</td><td>0.61</td><td>0.43</td><td>0.31</td><td></td><td></td><td></td><td></td></tr>
<tr><td rowspan="2">1a</td><td>干砂</td><td></td><td></td><td></td><td>0.73</td><td>0.54</td><td>0.40</td><td>0.30</td></tr>
<tr><td>湿砂</td><td></td><td></td><td></td><td>0.76</td><td>0.58</td><td>0.44</td><td>0.33</td></tr>
</table>

4.积水保温

一般作为浇后临时保温措施。一天以后积水20~30cm,可使混凝土表面保持在0℃以上,但积水深度必须大于可能结冰的厚度。结冰厚度采用逐时段计算。冰层厚度 $\Delta\psi$ 增量为

$$\Delta\psi = -\frac{\Delta t}{\rho\omega}\left[\frac{\lambda_1\left(T_a + \frac{M}{\beta}\right)}{\psi\lambda_1/\beta} + \frac{\lambda_2 T_3}{D-\psi}\right] \tag{5-3-24}$$

式中 ρ——水容重；

ω——水潜热(80kcal/kg)；

λ_1——冰导热系数；

β——冰面与空气热交换系数；

λ_2——水导热系数，0.5kcal/(m·h·℃)；

D——积水深度；

ψ——t 时的冰层厚度；

M——太阳辐射热；

T_a、T_3——气温及混凝土表面温度。

第四节 冷热容量计算及设备选择

根据上述基础、上部混凝土及上下允许温差与冬季防冻等温控计算的混凝土各月浇筑温度，确定骨料加热或冷却的要求；二期水管冷却水温(一期冷却一般用河水)，按混凝土浇筑进度及纵横灌浆进度的冷却要求计算出历年各月的冷热负荷曲线，作为选择冷热设备的依据。由于各种原因冷热损失很大，在一般情况下，制冰冷损 10%～15%，冷风 20%～25%，蒸汽 30%，冷却水量损失 20%。考虑各月冷热容量变化，便于开启调度氨压机，选择合适的单机容量及台数。氨压机制造时规定了蒸发及冷凝温度，此时的制冷量称为标准工况的制冷量 Q_1，现场情况确定的制冷量 Q_2，称为设计工况。$Q_2 = KQ_1$，K 为换算系数，根据确定的蒸发及冷凝温度查表 5-4-1。以 Q_1 向厂家订货。

氨压制冷循环如图 5-4-1。

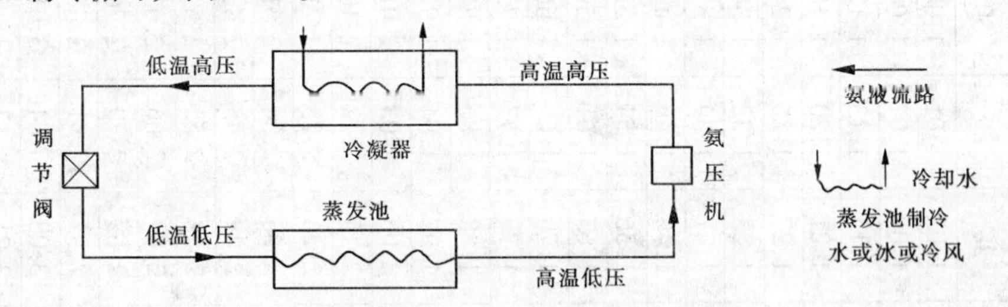

图 5-4-1 氨压制冷循环示意图

蒸发温度即制冷剂(氨液)在蒸发池中沸腾时的温度 t_z

$$t_z = t_2 - (4 \sim 6)℃ \tag{5-4-1}$$

式中：t_2 为蒸发池中载冷剂(如水)的出口温度，如冷却水为 2℃，制冰盐水为 -10℃等。

冷凝温度即制冷剂在冷凝器中凝结时的温度 t_1

$$t_1 = t'_2 - (4 \sim 5)℃ \tag{5-4-2}$$

式中：t'_2 为冷却水出口温度，一般进口水温为河水温度，进出口水温之差为 4～6℃。

表 5-4-1　立式或 V 型氨压机制冷量换算系数 K

t_z	t_1															
	25	26	27	28	29	30	31	32	33	34	35	36	37	38	39	40
−15	1.07	1.06	1.04	1.03	1.01	1.00	0.99	0.98	0.96	0.95	0.94	0.93	0.91	0.90	0.88	0.87
−14	1.13	1.12	1.10	1.09	1.07	1.06	1.05	1.04	1.02	1.01	1.00	0.98	0.97	0.95	0.94	0.92
−13	1.19	1.18	1.16	1.15	1.13	1.12	1.11	1.09	1.08	1.06	1.05	1.03	1.02	1.00	0.99	0.97
−12	1.26	1.24	1.23	1.21	1.20	1.18	1.17	1.15	1.14	1.12	1.11	1.09	1.08	1.06	1.05	1.03
−11	1.32	1.30	1.29	1.27	1.26	1.24	1.22	1.21	1.19	1.18	1.16	1.14	1.13	1.11	1.10	1.08
−10	1.38	1.36	1.35	1.33	1.32	1.30	1.28	1.27	1.25	1.24	1.22	1.20	1.18	1.17	1.15	1.13
−9	1.46	1.44	1.42	1.41	1.39	1.37	1.35	1.34	1.32	1.31	1.29	1.27	1.25	1.24	1.22	1.20
−8	1.63	1.51	1.49	1.48	1.46	1.44	1.42	1.41	1.39	1.38	1.36	1.34	1.32	1.30	1.28	1.26
−7	1.61	1.59	1.57	1.56	1.54	1.52	1.50	1.48	1.46	1.44	1.42	1.40	1.38	1.37	1.35	1.33
−6	1.68	1.66	1.64	1.63	1.61	1.59	1.57	1.55	1.53	1.51	1.49	1.47	1.45	1.43	1.41	1.39
−5	1.76	1.74	1.72	1.70	1.68	1.66	1.64	1.62	1.60	1.58	1.56	1.54	1.52	1.50	1.48	1.46
−4	1.85	1.83	1.81	1.79	1.77	1.75	1.73	1.71	1.68	1.66	1.64	1.62	1.60	1.58	1.56	1.54
−3	1.94	1.92	1.90	1.88	1.86	1.84	1.82	1.80	1.77	1.75	1.73	1.71	1.68	1.66	1.63	1.61
−2	2.04	2.02	1.99	1.97	1.94	1.92	1.90	1.88	1.85	1.83	1.81	1.79	1.76	1.74	1.71	1.69
−1	2.13	2.11	2.08	2.06	2.03	2.01	1.99	1.97	1.94	1.92	1.90	1.87	1.84	1.82	1.79	1.76
0	2.22	2.20	2.17	2.15	2.12	2.10	2.08	2.05	2.03	2.00	1.98	1.95	1.92	1.90	1.87	1.84
1	2.33	2.31	2.28	2.26	2.23	2.21	2.18	2.16	2.13	2.11	2.08	2.05	2.02	2.00	1.97	1.94
2	2.44	2.41	2.39	2.36	2.34	2.31	2.28	2.26	2.23	2.21	2.18	2.15	2.12	2.10	2.07	2.04
3	2.56	2.53	2.50	2.48	2.45	2.42	2.39	2.36	2.34	2.31	2.28	2.25	2.22	2.19	2.16	2.13
4	2.67	2.64	2.61	2.58	2.55	2.52	2.49	2.46	2.44	2.41	2.38	2.35	2.32	2.29	2.26	2.23
5	2.78	2.75	2.72	2.69	2.66	2.63	2.60	2.57	2.54	2.51	2.48	2.45	2.42	2.39	2.36	2.33
6	2.91	2.88	2.85	2.82	2.79	2.76	2.73	2.70	2.66	2.63	2.60	2.57	2.54	2.50	2.47	2.44
7	3.05	3.02	2.98	2.95	2.91	2.88	2.85	2.82	2.78	2.75	2.72	2.69	2.66	2.62	2.59	2.56
8	3.18	3.15	3.11	3.08	3.04	3.01	2.98	2.94	2.91	2.87	2.84	2.81	2.77	2.74	2.70	2.67
9	3.32	3.28	3.24	3.21	3.17	3.13	3.10	3.06	3.03	2.99	2.96	2.93	2.89	2.86	2.82	2.79
10	3.45	3.41	3.37	3.34	3.30	3.26	3.22	3.19	3.15	3.12	3.08	3.04	3.01	2.97	2.94	2.90

蒸发温度越高,冷凝温度越低,制冷量越大。

冰块需破碎入拌和机并需延长拌和时间。工程中有改用片冰的趋势,已有不少工程采用,可以克服冰块的上述缺点,但因冰薄易溶化使冷损失增大,故需布置在拌和楼一侧,以便直接入仓。国产片冰机 PBL—15 型(葛洲坝工程制造)规格性能如下:产冰 15t/d,电功率 22kW,片冰厚 2~3mm,制冷剂 NH_3,耗冷量 10 万 kcal/h;自重 5t,外形尺寸为2 340×1 620×1 620(高×宽×长);制冰部分为圆筒,筒内为制冷(相当于蒸发池)系统,外侧喷水结冰,刮刀刮下。

根据热负荷(骨料加热、生产车间保温、模板及地基加热等)计算蒸汽量及蒸汽压力选择锅炉。蒸汽量(S)计算式

$$S = \frac{\eta \sum H}{i_n - i_k} \tag{5-4-3}$$

式中 η——损失系数,可用 1.3;

$\sum H$——总负荷;

i_n、i_k——干蒸汽及饱和蒸汽的焓,其值可查表 5-4-2。

表 5-4-2 饱和蒸汽参数表

P (kg/cm²)	t(℃)	r	V'	V''	i_k	i_n	$i_n - i_k$
0.006 228	0	597.3	0.001 000 2	206.30	0	597.3	597.30
0.010 000	6.698	593.5	0.001 000 1	131.70	6.73	600.2	593.47
0.012 513	10.000	591.7	0.001 000 4	106.42	10.04	601.7	591.66
0.015 000	12.737	590.1	0.001 000 7	89.64	12.78	602.9	590.12
0.023 830	20.00	586.0	0.001 001 8	57.84	20.04	606.0	585.96
0.035 000	26.359	582.4	0.001 003 4	40.22	26.39	608.9	582.51
0.032 50	30.000	580.4	0.001 004 4	32.93	30.02	610.4	580.38
0.060 00	35.820	577.2	0.001 006 4	24.18	35.84	613.0	577.16
0.075 2	40.000	574.7	0.001 007 9	19.55	40.01	614.7	574.69
0.1	45.450	571.6	0.001 010 1	14.95	45.45	617.0	571.55
0.5	80.86	550.7	0.001 029 6	3.299	80.86	631.6	550.74
1.0	99.09	539.5	0.001 042 8	1.725	96.18	638.7	542.52
1.6	112.73	530.8	0.001 053 8	1.111	112.96	643.8	530.84
2.0	119.62	526.4	0.001 060 0	0.901 9	119.94	646.3	526.36
2.6	128.08	520.6	0.001 067 8	0.705 5	128.60	649.2	520.60
3.0	132.88	517.3	0.001 072 6	0.616 0	133.50	650.8	517.30
3.5	138.19	513.5	0.001 078 0	0.533 8	138.90	652.4	513.50

续表 5-4-2

P (kg/cm²)	t(℃)	r	V'	V''	i_k	i_n	$i_n - i_k$
1.5	111.00				111.20	643.4	532.70
2.5	126.80				127.60	649.1	521.50
4.0	142.92	510.2	0.001 082 9	0.470 8	143.70	653.9	510.20
4.5	147.20	507.1	0.001 087 5	0.421 5	148.10	655.2	507.10
5.0	151.11	504.2	0.001 091 8	0.381 8	152.10	656.3	504.20
6.0	158.08	498.9	0.001 100 0	0.321 4	159.40	658.3	498.90
7.0	164.17	494.2	0.001 107 0	0.277 8	165.70	659.9	494.20
8.0	169.61	489.8	0.001 114 0	0.244 8	171.40	661.2	489.80

注: P 为蒸汽压力,t 为饱和温度,V'为蒸汽饱和温度时比容(m^3/kg),V''为干蒸汽时比容(m^3/kg),i_k 为蒸汽饱和温度时的焓(kcal/kg),i_n 为干蒸汽时的焓(kcal/kg),r 为水汽化热(kcal/kg)。

蒸汽压力可通过管路布置计算,初步选定锅炉时按下式估算

$$P = \frac{14L}{0.65} + 200 \tag{5-4-4}$$

式中　L——锅炉到最远放热点的距离,m;

14——管内最大流速限制时的单位管长最大摩阻损失;

0.65——管路压力损失占总损失的比例;

200 或 0.02kg/cm²——最远放热出口最低的蒸汽压力。

根据蒸汽量及蒸汽压力选定锅炉。

本章各项计算均是为了选定设备,具体设计需参见各有关专业文献。

第六章 混凝土裂缝分析

第一节 混凝土裂缝状况

由于各种原因,混凝土在施工期及以后的长期运用中均有可能产生裂缝。要完全避免裂缝是很难的。有了裂缝必须调查其形态、发生原因,研究它的稳定性,以便采取针对性措施,防止事态发展。

一、裂缝形态及其调查要求

混凝土裂缝有温度冷缩裂缝、干缩裂缝、冻裂、碱骨料反应(包括沸石与水泥中石灰置换游离出碱)膨胀裂缝、碳化裂缝、硫化物氧化裂缝、硫酸盐及其他空中有害气体侵蚀混凝土又引起钢筋锈蚀产生的裂缝等。前三种一般在施工期产生,其他各种一般在运用期发生。如施工期较长,混凝土质量欠佳,则碱骨料反应及碳化裂缝也可能在施工期出现。

冷缩裂缝形态一般是条状或几个条状缝相交,深度由冷缩拉应力大小决定;干缩缝多是散乱状、缝浅;碱骨料缝成网状,缝内有反应圈;碳化缝细,如裂缝深度达到钢筋,则缝将沿锈蚀钢筋方向发展,缝面可用化学检验得到印证;冻裂主要为疏松脱落;其他各种裂缝往往与钢筋锈蚀膨胀交会在一起,无明显特征。

前三种以外的裂缝实例很多,一般均需修补或重新修建。如巴西墨克索托1974年建成一电厂,因碱骨料膨胀裂缝,1983年初发现并逐年恶化,可能使40万kW电站停机。美国怀尔德霍斯因开裂严重,只得另建新坝。西班牙的波托台摩罗斯坝由于混凝土中的硫化物发生氧化而产生膨胀裂缝。海水(硫酸盐)侵蚀与碳化联合裂缝在我国沿海省份的混凝土建筑物中非常普遍。

碱骨料反应属于混凝土骨料选择及配比试验问题,碳化裂缝在施工期可能发生,温控工作应予重视。为能将其与前三种缝区分清楚,将其简述如下。

(一)碱骨料反应

碱骨料反应膨胀简称为碱骨料反应,它是由骨料中含有无定形的二氧化硅(SiO_2)与水泥中的碱(NaO、K_2O)起反应产生的。它可分为三类:碱—硅酸反应(Alkali-Silica Reacton,简称ASR);碱—硅酸盐反应(Alkali-Silica Reacton)及碱—碳酸反应(Alkali-Carbomate Reaction)。前二者是结晶良好的硅酸盐岩石活性骨料的反应,第三种是碳酸盐岩石活性骨料发生的反应。

反应产生的缝内或裂缝处的混凝土外表面有干涸的或黏稠状的硅酸钠(钾)胶体物质。若为碳酸盐活性骨料则是$Mg(OH)_2$,即水镁石,其体积膨胀可达94%~124%(水泥中MgO过多也会产生膨胀破坏,水泥制造规程规定一般$MgO \leqslant 5\%$)。活性骨料周边或部分有明显的颜色和化学成分的改变,此部分称为反应环或反应带。用20~30倍的显微镜可以看出此现象。

以重量计的水泥含碱量计算式为

$$A = B + 0.65C$$

式中 A——水泥中碱的含量；

B——水泥中 NaO 的含量；

C——水泥中 K_2O 的含量。

碱与活性骨料吸取混凝土孔隙水起反应，其速度与温度成正比，反应时间较长，一般需一年或数年完成，可以通过试验计算出反应历时长短。为了防止碱骨料反应产生危害，有的国家规定混凝土中含碱量：英国，小于或等于 3.0kg/m^3；新西兰，3.5kg/m^3；南非，2.1kg/m^3；日本，3.0kg/m^3。我国规定水泥含碱量不超过 0.6%。混凝土中有一个安全含碱量，当碱硅比$(K_2O+NaO)/SiO_2$小于某一值时亦即当水泥含量小于活性骨料相应的水泥安全含碱量时不产生膨胀。根据国内近年来的实际资料，骨料一般都有部分活性，但是如与水泥中的碱含量协调好也就无危害了。抑制碱骨料反应多在混凝土胶结材料中掺活性混合料，如烧白土、火山灰、矿渣，而最常用的是粉煤灰，其用量可通过试验确定。

活性骨料的鉴定。可先用肉眼进行初定，挑选出可疑活性骨料，然后再用化学法试验(也可在肉眼初定后进行磨片鉴定)。当 $R_c > 70, S_c > R_c$ 或 $R_c < 70, S_c > 35 + \frac{R_c}{2}$ 时定为活性骨料(S_c 为 SiO_2 含量，R_c 为试验后碱性降低值)。最后若需要确定是否有危害的膨胀反应则需进行长度法试验。将活性骨料掺入骨料的混合砂浆量，测 3 个月和 6 个月的膨胀长度 Δl，如 3 个月 $\Delta l < 0.05\%$，6 个月 $\Delta l < 0.1\%$ 并以 6 个月龄期为准，则不属碱骨料危害反应，否则应进行掺混合料抑制碱反应试验。国内经验，掺煤灰 20%～30% 即可抑制碱危害反应。

(二)碳化裂缝

混凝土存在孔隙，吸收空气中的 CO_2 与混凝土中 $Ca(OH)_2$ 生成 $CaCO_3$ 引起收缩。此种化学反应，即使 CO_2 浓度很低时也能产生。混凝土碳化由表及里发展直至外界空气渗透不进之处为止。它与水泥品种、掺合料、水灰比、标号等均有关系，总起来说，凡混凝土紧密、孔隙少，则碳化深度浅而慢，反之则快。根据建筑部门试验，7 天龄期以前无碳化现象，28 天龄期即可发生。碳化后使混凝土变硬收缩，提高了混凝土表面的抗压强度，在用回弹法测定混凝土强度时应考虑它的影响。

判定碳化裂缝时，可将缝凿开，吹去灰渣，用喷雾器喷浓度 1%(可以试验确定)的酚酞酒精溶液，未碳化的混凝土仍有游离的 $Ca(OH)_2$ 呈淡红色或紫红色(掺煤灰混凝土)，如已碳化则颜色不变。

(三)冷缩裂缝

冷缩裂缝一般为垂直缝。由于铅直向有混凝土自重，一般不会发生水平缝，即使发生也多在顶面下压重较薄之处，并常在施工层面上；造成这种情况的原因主要是施工质量较差，层面处理不好，如层面冻结，泌水未排，清理不彻底，捣实不够等，当发生一定温度应力即产生裂缝。

发现裂缝后，如果是冷缩缝或干缩缝，应查明浇筑配比、浇后至发生裂缝日期的气温变化(包括寒潮日变差),表面保护,天气湿度蒸发,施工质量及其他可能促使裂缝发生等因素。同时查明缝长、缝宽、位置及该位置上下混凝土配比浇筑情况。如果裂缝严重,还可采取超声波、钻孔压水试验等方法探明其范围,再进行室内分析计算,提出改进意见。

二、我国混凝土坝裂缝情况

1960年以前,我国在大体积混凝土施工中非常重视温控设计并开展了不少研究工作,当时修建的三门峡、新安江等大坝,混凝土质量很好,裂缝很少,几乎可以忽视。1960年以后"大跃进"时期,基本上忽视温控工作,单纯追求进度,大坝出现了很多裂缝并存在不少严重裂缝。刘家峡基础混凝土块、丹江口前期浇的混凝土裂缝很严重,最后前者被炸除,后者在上游面作防渗混凝土板以补救。丹江口曾停工并组织温控研究组,开展大规模现场试验研究工作,发表了一批研究成果。柘溪大头坝为节省水泥用量掺了较多的烧白土,由于温控不严,对裂缝研究不够,施工期的小裂缝在大坝运用10年后遇低温来水发展成长达十余米的劈头缝,处理后,另一坝垛在第二个10年时又同样发生了劈头缝。经过整顿后,刘家峡、丹江口的裂缝大为减少,尤以刘家峡使用了具有微膨胀水泥防裂效果很好。1967~1980年,建设项目较少,又忽视温控工作,个别坝取消冷却水管使纵缝灌浆无法施工,长期压低蓄水位运行,或裂缝很多,需长时间进行处理。1980年以后,温控工作再次得到重视,对发现的问题进行研究并及时开展全国性交流,同时广泛采用有限元计算,使温控设计工作大大提高一步。

部分混凝土大坝裂缝情况见表6-1-1。

表6-1-1　部分混凝土坝体裂缝情况

坝名	坝型	裂缝总条数	均值(条/万 m^3)	严重缝条数	备注
丹江口	宽缝	2 426/901	26.9/4.5		前期/后期浇筑
黄龙潭	宽缝	728	6.0	28	
凤滩	空腹拱	460	4.9		
参窝	重力	373	7.5	52	低坝
青铜峡电站	闸墙式	1 566	23.0	44	溢流发电坝间隔布置
桓仁	大头	1 986/50	24.9/1.2		
枫树坝	宽缝	225	2.9	66	
葛洲坝一期	河床式	3 156	4.1		低坝
东江前期	双曲拱	89	13.3	23	严重干缩
潘家口前期	宽缝	169		48	
故县	重力	377	2.4	13	13条为贯穿缝
诺里斯(美)					50%浇筑块有缝
布拉茨克(苏)	宽缝	3 544	8.1	210	
乌斯契里姆斯克(苏)	重力	1 652		12~13	
克拉斯诺雅尔斯克(苏)		1 289		10	

注:严重缝包括贯穿缝、深层缝。

经过统计,以下各方面容易引起裂缝,温控工作中应予注意,提出解决措施。

(1)混凝土的允许温差,在温控设计中定得太大或施工时的实际最高温度过高,内外温差裂缝可能在早龄期出现,其他温差多出现在晚期。

(2)寒潮或日气温变化大时防护不当,裂缝多出现在1个月龄期以内。

(3)混凝土长期暴露在外面,而内部温度又较高,年气温变化影响或叠加寒潮引起裂缝,浇后几年均可能发生或逐渐扩展,尤其在浇后第一个冬季更易发生。

(4)坝体泡水或基础混凝土块泡水,尤其是地下渗水浸泡形成大的内外温差而开裂,浇后不久即遇水浸泡更应注意。

(5)选择基岩弹模偏低或浇筑块范围内基岩弹模软硬变化大,实际基岩弹模大。

(6)薄层长间歇混凝土尤以双向约束部位更易裂缝。

(7)坝体外表面降温过快(包括冷却水管),温度梯度大而产生裂缝。

(8)多次连续的较大气温变化(每次降温应力接近混凝土抗拉强度),使混凝土出现振动疲劳降低了混凝土的抗拉强度而最后导致裂缝。

(9)分层分缝与温控要求不协调或实际超温过多。基岩棱角凸出,在一个浇筑块内开挖形状高低相差较大产生应力集中。

(10)浇筑块并缝、溢流面等二期混凝土、厂房发电机以下部分以及复杂结构,都是几种温差应力叠加或增加较大的结构温度应力区,处理不善将发生较多较大的裂缝。

(11)气候干燥多风,表面保护不好,造成干缩裂缝并与内外温差应力叠加而形成表面裂缝多、个别缝长。

(12)混凝土标号过高,一仓内有两种以上的标号,标号之间相差过大(一般要求应不超过50号),水泥品种的抗裂性能差异较大。

三、裂缝分类

裂缝可依其危害程度及缝的大小深浅分类,以便归纳描述,目前尚未界定各类裂缝。水电工程一般将裂缝分为贯穿缝、深层缝及表面缝3种。

贯穿缝指贯穿全仓的水平、铅直缝或坝块缝深大于两个浇筑块,或侧面缝长大于8~10m或$\frac{1}{3}$坝块宽度的裂缝。其中以基础混凝土贯穿缝最为严重,它破坏坝的整体性,如不处理将改变大坝运用期的应力状况。

深层缝的表面缝宽0.2~0.4mm,深1~5m,长度大于2m,小于1/3坝块宽度或贯穿2~3个浇筑层(层厚小于3m)。此类缝多由表面缝逐渐扩展而成,其危害程度逊于贯穿缝,一般也应进行处理,或仅作表面封闭处理。

表面缝占全部裂缝的绝大部分,缝窄浅,有时可自行封闭。其危害程度较小,除上游面较大的表面缝应进行封闭处理外,一般不需处理。目前此类缝很难避免,但亦应重视,及时改变形成裂缝的条件,防止逐步发展成为深层裂缝。永久暴露坝面也要注意影响外观,在防护措施上应从防裂着手。

四、典型裂缝实例

实例见表6-1-2。

表 6-1-2 典型裂缝实例表

坝名	坝型	时间		裂缝情况	裂缝主要原因
		浇筑	裂缝		
丹江口	宽缝	1961.4～9	1961.11	裂缝 44 条．顶面两条垂直相交表面缝 1963 年成为贯穿缝	100 号混凝土 180 天抗拉强度仅 0.7～0.9MPa，气温骤降 11℃
			浇后 27 天	第一次寒潮降 9.1℃，坝下右棱角裂 5 条缝，第二次寒潮降 12.9℃成为贯穿缝，第一次与第二次寒潮相隔 12 天	断层塞，长 30～35m，高 10m，最高温度达 35～38℃，混凝土受三向约束，温度过高
			浇后 142～192 天	三个导流墙（底孔）及底板贯穿缝长约 10m	混凝土最高温度 48℃，降温 36～38℃，内外温差 25℃，底板先浇两个月，产生约束
故县	重力	1982.11 1983.4	1983.9～1984.1	水平缝 8 条，最长裂缝几乎绕浇筑块一周，缝深 1.5～2mm，长 1～5m，5 条出现在施工层面上	混凝土质量差，拆模时间不当。表面无保护。连续 4 次寒潮，造成施工层面受冻及处理不好，因气温变化及汛期泡水造成混凝土表面有 0.33mm 疏松层
		1983.8～9	1983.10	基础约束以外底孔边墙，过水后裂缝长 6.7m	龄期 12 天过水，过水压力 1.66MPa，超过 12 天混凝土抗拉强度 1.04MPa
		1981.5	1982.1	基础面第一层 7m×17m×1.5m。中间断裂，宽 2～3mm，上宽下窄	降温 24℃，超冷 6℃，双向约束
		1983.13.16	1983.12.27	泄水底孔底板沿坝轴向钢筋两端，顺水流向形成长裂缝，串穿全浇筑块长	边样钢筋从底板伸出，有如肋条散热，使素混凝土与钢筋混凝土间形成温差，产生剪切破坏
			早龄期	表面裂缝 29 条	连续 5 次寒潮，最大一次降 9℃，一般均在 5℃左右
紧水滩	双曲拱	1984.4～8	1984.4～11	水平缝 64 条，只有 5 条不在施工层面上	施工层面处理不好，一期水管冷却过快，日降温幅度达 2.4～3.7℃，通水温差达 25～29℃

续表 6-1-2

坝名	坝型	时间		裂缝情况	裂缝主要原因
		浇筑	裂缝		
乌江渡	重拱	4月		尾水管底板 20m×40m×3.4m，中间断裂	4月份过水，经计算弹性应力 4.2MPa，超过混凝土抗拉强度。后改为20m×20m 浇筑，未出现裂缝
葛洲坝	重力	1982.11		混凝土标号分区处出现 10 条裂缝	相邻混凝土标号 450 号与 200 号，相差较大。同情况下单一低标号区未出现裂缝
白山	重拱			上部混凝土层与层间延伸裂缝 5～10m	每年冬季浇 1～2 个薄层，至来年冬季再浇，裂缝年年延伸
柘溪	大头	1982.11		混凝土标号分区交接处出现深层裂缝	内部混凝土 100 号，水泥 $102kg/m^3$，掺黏土 30%，外部混凝土 200 号，水泥 $176kg/m^3$
		1960.6	1961.4	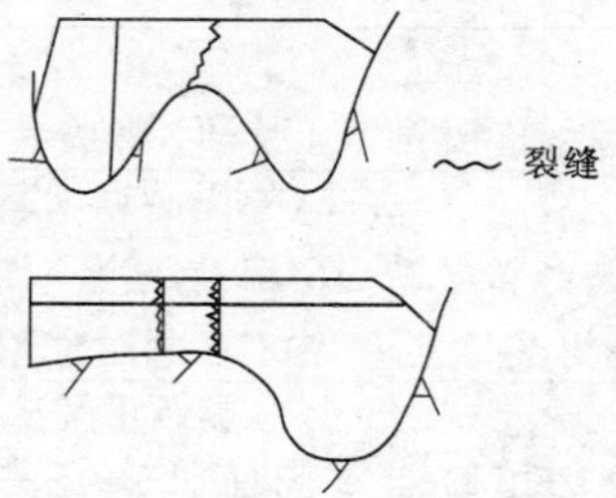 裂缝	基础相差 17m，分层不当，坑内未按填坑温控要求浇，至第三层止缝钢筋才制止裂缝上延 底宽 70m，浇筑层厚 7～9m，基础温差 23.8℃，基础不平整，分缝分层不当
龙羊峡	重拱			牛腿每浇一层的钢筋端部出现裂缝	钢筋混凝土两种材料，该处门槽多，应力集中

第二节　混凝土温度应力的断裂分析

传统的混凝土断裂概念是当应力达到它的极限强度或变形达到极限拉伸混凝土即断裂,不能再承担应力。1920 年格里菲思(Griffith)开始研究,并成功地分析了这个问题。现已由断裂力学发展到损伤力学,充分挖掘了混凝土损伤后的内在潜力,真实地反映了断裂的实际过程。断裂力学主要是在研究金属材料裂缝扩展的基础上发展起来的,以后又发展研究纯脆性材料(如玻璃陶瓷等),但混凝土既具有脆性性质又是弹性徐变体,还存在内部先天微裂纹(水泥浆与骨料的结合面存在微裂纹),扩大时也表现出一定的塑性特征。因此,需对混凝土进行断裂试验分析。

断裂软化分析是由混凝土刚性试验机的拉裂试验提出来的。当混凝土达到弹性极限拉力并不断裂,随时间延长,变形增大,应力减小,当变形(位移)达到最大而应力为零时,混凝土完全断裂,不能再承担应力。在这过程中的应变与应力仍存在一定关系,此即为破损应力阶段。其力学性质不同于未损伤前的各种弹性关系。须研究混凝土先天缺陷的单个微裂纹的分布概率及受力扩展串通成宏观裂缝的过程。

一、混凝土断裂概况与损伤力学

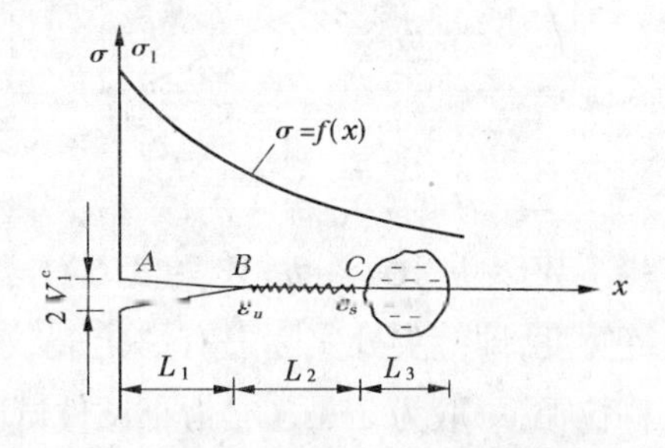

图 6-2-1　混凝土受拉应力断裂分区图

混凝土受拉应力断裂分区见图 6-2-1,L_1 为开裂区,L_2 为软化区,即损伤区,L_3 为弹塑区,可视为无损伤区。L_1 段已不承担应力,外力的能量已全部释放。L_2 段部分能量已释放,一部分仍储存在混凝土内。由于混凝土软化,开裂区尖端消失了应力奇异性,L_2 段应力应变仍存在关系。L_3 区的微裂纹未扩展,未受到损伤,应力应变关系属于弹性阶段,断裂分析中不考虑它的影响。当 σ 较小但超过σ_s 时,断裂 L_1 段可能不出现。

(1)L_2 区的力学关系。根据文献[47]、[48],混凝土损伤按 Sidoroff 的损伤后各向异性损伤模型进行计算。该模型建立在能量等价的基础上,设损伤能量的主轴与应力张量 σ^*、应变张量 ε 的主轴重合。令有效应变张量$\tilde{\varepsilon}=\varepsilon(1-D)^{-1}$,根据线弹性理论,仅考虑单向拉伸时,受损伤材料的弹性能为

$$\rho\psi_e(\varepsilon,D) = \frac{1}{2}E\varepsilon_i^2(1-D)^2 \tag{6-2-1}$$

释放能量为

$$y = E\varepsilon_i^2(1-D) \tag{6-2-2}$$

应力为

$$\sigma' = E\varepsilon_i(1-D)^2 \tag{6-2-3}$$

式中　D——损伤系数,$D=1-\left(\dfrac{\varepsilon_s}{\varepsilon_i}\right)^2$;

E——未损伤弹模,$E=\dfrac{\tilde{E}}{(1-D)^2}$,$\tilde{E}$ 如图 6-2-2 所示。

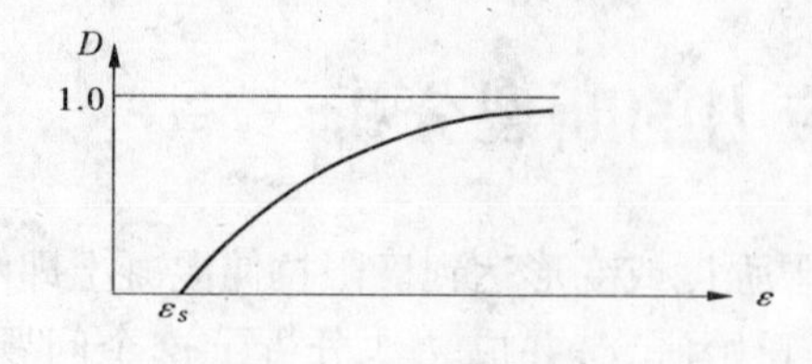

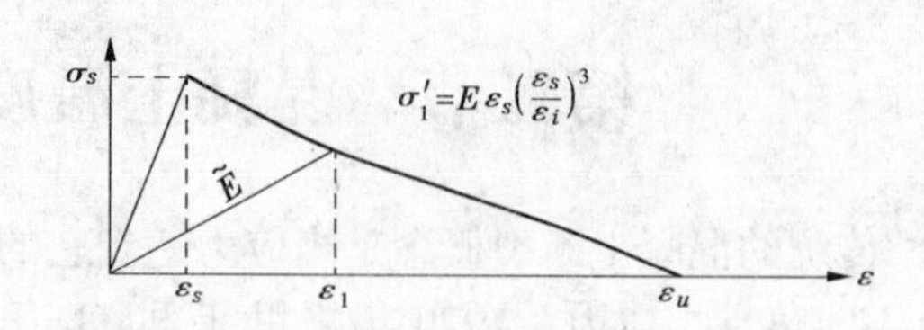

图 6-2-2

(2)L_1 区混凝土已断裂,断裂时的能量已释放,应力更大时将产生位移功。

二、混凝土软化过程及 L_1、L_2 的判别

根据混凝土断裂试验,软化曲线可分为直线型及折线型。直线型是简化型,折线型更符合实际,如图 6-2-3 所示。

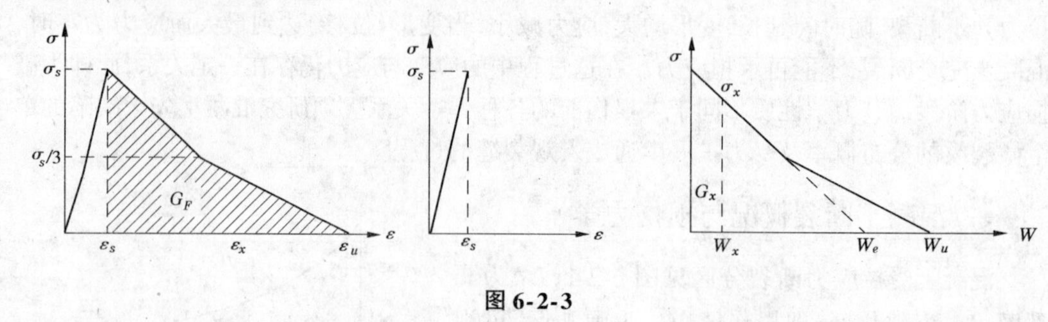

图 6-2-3

$W_e=1.2G_F/\sigma_s h$, $W_u=3.6\ G_F/\sigma_s h$, $\varepsilon_u=\varepsilon_s+W_u$。式中 W_u 为断裂位移;h 为钝裂缝宽度,即缝尖处实际上有一定裂纹宽度,一般等于 $3D_{\max}$;$D_{\max}$ 为试验混凝土的最大骨料粒径,一般为 2cm;G_F 为小试件试验断裂能(N/m),原型尺寸很大,使用时应考虑尺寸效应系数。

ε_s 之前为弹性阶段,ε_s 至 ε_u 为软化阶段,变形达到 ε_u 为断裂开始。从 ε_s 开始有了裂缝并形成了位移。这三个阶段的判断依据为:$\varepsilon_x\leqslant\varepsilon_s$ 为弹性区;$\varepsilon_s<\varepsilon_x<\varepsilon_u$ 为软化区;$\varepsilon_x\geqslant\varepsilon_u$ 为断裂区。$G_x/G_F=\zeta$ 为软化系数。

三、混凝土断裂软化计算

温度应力是随温度变化逐渐积累的。当应力 $\sigma\geqslant\sigma_s$,混凝土进入破损阶段,后一阶段的变形、有效弹模等是在前一阶段损伤基础上增加 $\Delta\sigma$ 形成的。依式(6-2-3)列表计算如表 6-2-1 所示。

从 σ_s 开始假设 σ_2、σ_3、…算至 $\varepsilon_i=\varepsilon_u$,相应的 σ'_i 应等于零,$D=1$,但实际上有误差。以 ε_u 控制,将实际应力曲线各点 σ_x 与表对照判据标准,确定 L_1、L_2 范围,并按式(6-2-9)算出表面缝宽。

四、有筋混凝土断裂软化计算

先计算无筋混凝土的断裂软化深度 L_1、L_2,见表 6-2-1。由于钢筋的阻裂作用,裂缝

状况将缩小。二者之间维持能量平衡即可试算出有筋混凝土的裂缝状况。

表 6-2-1 无筋混凝土断裂软化计算表

i	σ	$\Delta\sigma_i$	$\Delta\varepsilon_i=\dfrac{\Delta\sigma_i}{\widetilde{E}_{i-1}}$	$\varepsilon_i=\varepsilon_{i-1}+\Delta\varepsilon_i$	$D_i=1-\left(\dfrac{\varepsilon_s}{\varepsilon_i}\right)^2$	$\widetilde{E}_i=E(1-D_i)^2$	$\sigma'_i=\varepsilon_i\widetilde{E}_i$
1	σ_s	0	0	ε_s	0	$\widetilde{E}_1$	σ_s
2	σ_2	$\Delta\sigma_2=\sigma_2-\sigma_s$	$\Delta\varepsilon_2=\dfrac{\Delta\sigma_2}{\widetilde{E}_i}$	$\varepsilon_2=\varepsilon_s+\Delta\varepsilon_2$	D_2	$\widetilde{E}_2$	σ'_s
			…	…	…		

1. 钢筋承受的温度应力

温度应力不是外力。钢筋与混凝土同时由本身温度变化而产生变形,二者接触面不脱开就必须满足变形相容条件。钢筋承受的温度应力 σ_t 为

$$\sigma_t = E_s[(\alpha_r - \alpha_s)\Delta T + \varepsilon_n] \tag{6-2-4}$$

式中:α_s、α_c 为钢筋与混凝土的热膨胀系数,$\alpha_s=1.2\times10^{-5}/℃$,$\alpha_c\approx1.0\times10^{-5}/℃$;$\varepsilon_n$ 为混凝土自生体积变形,一般相当于5℃温差的变形;E_s 为钢筋弹模,约 21×10^4 MPa。

如令 $\varepsilon_n=0$,$\alpha_s\approx\alpha_c$,当变形相容时

$$\sigma_t = \frac{E_s}{E_c}\sigma_c \tag{6-2-5}$$

按上述两式计算的 σ_t 为 10~30MPa。

2. 钢筋可以提高混凝土平均抗拉强度

钢筋承受温度拉应力,通过握裹力使混凝土产生压应力以抵消拉应力,相当于提高了混凝土的抗拉强度。

根据文献[31],在有限的混凝土中心埋设钢筋,建立钢筋和混凝土相互作用的并联模型。它反映钢筋的纵向约束,即其两端的约束,以及横向混凝土对钢筋的约束。用弹性理论轴对称问题的解计算出钢筋单位应力的应变,从而算出钢筋单位面积影响混凝土的当量面积 282.3cm²。钢筋表面积 1cm 长的混凝土当量面积为 79.63cm²。设钢筋半径 r_s,当量面积半径 R,算得 $R=12.62\sqrt{r_s}$,亦即钢筋影响混凝土应力的半径。单层钢筋混凝土当量应力 σ_{cp} 为

$$2Rb\sigma_{cp} = \sigma_t A_s + [\sigma_c]\cdot 2Rb \tag{6-2-6}$$

双层或多层钢筋的 σ_{cp} 为

$$(R_1 + R_2 + \sum S)\sigma_{cp} = \sum A_s\sigma_t + [\sigma_c](R_1 + R_2 + \sum S)b \tag{6-2-7}$$

式中 $\sum S$、$\sum A_s$—— 多层钢筋间距及面积之和;

b—— 钢筋水平间距;

$[\sigma_c]$—— 混凝土允许抗拉强度。

通过一些实例计算,$\sigma_{cp} > [\sigma_c]$,为 0.2 ~ 0.3MPa。

在不进行有筋混凝土断裂分析时,有了钢筋,混凝土的抗拉强度可以提高。

3. 混凝土断裂软化能量计算

参见图 6-2-1。在表 6-2-1 确定 L_1、L_2 后,分段计算能量。

(1) L_1 段能量。包括弹性能、断裂能和位移能,全部能量在断裂后释放。

$$W_L^1 = G'_F L_1 + \left(\frac{1}{2}\sigma_s \varepsilon_s + \overline{\sigma}_{L_1} \overline{W}_{L_1}\right) L_1 \quad (6\text{-}2\text{-}8)$$

式中 G'_F——尺寸效应系数,$G'_F = NG_F \cdot N$;

$\overline{\sigma}_{L_1}$——L_1 段平均温度应力;

$\overline{W}_{L_1}$——L_1 段平均位移。

$$V_Y = \frac{2\sigma}{E}\sqrt{L^2 - x^2}(1-\mu^2)$$

令 $x=0$,混凝土表面缝宽为 $2V_1^c$。

$$V_1^c = \frac{2\sigma_1}{E}(1-\mu^2)L \quad (6\text{-}2\text{-}9)$$

$$L = L_1 + L_2 \text{ 或 } L'_1 + L'_2$$

$\overline{W}_{L_1} = \frac{1}{2}(2V_1^c + W_u)$,$W_u = \varepsilon_u - \varepsilon_s$ 为 B 点位移。

(2) L_2 段能量

$$W_L^2 = \left(\frac{1}{2}\overline{\sigma}_{L_2}\varepsilon_s + \overline{\sigma}_{L_2}\overline{W}_{L_2}\right) L_2 \quad (6\text{-}2\text{-}10)$$

式中 $\overline{W}_{L_2}$——L_2 段平均位移,有 L_1 时,$\overline{W}_{L_2} = \frac{1}{2}W_u$,无 L_1 时,$\overline{W}_{L_2} = \frac{1}{2}(2V_1^c - \varepsilon_s)$。

能量合计

$$W_L = W_L^1 + W_L^2 \quad (6\text{-}2\text{-}11)$$

4. 有筋混凝土的断裂软化能量(W_2)计算

按断裂软化缩短后的长度分别计算能量。

(1)断裂长度 L'_1 能量。

$$W'_2 = \left(G_F' + \overline{\sigma}_{L'_1}\overline{W}_{L'_1} + \frac{1}{2}\sigma_s\varepsilon_s\right)\cdot L'_1 \quad (6\text{-}2\text{-}12)$$

式中:$\overline{W}_{L'_1}$ 与 $\overline{W}_{L_1}$ 计算式相同,但式(6-2-9)中的 σ_1 须减去钢筋影响到混凝土表面的应力后再计算 V_1^c。具体计算见 W_s。

(2)软化长度 L'_2 能量。因为混凝土破损而分为软化释放能及剩余的弹性能,并与钢筋阻裂能量互为影响,需试算。

弹性能

$$\rho\psi_e = \frac{E}{2}\overline{\varepsilon}^2_{L'_2}\cdot(1-\overline{D}_{L'_2})\cdot L'_2 \quad (6\text{-}2\text{-}13)$$

释放能

$$W' = y \cdot L_2' = E \cdot \overline{\varepsilon}_{L'_2}(1-\overline{D}_{L'_2})\cdot L'_2 \quad (6\text{-}2\text{-}14)$$

式中:$\overline{\varepsilon}_{L'_2}$、$\overline{D}_{L'_2}$ 为 L'_2 段有效应变及损伤系数的平均值,查表 6-2-1 绘成 σ—$\varepsilon_n(D_n)$ 曲线;E 为未破损混凝土的弹模。

(3)钢筋阻裂能量 W_s。

$$W_2 = W'_2 + \rho\psi_e + M' + W_s \quad (6\text{-}2\text{-}15)$$

$W_1 = W_2$，试算出 L'_1、L'_2 及 $2V_1^s$。

5. W_s 计算

钢筋位置不同将产生不同的 W_s，钢筋的可能的位置如图 6-2-4 所示，W_s 包括钢筋被拉伸消耗的弹性能及钢筋握裹力产生的混凝土压应力所引起的弹性位移能。

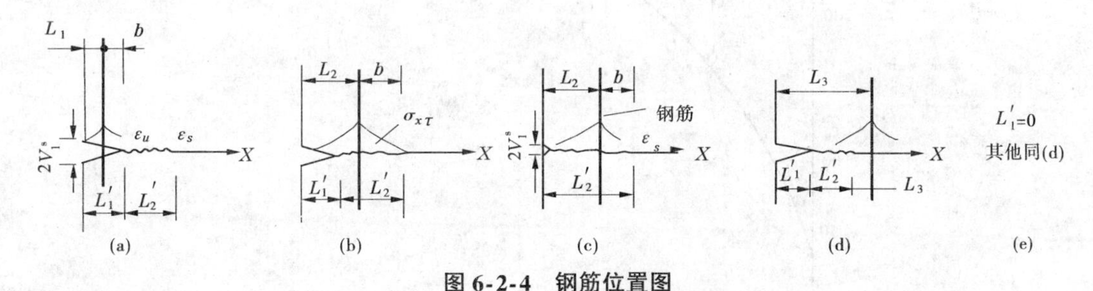

图 6-2-4　钢筋位置图

(1)情况(a)。

$$W_s^a = \frac{\sigma_t A_s}{2s \cdot l_y}\omega_{l_1} + \left(\frac{1}{2}\varepsilon_s + \overline{W}_{L'_1}\right)\sigma_{x\tau}^{L'_1}) \cdot L'_1 + \left(\frac{1}{2}\varepsilon_s + \overline{W}_{L'_2}\right)\sigma_{x\tau}^{L'_2} \cdot L'_2 \tag{6-2-16}$$

式中　ω_{l_1}——钢筋处位移，$\omega_{l_1} = \frac{b}{L'_1}(2V_1^s - \omega_u) + \omega_u$；

$\overline{W}_{L'_1}$——L'_1 段平均位移，$\overline{W}_{L'_1} = \frac{1}{2}W_u + V_1^s$；

$\overline{W}_{L'_2}$——L'_2 段平均位移，$W_{L'_2} = \frac{1}{2}W_u$；

$\sigma_{x\tau}^{L'_1}$、$\sigma_{x\tau}^{L'_2}$——L'_1、L'_2 段钢筋握裹力产生的正应力平均值；

s——钢筋间距(垂直图面)；

A_s——钢筋面积；

σ_t——钢筋拉应力。

钢筋在温度应力 σ 拉裂混凝土时被拉伸，亦即消耗了 σ 所做功的一部分。在混凝土弹性变形范围内，钢筋与混凝土是按变形相容产生钢筋拉应力 σ_t 的，按式(6-2-5)计算。当混凝土断裂破损时，变形相容被破坏。据文献[44]实测资料，该处混凝土脱离钢筋，σ_t 大大超过变形相容时的钢筋应力，但没有出现缩颈现象，即均在屈服强度以内。它是靠缝外混凝土一定长度(l_y)的握裹力给固定的。

$$l_y = \frac{\sigma_t A_s}{2\pi r_s \tau_{\max}} \tag{6-2-17}$$

$\tau_{\max}$为最大握裹力，根据试验选定，与钢筋布置形式有关。水平、竖直及混凝土顶部或底部的 $\tau_{\max}$变化很大，据文献[2]资料，$\tau_{\max}$ 可从 0.3～8.8MPa。

实测缝宽与 σ_t 的资料绘制曲线见图 6-2-5，ω_{l_1} 与 σ_t 须进行试算。

(2)情况(b)。

$$W_s^b = \frac{\sigma_t A_s}{2s \cdot l_y}\omega_{l_2} + \left(\frac{1}{2}\varepsilon_s + \overline{W}_{L'_2}\right)\overline{\sigma}_{x\tau}^{L'_2} \cdot L'_2 + \left(\frac{1}{2}\varepsilon_s + \overline{W}_{L'_1}\right) \cdot \overline{\sigma}_{x\tau}^{L'_1} \cdot L'_1 \tag{6-2-18}$$

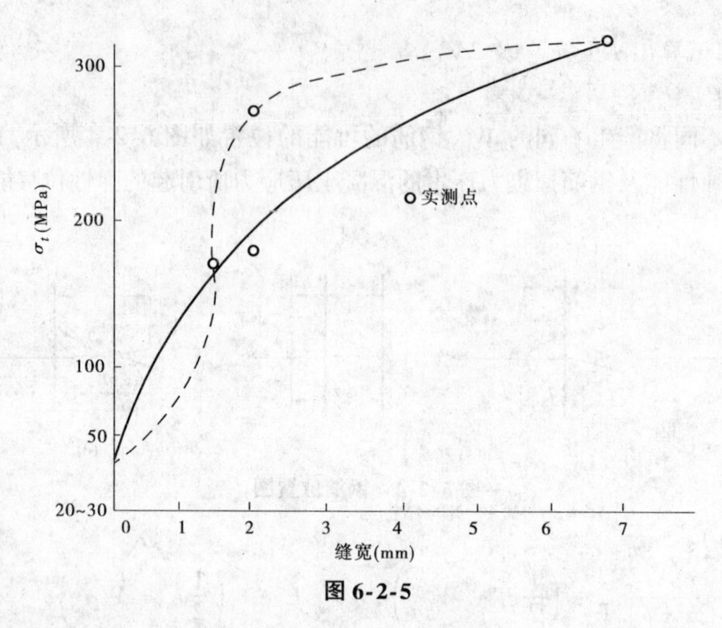

图 6-2-5

式中：ω_{l_2} 为钢筋处位移，$\omega_{l_2}=\dfrac{b}{L'_2}\omega_u$；其他符号意义同前。以 ω_{l_2} 查图 6-2-5 得 σ_t，不需试算。

(3)情况(c)。

$$W_s^c = \frac{\sigma_t A_s}{2s \cdot l_y}\omega_{l_2} + \left(\frac{1}{2}\varepsilon_s + \overline{W}_{L'_2}\right)\overline{\sigma_{x\tau}^{L'_2}} \cdot L'_2 \tag{6-2-19}$$

$$\omega_{l_2} = \frac{b}{L'_2}(2V_1^s), \qquad \overline{W}_{L'_2} = \frac{1}{2}(2V_1^s) = V_1^s$$

式中 $\sigma_t A_s$——混凝土拉裂时的总拉力，负担 $s \cdot l_y$ 范围内的阻裂作用；

$\dfrac{\sigma_t A_s}{s \cdot l_y}$——平均应力，乘以 $\dfrac{1}{2}\omega_l$ 为缝处钢筋的弹性能。

钢筋阻裂将缩窄混凝土表面缝宽 $2V_1^s$，设 $\sigma_t A_s$ 平均影响 $S \cdot L$ 平面内，$\overline{\sigma}_t = \dfrac{\sigma_t A_s}{s \cdot l_y}$。式(6-2-9)中的 σ_1 应减去 $\overline{\sigma}_t$ 后再计算 V_1^s。

(4)情况(d)。

$$W_s^d = \left(\frac{1}{2}\varepsilon_s + \overline{W}_{L'_1}\right)\overline{\sigma_{x\tau}^{L'_1}} \cdot L'_1 + \left(\frac{1}{2}\varepsilon_s + \overline{W}_{L'_2}\right)\cdot \overline{\sigma_{x\tau}^{L'_2}} \cdot L'_2 \tag{6-2-20}$$

如握裹力影响不到 L'_1 时，则无式中右边第一项；若 $l_3 > (L'_1 + L'_2 + R)$时，则 $W_s^d = 0$

(5)情况(e)。

$$W_s^e = \left(\frac{1}{2}\varepsilon_s + \overline{W}_{L'_2}\right)\overline{\sigma_{x\tau}^{L'_2}} \cdot L'_2 \tag{6-2-21}$$

(6)$\sigma_{x\tau}$ 计算。钢筋握裹力是以剪切力形式分布于影响混凝土半径 R 内。设 $\sigma_{x\tau}$ 为抛物线分布，如图6-2-6 所示。

抛物线以 $x^2 = 2py$ 计算式分布，以 $y = R$，$x = \tau_{\max}$ 确定 $2p = \dfrac{\tau_{\max}^2}{R}$，则 τ'_y 计算式为

$$\tau'^2_y = x^2 = \frac{\tau_{max}^2}{R}y$$

握裹力分布为

$$\tau_y = \tau_{max} - \tau'_y \quad (6\text{-}2\text{-}22)$$

按平面弹质应力的剪应力与应力关系式求出还应力。

(7)实例计算。某工程 R_{28} 250 号混凝土,$\varepsilon_s = 0.906\times 10^{-4}$,$\varepsilon_u = 2.04\times 10^{-4}$,$E = 2.65\times 10^4$MPa,$\sigma_s = 2.4$MPa,表面温度应力 $\sigma_1 = 3.5$MPa,向混凝土内部应力下降梯度$\frac{d\sigma}{dx} =$ -1.125 及 -0.5,计算混凝土断裂软化及表面缝宽后,再计算有筋混凝土的断裂软化,见表 6-2-2。

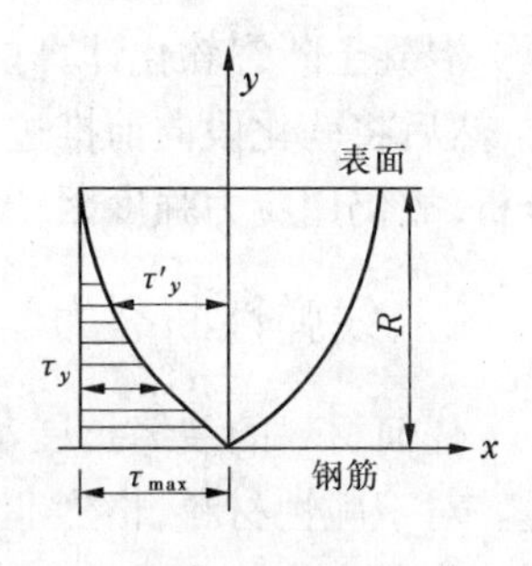

图 6-2-6

表 6-2-2　实例计算成果(钢筋直径 ϕ25mm)

$d\sigma/dx$	混凝土			有筋混凝土				$\frac{2V_1^s}{2V_1^c}$	$\frac{L'_1+L'_2}{L_1+L_2}$
	L_1(m)	L_2(m)	$2V_1^c\times10^{-4}$	L_i(m)	L'_1(m)	L'_2(m)	$2V_1^s\times10^{-4}$		
−1.125	0.10	0.90	5.152	0.05	/	0.70	2.437	0.473	0.70
				0.17	0.08	0.80	4.342	0.843	0.88
				0.95	0.10	0.85	4.894	0.90	0.95
−0.50	0.20	2.00	11.334	0.05	0.15	1.60	4.295	0.379	0.795
				0.17	0.16	2.00	10.938	0.961	0.980

注:钢筋距表面为 L_i。

钢筋的阻裂作用随其布置位置及温度应力下降梯度而变。钢筋愈靠近表面,应力下降愈快则阻裂作用越大,反之则小。钢筋不能完全防止温度裂缝,但可缩短缝长及缩窄缝宽使之达到允许的程度。

如根据建筑物运用期的不同应力区及不同环境条件(水上、水下),在保证建筑物安全耐久的前提下,则可利用混凝土软化及钢筋的阻裂作用(有意布置钢筋),允许采用不同的缝深缝宽制定合适的温控标准,从而降低温控措施,节约费用。

在计算断裂及软化的基础上,还可根据断裂力学进一步核算裂缝的稳定,判别裂缝的危害程度以决定是否采取处理措施等。

第三节　混凝土裂缝稳定分析

裂缝的稳定性分析是指混凝土建筑物在已有裂缝的基础上又承受另一种温度应力,其对缝尖有撕裂作用,在一定的温度应力情况下,裂缝扩展延伸至一定深度后的稳定进行分析。由于裂缝长度的增长,再受力时缝端的撕裂作用增大,当已开裂的裂缝承受另一次应力,即使小于第一次也可能引起裂缝不稳定。

混凝土断裂分析即是第一次形成稳定的裂缝长度,但它考虑了软化段的作用。采用分析应力强度因子法的各种计算式多是从金属材料或脆性材料发展而来,适用于弹性徐变混凝土,虽作了一些修改,但仍有误差。

混凝土断裂软化计算的裂缝发展，应先引起软化段开裂，克服该段或局部的破损应力，然后将软化段向前推进。因为缝尖有较大的应力集中，此种计算不能按能量平衡原理分析，故仍用应力强度因子法分析，并应当考虑软化段的破损应力状况。

一、线弹性断裂力学的机理

任何材料的裂缝扩展都必须是缝端的应力大于材料原子或分子间的吸引力才能产生。对于脆性材料，格烈菲斯(A. A. Griffith)根据裂缝扩展应变能与表面能的变化提出了裂缝临界应力计算式。

$$\sigma_u = \sqrt{\frac{2E_c\Gamma}{\pi a}} = \sqrt{\frac{E_cG_c}{\pi a}} \tag{6-3-1}$$

式中 Γ——缝表面上的单位面积表面能；

a——裂缝长度之半；

E_c——混凝土弹模；

G_c——临界应变能释放率。

由于产生裂缝，缝面上应力产生的应变能释放了，而缝面具有表面张力，即由应变能转化成为表面能(裂缝为两个表面)。也就是说，应变能是产生裂缝的推动力，表面能是裂缝发展的阻力。当二者相等即为裂缝扩展的临界条件，但是混凝土不是理想的弹性体，裂缝是由混凝土初始微裂纹发展而成的。式(6-3-1)不能直接用来计算裂缝的稳定问题。

二、应力强度因子与裂缝扩张判别

由应力产生的裂缝有三种形态。纯由拉应力拉裂的缝称为Ⅰ型，即张开型，拉应力与裂纹扩展方向垂直。由剪应力 τ 剪切的缝称滑开型，即Ⅱ型，裂纹滑开扩展方向与剪应力平行。第Ⅲ型为撕开型，即剪应力垂直于裂缝面撕裂。三种裂纹形态见图 6-3-1。根据缝面受力还可组成综合型。施工期坝体多发生Ⅰ型缝，有时有Ⅰ、Ⅱ复合缝，运行期裂缝多为复合型。

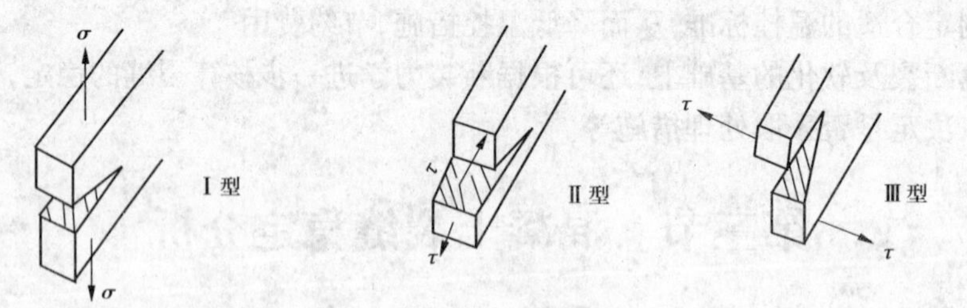

图 6-3-1　裂纹形态

设一无限大平板中心有一裂纹，在远处有一均匀拉应力的作用下，裂纹可能扩展，其各向应力可由弹性力学解出。现仅列出 y 向计算式：

$$\sigma_y = \frac{\sigma\sqrt{\pi a}}{\sqrt{2\pi r}}\cos\frac{\theta}{2}\left(1+\sin\frac{\theta}{2}\cdot\sin\frac{3\theta}{2}\right) \tag{6-3-2}$$

当 $\theta=0$，r 远小于 a 并令 $K_{\text{I}}=\sigma\sqrt{\pi a}$ 时，则 $\sigma_y=\dfrac{K_{\text{I}}}{\sqrt{2\pi r}}$。

裂缝尖端实际上并不尖灭，缝端有一定破损宽度为 2φ，φ 为缝端的破损半径，$\sqrt{2\pi r}=\sqrt{2\pi\dfrac{\varphi}{2}}=C$。则 σ_y 与 K_{I} 成正比，故裂缝扩展实际上就是以 K_{I} 来衡量。K_{I} 称为Ⅰ型裂纹应力强度因子，K_{II}、K_{III} 即相应裂纹形式的应力强度因子。

应力强度因子与裂缝形状、大小、加荷方式等有关。

$$K_{\text{I}}=y_1\sigma\sqrt{a} \tag{6-3-3}$$

式中：y_1 即上述影响因素的修正系数；K_{I} 可从有关应力强度因子手册查得。

裂纹受 σ_y 而扩展，而裂纹长度增加使其表面及原缝端产生塑性变形并消耗能量，即产生阻力。它是物体材料本身所具有的，是材料性质决定的，不以外力的大小和裂缝形式等外界因素而改变。各种材料各有一个极值，称为材料断裂韧性(度)，以 $K_{\text{I}c}$、$K_{\text{II}c}$、$K_{\text{III}c}$ 表示。判别裂缝是否扩展的条件如下。

单一型裂缝：$K_{\text{I}}<K_{\text{I}c}$　　裂缝稳定

$K_{\text{I}}=K_{\text{I}c}$　　裂缝处于临界状态

$K_{\text{I}}>K_{\text{I}c}$　　裂缝扩展

其他单一型裂缝判别标准亦类似，复合型裂缝的判别标准是一个临界面或空间临界面(Ⅰ、Ⅱ、Ⅲ型复合)，一般的数学式为

Ⅰ、Ⅱ型复合　$\left(\dfrac{K_{\text{I}}}{K_{\text{I}c}}\right)^2+A\left(\dfrac{K_{\text{II}}}{K_{\text{I}c}}\right)^2\geqslant 1$　　裂缝不稳定

Ⅰ、Ⅱ、Ⅲ型复合　$S=K_{\text{I}}^{2\prime}+BK_{\text{I}}{'}\cdot K_{\text{II}}{'}+CK_{\text{III}}^{2\prime}+DK_{\text{III}}^{2\prime}\geqslant 1$　　裂缝扩展

或 $\sqrt{(K_{\text{I}}+K_{\text{II}})^2+A'K_{\text{III}}^2}\geqslant K_{\text{I}c}$　　裂缝扩展

$K_{\text{I}}{'}=\dfrac{K_{\text{I}}}{K_{\text{I}c}}$，　$K_{\text{II}}{'}=\dfrac{K_{\text{II}}}{K_{\text{I}c}}$，　$K_{\text{III}}{'}=\dfrac{K_{\text{III}}}{K_{\text{I}c}}$。$A$、$A'$、$B$、$C$、$D$ 均由试验确定。

三、应力强度因子叠加原理与 K_{I} 的修正原则

相同的加载方式的 K_{I} 可以叠加，但不同的加载方式如 K_{I}、K_{II} 不能叠加。利用这个原理可以将复杂的加载情况化为简单情况计算 K_{I}，然后叠加；或改变不影响 K_{I} 的加载情况使之易于计算。见图 6-3-2。

$$K_{\text{I}}^a=K_{\text{I}}^d\text{，故 }K_{\text{I}}^a=\frac{1}{2}(K_{\text{I}}^b+K_{\text{I}}^c) \tag{6-3-4}$$

式(6-3-3)是基本的计算式。一般对无限大平面或空间中的裂缝均匀加载方式通过试验求得 K_{I} 值，其他如表面缝，有限宽、长、厚度等通过将无限大的平面(立体)切开某部分增加一个自由面，即减少一面约束缝裂开的能量。因此，y_1 往往是一个大于 1.0 的系数，而在标准(无限大平板等)情况下 $y_1=1.0$。由此可以理解各种应力强度因子的关系。

四、基础混凝土贯穿性裂缝稳定计算

如基础混凝土已发生贯穿性裂缝，缝长 $2a$，可将柱块混凝土与基岩切开并代之以剪

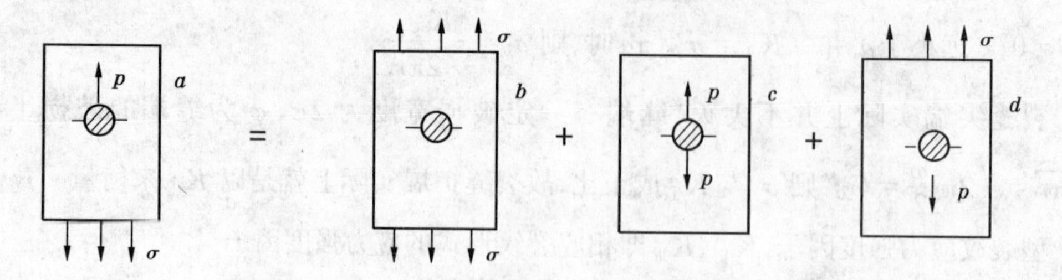

图 6-3-2

切力 τ,然后按应力曲线计算 K_{I} 及 τ 的 $-K_{\mathrm{I}}$,相加后再与 $K_{\mathrm{I}c}$ 比较以判定是否扩展。

τ 的计算可采用有限元计算,可参考文献[44],取柱状块强约束区作为计算混凝土厚度,计算降温差(ΔT)。

$$\tau = -C_x u = \frac{-C_x \alpha \Delta T}{b\,\mathrm{ch}\left(b\,\dfrac{L}{2}\right)}\mathrm{sh}(bx) \tag{6-3-5}$$

$$b = \sqrt{\frac{C_x}{HE_c}}$$

式中　C_x——水平变形阻力系数,可取$(100\sim150)\times10^{-2}\mathrm{N/(m\cdot m^3)}$(MPa/(m·m));

H——混凝土计算厚度;

E_c——混凝土弹模。

K_{I} 计算参见上部混凝土裂缝稳定计算及常见裂缝的应力强度因子计算式。

另一计算方法。将混凝土与基岩切开,取柱块与基岩接触的下部混凝土一定厚度作为计算块厚。它为自由体,可以自由变形,其位移量(u_x)计算式为

$$u_x = (1+\mu)\alpha T_m X + (1+\mu)\alpha T_d XY \tag{6-3-6}$$

式中:T_m 为计算块平均温度;T_d 为等效温度梯度,见图 6-3-3。

$$T_d = \frac{3}{2h^3}\int_{-h}^{h} yT_y \mathrm{d}y$$

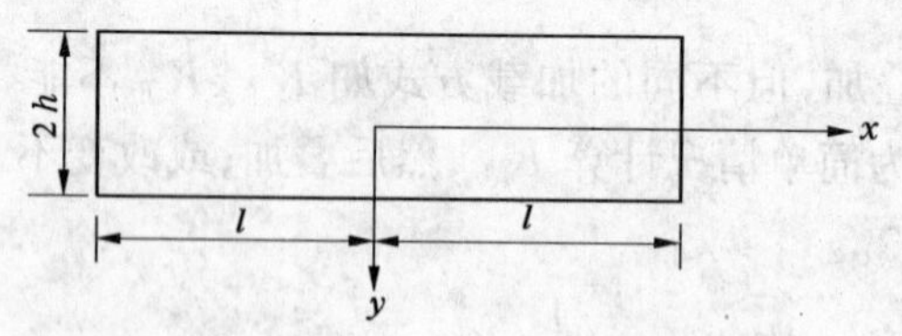

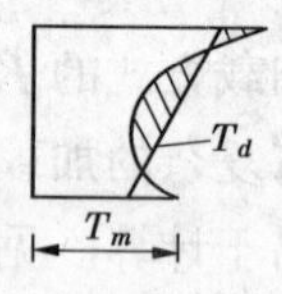

图 6-3-3

计算出 u_x 分布后求其平均值,则剪应力 τ 为

$$\tau = rRu \text{ 或 } \tau = \int_0^l rR\mathrm{d}u_x \tag{6-3-7}$$

式中　r——水平抗力系数,$r = \dfrac{\pi E_g}{3.16(1-\mu_g^2)l}$,角标 g 指基岩;

R——基岩约束系数。

柱状块是分层浇筑的,应分层切开计算各层的水平位移,各层位移相容且互相影响,

式(6-3-5)未考虑其影响,故系估算法。为安全计,$2h$ 可选取较薄值,如第一个浇筑层厚度。

五、上部混凝土裂缝稳定计算

自由墙温度应力主要是年气温变化及寒潮袭击产生的。寒潮在任何时间均可能发生,它是年气温变化至某时再叠加寒潮。裂缝可能由年气温变化产生,也可能由二者叠加产生。有时是年气温变化产生的裂缝稳定后,又遇上寒潮使已稳定的裂缝又扩展成更长大的缝,而后稳定或成贯穿性裂缝。

温度及温度应力参照有关章节的公式从浇筑开始计算至某个龄期(如已发生裂缝,则算至裂缝发生日),也可叠加寒潮。但计算徐变应力时,年变化的时间长,松弛系数可用小些;寒潮时间短,K_P 可用大些。对某坝 R_{90}200 号混凝土,各种寒潮逐日计算表面应力的 K_P 见表 6-3-1。

表 6-3-1　寒潮 K_P 实例表

降温天数	4	3	2	1
降温量(℃)	19.2	16.8	15.6	15.6
K_P	0.7~0.79	0.74~0.82	0.79~0.5	0.84~0.89

注:按 3、5、7、14、28、60、90 天龄期遇寒潮计算的 K_P 值。

(1)K_{I} 计算。将应力曲线分成几个台阶形的平均温度应力,并设表面至每个台阶的距离为裂缝长度 A_i 计算其 K_{I}。见图 6-3-4。

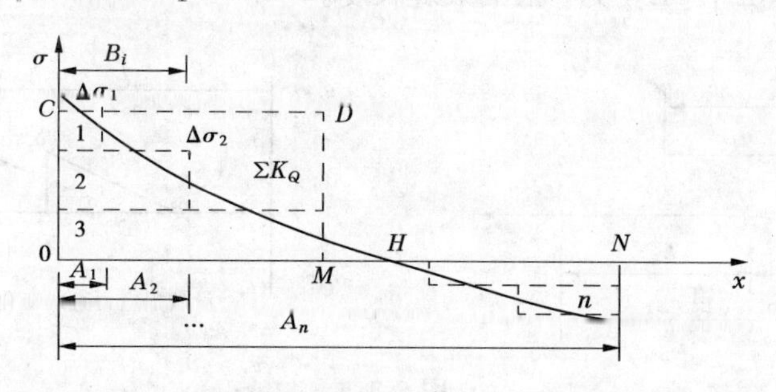

图 6-3-4

$\Delta\sigma_1$、$\Delta\sigma_2$、…、$\Delta\sigma_i$ 为台阶计算平均应力,B_i 为相应的 $\Delta\sigma_i$ 应力分布长度。

从坐标原点到 M 段的各裂缝 K_{I}^i 为

$$K_{\mathrm{I}}^i = \sum_1^n \left[1.121\,5\Delta\sigma_n\sqrt{\pi B_i} - Af(B_i - A_i)\right] \qquad (6\text{-}3\text{-}8)$$

MN 段的 A_i 的 K_{I}^n 为

$$K_{\mathrm{I}}^n = \sum_1^n \frac{2}{\pi}\cos^{-1}\left(\frac{C}{A}\right)\left[1 + F\left(\frac{C}{D}\right)\right]\Delta\sigma_i\sqrt{\pi A_i} \qquad (6\text{-}3\text{-}9)$$

当裂缝长度超过 H 点后

$$K_{\mathrm{I}}^{Ai} = K_{\mathrm{I}}^i + \sum K_{\mathrm{I}}^n \qquad (6\text{-}3\text{-}10)$$

0~M 段也可算出 $OCDM$ 应力的 K_i,再减去 $\sum KQ$,$\sum KQ$ 为台阶应力,按式(6-3-9)计算。

计算出 $A_i—K^i_{\mathrm{I}}$ 曲线后绘制成图，以 $K_{\mathrm{I}c}$ 查扩展临界裂缝长度及扩展后的稳定裂缝长度。

(2)裂缝尖端塑性区对 K_{I} 的影响。按裂缝即已断裂的理论，缝尖将产生一定范围的塑性区。当塑性区小时，仍可用线性断裂力学计算，只需对裂缝长度予以修正即可按原有的 K_{I} 计算式进行计算。设塑性区半径 r，修正后缝长为 $A+r$。平面应变问题的 $r=\dfrac{1}{4\sqrt{2}\pi}\left(\dfrac{K_{\mathrm{I}}}{\sigma_s}\right)^2$；平面应力的 $r=\dfrac{1}{2\pi}\left(\dfrac{K_{\mathrm{I}}}{\sigma_s}\right)^2$，$\sigma_s$ 为混凝土的屈服强度。如以 $\sigma_s=24\mathrm{kg/cm^2}$ 及 $A=430\mathrm{cm}$、$B=370\mathrm{cm}$ 计算 r 对 K_{I} 的影响。当 $K_{\mathrm{I}}=150$ 以下时，考虑 r 后，K_{I} 约增加2%，$r<4\mathrm{cm}$，约为缝长 A 的 90‰。但 K_{I} 大于 300～400 时，r 达到几十厘米。塑性区很大，不适用于线性断裂力学，需采用弹塑性断裂力学方法来计算裂缝稳定问题。大坝混凝土的 $K_{\mathrm{I}c}$ 一般在 $150\mathrm{kg/cm^{3/2}}$ 以下，r 的影响不大。

上述基础及上部混凝土裂缝稳定分析是按照混凝土脆断缝尖存在较小塑性区计算的，即混凝土裂缝不考虑软化。

六、按混凝土软化理论的裂缝稳定分析

1. 纯混凝土裂缝稳定分析

混凝土脆断使缝尖应力集中成为奇异性。而有软化段时，缝尖应力集中程度要小，但仍由缝端 K_{I} 控制缝的扩展，设扩展如图 6-3-5 所示。$L=L_1+L_2$ 为已有裂缝或按表 6-3-4 计算得出，$L'=L'_1+L'_2$ 为扩展后裂缝长度。

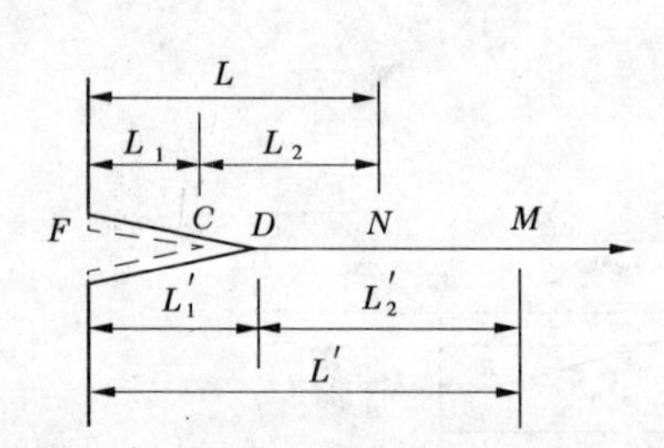

L'

σ_s^L

$\sigma_s^{L'}$

F C D N M

设破损应力直线变化

图 6-3-5

半无限体 L' 缝长 K_{I} 为

$$K^c_{\mathrm{I}}=K^{L_1}_{\mathrm{I}}+K^{CN}_{\mathrm{I}}+K^{NM}_{\mathrm{I}} \tag{6-3-11}$$

设不同 L'_1、L'_2 计算 K_{I}，绘成 $K_{\mathrm{I}}—L'$ 曲线判断裂缝的扩展情况。

(1) L_1 段 $K^{L_1}_{\mathrm{I}}$，已断裂段。

(2) $K^{CN}_{\mathrm{I}}=K^{CM}_{\mathrm{I}}-K^{NM}_{\mathrm{II}}$，断裂扩展段及软化段。

(3) K^{NM}_{I}，扩展软化段。

式(6-3-11)可根据扩展的情况重新组合叠加。

温度应力曲线一般变化很大，可参照式(6-3-9)分段计算平均应力，变化不大时可按 K_{I} 段计算平均应力 $\bar{\sigma}$。

CM 段破损应力为非线性分布，可根据试验 $\sigma—\varepsilon$ 曲线或拟合的折线形式（参见本章

第二节)计算破损应力,与温度应力相同分段计算平均 $\overline{\sigma}'$,然后以 $\sigma=\overline{\sigma}-\overline{\sigma}'$ 去计算 K_{I}。

上述方法是逐步推进计算,也可直接设不同的 L_1、L_2 进行计算。L_1 段的 K_{I} 计算应力为 $\overline{\sigma}_{L_1}$,L_2 段的计算应力为 $\overline{\sigma}_{L_2}-\overline{\sigma}_{L'_2}$,$\overline{\sigma}_{L'_2}$ 为 L_2 段破损应力。计算出 L(即 L_1+L_2)—K_{I} 曲线后,再判断裂缝稳定与否。

2.有筋混凝土裂缝稳定分析

稳定分析方法与混凝土基本相同,但须在 K_{I} 中减去钢筋应力及由握裹力产生的正应力的 K_{I}'。钢筋参考图 6-3-4 确定应力。

七、复合裂缝稳定计算

当缝上有几种不同方向的作用力时,将产生复合型裂缝,施工期虽少出现,但也有可能发生。

复合型裂缝的稳定分析有三种理论。①最大周边应力理论(θ_0 准则),见图 6-3-6。假定裂缝是沿着最大周边向拉应力 $\sigma_{\theta\max}$ 截面发展,求得相当的应力强度因子 K_e,$K_e\geqslant K_{\mathrm{I}c}$时,裂缝扩展。②应变能密度因子理论($S$ 准则)。假定裂缝是沿着弹性体内的应变能密度因子(S)极小值方向发展,当 $S_{\max}\geqslant S_c$ 时,裂缝扩展。③最大应变能释放理论(G 准则)。假定裂缝扩展过程中需释放足够弹性能供应缝扩大的表面能,裂缝沿最大变能释放率 G 取极大值方向发展,$G_{\max}$ 达到 $K_{\mathrm{I}c}$时,裂缝扩展。S_c、$G_{\mathrm{I}c}$ 由有关 $K_{\mathrm{I}c}$ 等代表材料韧性的试验数据推求,K_e 由 K_{I} 计算出。

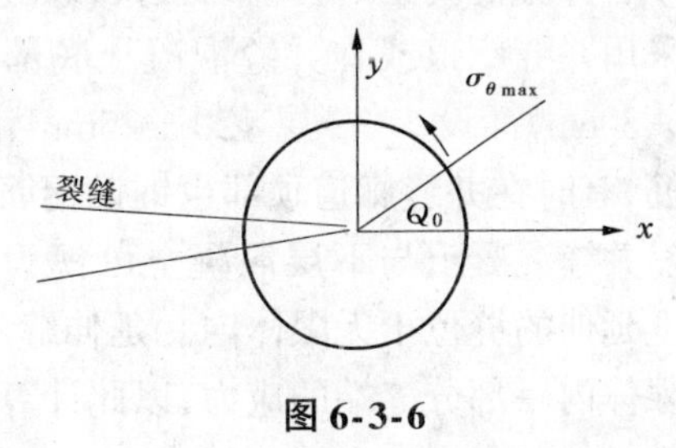

图 6-3-6

(1)Ⅰ、Ⅱ型复合缝。在前述判别标准中,可选用 σ_θ 准则计算。

裂缝扩展

$$K_e=\frac{1}{2}\cos\frac{\theta_0}{2}[K_{\mathrm{I}}(1+\cos\theta_0)-3K_{\mathrm{II}}\sin\theta_0]\geqslant K_{\mathrm{I}c} \tag{6-3-12}$$

起裂角 θ_0 可以试算,也可依式 $\tan\beta=\dfrac{K_{\mathrm{I}}}{K_{\mathrm{II}}}=\dfrac{1-3\cos\theta_0}{\sin\theta_0}$进行计算,关系见表 6-3-2。

表 6-3-2

β	30	40	50	60	70	80
θ_0	60.2	55.7	50.2	43.2	33.2	19.3

(2)Ⅰ、Ⅲ型复合裂缝。按 S 准则,Ⅰ、Ⅲ型裂缝沿原裂缝方向发展,$\theta_0=0$。

平面应变

$$S_{\min}=\frac{1}{4\pi\Omega}[(1-2\mu)K_{\mathrm{I}}^2+K_{\mathrm{III}}^2] \tag{6-3-13}$$

临界情况

$$S_{\min} = S_c \text{ 时}, K_{\mathrm{I}}^2 + \frac{K_{\mathrm{III}}^2}{1-2\mu} = K_{\mathrm{I}c}$$

也可改为$\left(\frac{K_{\mathrm{I}}}{K_{\mathrm{I}c}}\right)^2 + \left(\frac{K_{\mathrm{III}}}{K_{\mathrm{III}c}}\right)^2 \geqslant 1$，式中，$\Omega = \frac{E}{2(1+\mu)}$剪切模量，$\mu$ 为泊松比。

分别计算不同缝长的 K_{I}、K_{II}、K_{III}(类似上部混凝土裂缝扩展计算)，然后求出平面裂缝的起始裂缝长度及裂缝终止长度作为参考。

裂缝稳定分析比较麻烦，而且施工期裂缝往往影响到工程运用的受力情况，以采用有限元法计算较好，目前对纯混凝土裂缝的跟踪计算已编有有限元程序。有的按缝尖位移控制；有的按弹性状态、软化状态及断裂情况三种状态反复计算，直至符合其一种状态为止，来判明裂缝及缝长。但有筋混凝土尚无现成程序可用。

八、并缝混凝土钢筋防裂计算

若并缝混凝土的拉应力很大，纵缝将向上延伸至并缝混凝土内。为防止纵缝延伸，一般采用并缝廊道或在并缝混凝土底部(距下层老混凝土10～30cm)铺设1～2层 ϕ20～25mm、间距25～30cm的钢筋，有时在并缝廊道顶部也铺设钢筋。

并缝混凝土与下层混凝土可视为无限体，纵缝及其向上延伸的缝位于无限体内。延伸缝上的拉应力是位于无限体内一部分缝端的应力，以此计算 K_{I}。

设并缝混凝土冷缩后(包括纵缝侧混凝土的冷缩)的状况如图6-3-7所示。缝位于混凝土内部，无筋时的 B 点缝宽 $2\delta_B$ 为

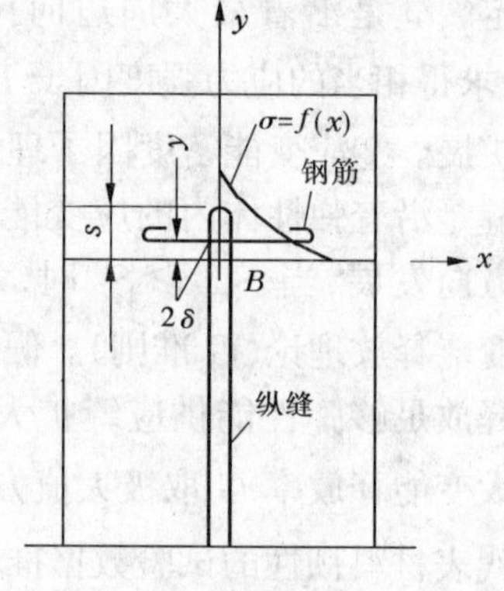

图 6-3-7

$$2\delta_B = \frac{8\sigma \cdot s}{\pi E_c} \tag{6-3-14}$$

设延伸缝为椭圆形变化，则钢筋处缝宽(位移)为

$$\frac{y^2}{s^2} + \frac{\delta_t^2}{\delta_B^2} = 1 \tag{6-3-15}$$

初步计算出 $2\delta_t$ 后，查图6-2-5，再经过试算，最后确定 σ_t(钢筋应力)，σ 为 s 段内应力。

缝长的有效 K_{I}'将温度应力的 K_{I} 减去钢筋作用的 K_{I}^s 与 $K_{\mathrm{I}c}$ 比较。假设不同的缝长计算 K_{I}'，直至 $K_{\mathrm{I}}' < K_{\mathrm{I}c}$ 为止。

九、混凝土施工缺陷的危害

混凝土浇筑产生的蜂窝、麻面、空洞、漏振等质量事故，均类似于线性、圆形或椭圆形裂纹，在受力的情况下均易产生裂缝。

(1)无限体内有两个平行裂纹，裂纹图见图6-3-8(a)。

圆形缺陷
$$K_{\mathrm{I}} = M\frac{P\sqrt{\pi a}}{\pi/2} \tag{6-3-16}$$

椭圆形缺陷
$$K_{\mathrm{I}} = M\frac{P\sqrt{\pi a}}{E(k)} \tag{6-3-17}$$

由于 $M=\left[1-\frac{2}{3\pi}\left(\frac{a}{c}\right)^3\right]<1.0$,为安全计,可按一个裂纹来处理。

(2)缺陷群,见图 6-3-8(b)。按(1)的考虑,主体的缺陷可以取成平面来计算。

$M_A=\int\left(\frac{a}{b_x}\right),M_B=\int\left(\frac{a}{b_y}\right)$,查图 6-3-9。当 $\frac{a}{b}=0.2$,即 b 为 5 倍以上 a 时,$M=1.0$,

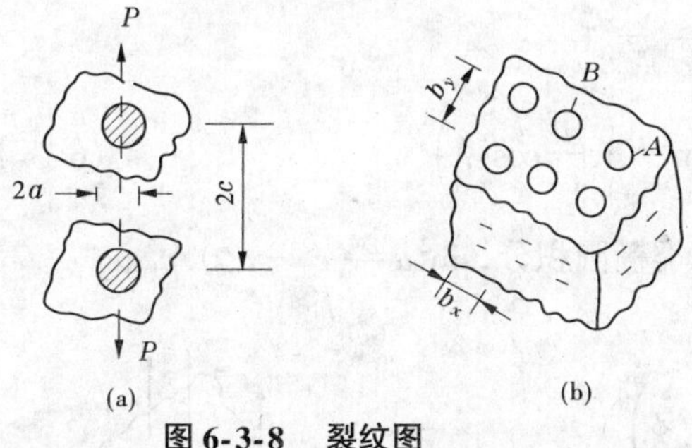

图 6-3-8　裂纹图

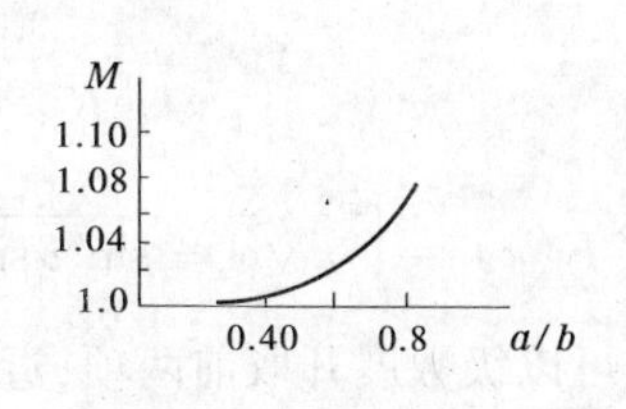

图 6-3-9　M 值图

则可不考虑缺陷群的影响,按一个缺陷计算 K_I。探测出缺陷面积,以 $\frac{a}{b}=\frac{1}{2}$ 的椭圆面积与之相等时,K_I 最大。$K_I=M_A'\cdot K_1^0$,K_1^0 为中心圆裂纹的应力强度因子,M'_A 值查图6-3-10。如探测出最大线尺寸 $2D$,则以圆裂纹 $2D=2a$ 的 K_I 最大,分别以 M 代式(6-3-16)、式(6-3-17),计算缺陷的 K_I。

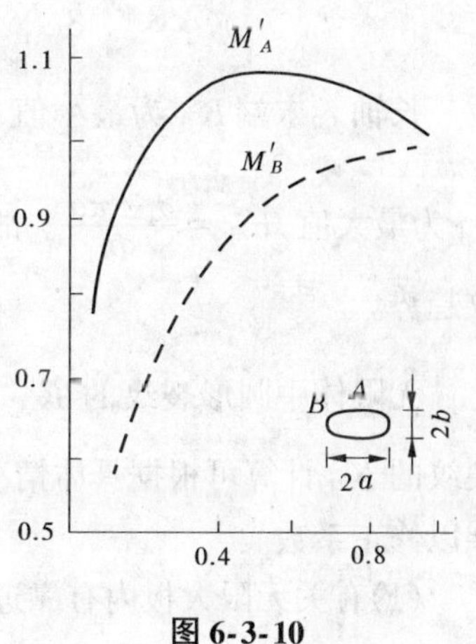

图 6-3-10

(3)表面半椭圆形缺陷视为半无限体表面半椭圆形裂纹。K_I 计算式同式(6-3-19),M 见表 6-3-3。

通过计算,各种表面缺陷在 4 天寒潮袭击下,无缺陷时裂缝长度小于临界裂缝长度(40～65cm),裂缝稳定。而有 5cm 深的椭圆形裂纹时,裂缝将达 70cm 以上,裂缝将扩大成更深的裂缝。

(4)距混凝土表面一定距离的缺陷,K_I 计算参见下节常见应力强度因子计算式。它大大削弱了混凝土的抗裂能力。

表 6-3-3　M 值表

应力分布均匀 σ	a/b	1.1	1.5	2.0	4.0	
	M	1.052	1.076	1.096	1.150	
应力线性分布 σ'	b/a	0.98	0.8	0.6	0.4	0.1
	M	0.32	0.35	0.38	0.42	0.46

注:a、b 为椭圆长短半径,b 轴垂直混凝土表面,σ'为最大应力,b 为应力分布长度,其末端应力为零或三角形分布。

十、常用应力强度因子计算式

裂缝主要分为线形、圆形、椭圆形三种。温度应力可能产生的裂缝形式的 K_I 计算式汇编于下;K_{II}、K_{III} 使用机会不多,未予汇集,可参考其他有关专业书籍和手册。

三种基本裂纹的 K_{I} 计算式如下：

无限平面中心线性裂纹均布应力为 σ

$$K_{\mathrm{I}}=\sigma\sqrt{\pi a} \tag{6-3-18}$$

无限体中心椭圆形裂纹均布应力 σ

椭圆形方程 $$\frac{x^2}{a^2}+\frac{z^2}{c^2}=1$$

$$K_{\mathrm{I}}=\frac{\sigma\sqrt{\pi a}}{\Phi}\left(\sin^2\phi+\frac{a^2}{c^2}\cos^2\phi\right)^{1/4} \tag{6-3-19}$$

$\Phi=E(\kappa)=\int_0^{\pi/2}\sqrt{1-\sin^2\alpha\sin^2\phi}\,\mathrm{d}\phi$，第二类椭圆积分，$\sin^2\alpha=(c^2-a^2)/c^2$。

可以级数展开取前两项，近似为

$$K_{\mathrm{I}}=\frac{\sigma\sqrt{\pi a}}{\dfrac{3\pi}{8}+\dfrac{\pi a^2}{8c^2}}\left(\sin^2\phi+\frac{a^2}{c^2}\cos^2\phi\right)^{1/4}$$

长轴 c 末端 K_{I} 为最小值，$K_{\mathrm{I}}=\dfrac{\sigma\sqrt{\pi a}}{\Phi}\sqrt{\dfrac{a}{c}}$；短轴 a 末端 K_{I} 为最大值，$K_{\mathrm{I}}=\dfrac{\sigma\sqrt{\pi a}}{\Phi}$。故椭圆形裂纹有逐渐变为圆形裂纹趋势。

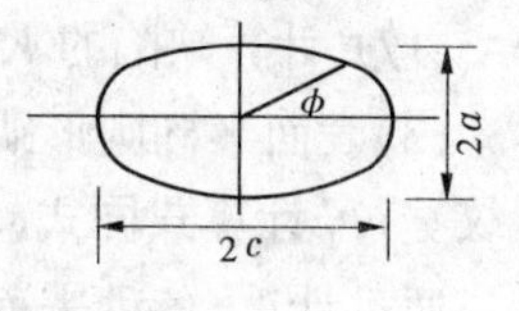

无限体中圆形裂纹的 $K_{\mathrm{I}}=\dfrac{\sigma\sqrt{\pi a}}{\Phi}$，$\Phi=\dfrac{\pi}{2}$。其他各类型裂纹的 K_{I} 计算可根据具体情况将基本裂纹切割并将上述 K_{I} 乘以修正系数。

(1)有关无限大板内有靠近表面的裂纹。

$$\begin{cases}K_{\mathrm{I}A}=F_A\cdot\sigma\sqrt{\pi a}\\K_{\mathrm{I}B}=F_B\cdot\sigma\sqrt{\pi a}\end{cases} \tag{6-3-20}$$

F_A 及 F_B 见图 6-3-11。

(2)固定边界($u=v=0$)。图 6-3-12 表面全约束，K_{I} 计算式同式(6-3-20)，但 F 查图 6-3-13。

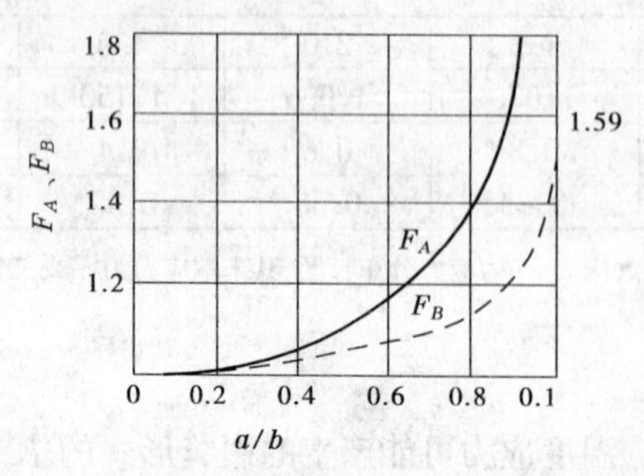

图 6-3-11

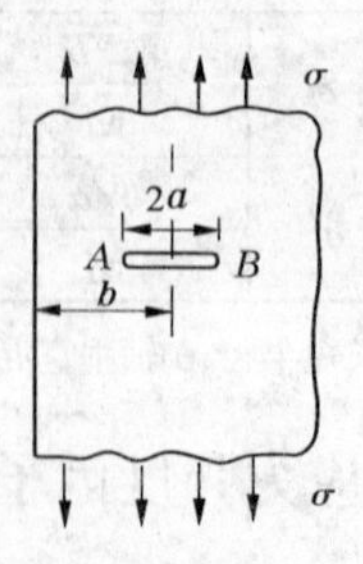

图 6-3-12

(3)宽度 $2b$ 的无限长板条中心圆孔边裂纹。

$K_{\mathrm{I}} = F\sigma\sqrt{\pi a}$，$F$ 见图 6-3-14。$l = R + a$。

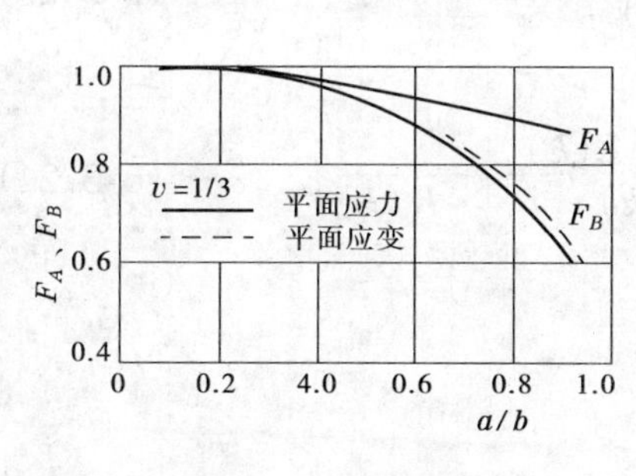

图 6-3-13　F 值图

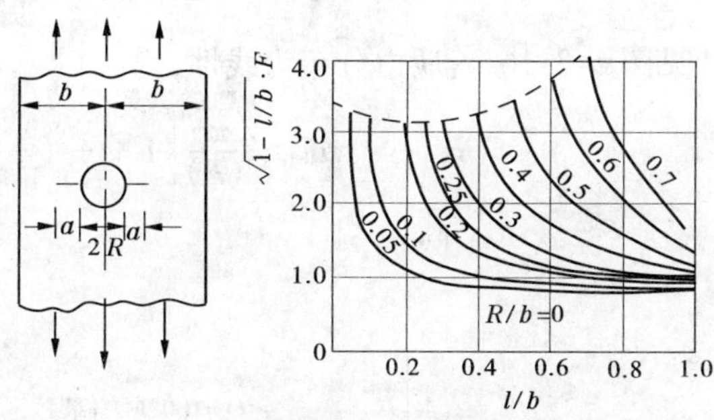

图 6-3-14　F 值图

(4)宽为 b 的矩形板,在短边有集中力 P。

$$K_{\mathrm{I}} = F\frac{P\sqrt{b}}{h} \tag{6-3-21}$$

当裂纹长 a 远大于 $2h$ 并远小于 b 时

$$K_{\mathrm{I}} = \frac{2\sqrt{3}Pa}{h^{3/2}} \tag{6-3-22}$$

F 见图 6-3-15。

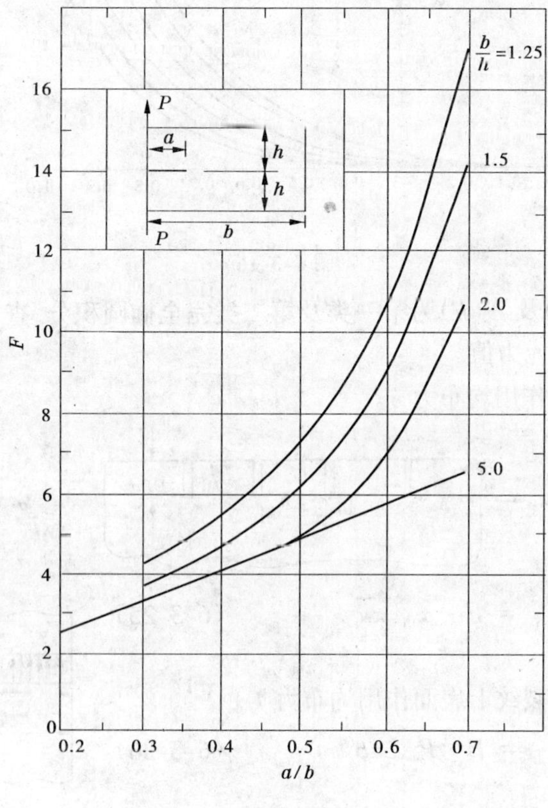

图 6-3-15

(5)半无限体近边椭圆形裂纹。垂直裂纹平面作用均匀拉应力 P。A 点 K_{I} 为

$$K_{\mathrm{I}} = M \cdot P \frac{\sqrt{\pi b}}{E(k)} \tag{6-3-23}$$

M 见图 6-3-16,若应力分布为线性,则

$$K_{\mathrm{I}} = MP_0 \frac{\sqrt{\pi b}}{E(k)}\left[1 + \frac{k^2 E(k)}{(1+k)^2 E(k) - k'^2 \cdot K(k)}\right] \tag{6-3-24}$$

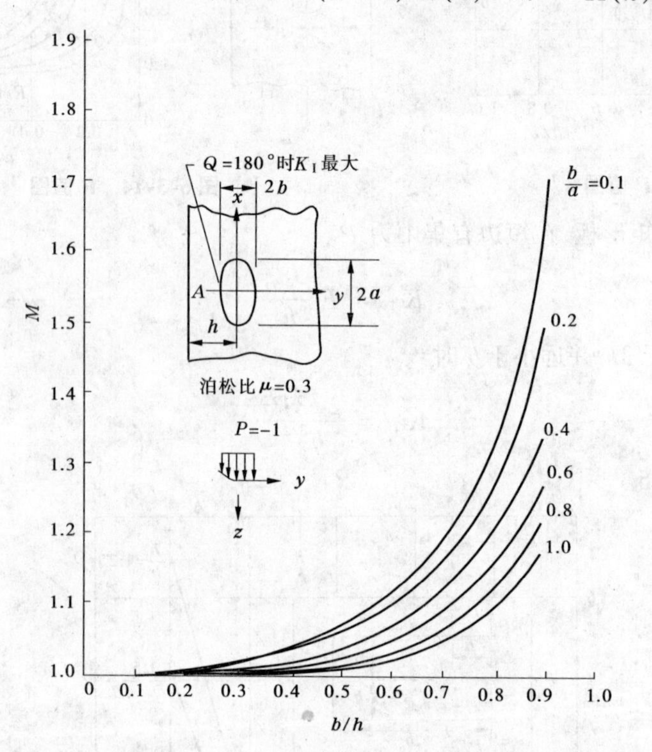

图 6-3-16

M 查图 6-3-17;$K(k)$ 及 $E(k)$ 为第一类及第二类完全椭圆积分,查表 6-3-4;$k^2 + k'^2 = 1$;P_0 为椭圆中心处的应力值。

(6)无数条边裂纹作用均布力 σ。

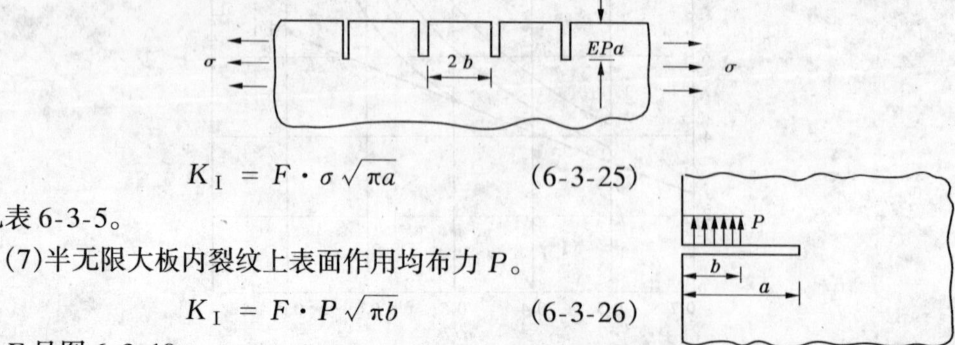

$$K_{\mathrm{I}} = F \cdot \sigma \sqrt{\pi a} \tag{6-3-25}$$

F 见表 6-3-5。

(7)半无限大板内裂纹上表面作用均布力 P。

$$K_{\mathrm{I}} = F \cdot P \sqrt{\pi b} \tag{6-3-26}$$

F 见图 6-3-18。

(8)利用无限体中椭圆形裂纹的 K_{I} 计算式进行修改求得新条件下的 K_{I}。亦即根据坝体具体裂纹将无限体切成有限体,每增加一个自由面乘一个修正系数。例如有限厚度 B 表面半椭圆形裂纹的 K_{I} 计算,计算见图 6-3-19。将无限体中裂纹沿 zy 切开成半无限体,再在其后面切成厚度 B。每一次解除一面的约束增加一个修正 K 的系数。计算短轴端 A 点的 K_{I}。

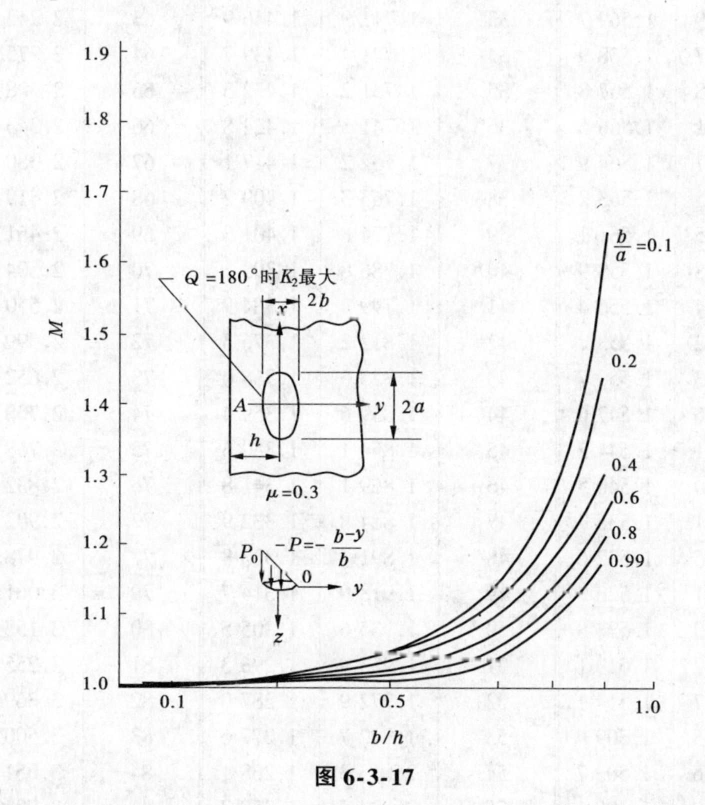

图 6-3-17

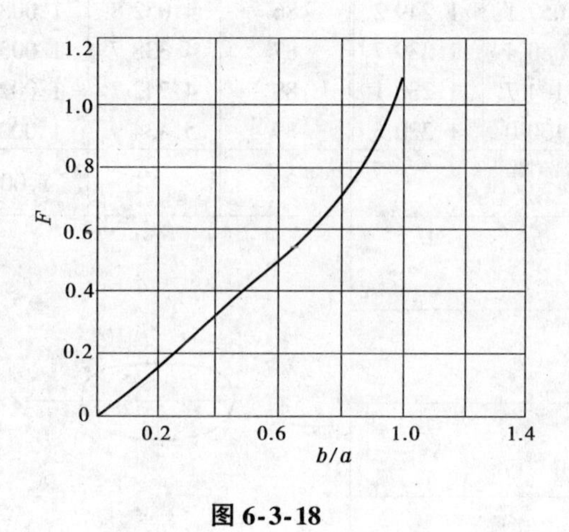

图 6-3-18

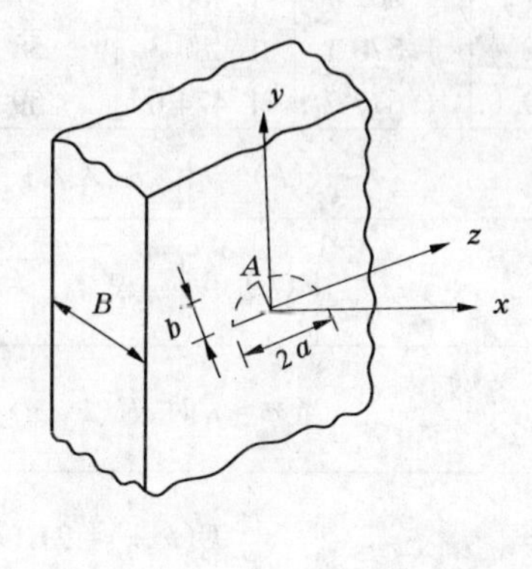

图 6-3-19

表 6-3-4　椭圆积分表

$\sin^{-1}(k)$	$K(k)$	$E(k)$	$\sin^{-1}(k)$	$K(k)$	$E(k)$	$\sin^{-1}(k)$	$K(k)$	$E(k)$
0	1.570 8	1.570 8	30	1.685 8	1.467 5	60	2.156 5	1.211 1
1	1.570 9	1.570 7	31	1.694 1	1.460 8	61	2.184 2	1.201 5
2	1.571 3	1.570 3	32	1.702 8	1.453 9	62	2.213 2	1.192 0
3	1.571 9	1.569 7	33	1.711 9	1.446 9	63	2.243 5	1.182 6
4	1.572 7	1.568 9	34	1.721 4	1.439 7	64	2.275 4	1.173 2
5	1.573 8	1.567 8	35	1.731 2	1.432 3	65	2.308 8	1.163 8
6	1.575 1	1.566 5	36	1.741 5	1.424 8	66	2.343 9	1.154 5
7	1.576 7	1.564 9	37	1.752 2	1.417 1	67	2.380 9	1.145 3
8	1.578 5	1.563 2	38	1.763 3	1.409 2	68	2.419 8	1.136 2
9	1.580 5	1.561 1	39	1.774 8	1.401 3	69	2.461 0	1.127 2
10	1.582 8	1.558 9	40	1.786 8	1.393 1	70	2.504 6	1.118 4
11	1.585 4	1.556 4	41	1.799 2	1.384 9	71	2.550 7	1.109 6
12	1.588 2	1.553 7	42	1.812 2	1.376 5	72	2.599 8	1.101 1
13	1.591 3	1.550 7	43	1.825 6	1.368 0	73	2.652 1	1.092 7
14	1.594 6	1.547 6	44	1.839 6	1.359 4	74	2.708 1	1.084 4
15	1.598 1	1.544 2	45	1.854 1	1.350 6	75	2.768 1	1.076 4
16	1.602 0	1.540 5	46	1.869 1	1.341 8	76	2.832 7	1.068 6
17	1.606 1	1.536 7	47	1.884 8	1.332 9	77	2.902 6	1.061 1
18	1.610 5	1.532 6	48	1.891 1	1.323 8	78	2.978 6	1.053 8
19	1.615 1	1.528 3	49	1.918 0	1.314 7	79	3.061 7	1.0468
20	1.620 0	1.523 8	50	1.935 6	1.305 5	80	3.153 4	1.040 1
21	1.625 2	1.519 1	51	1.953 9	1.296 3	81	3.255 3	1.033 8
22	1.630 7	1.514 1	52	1.972 9	1.287 0	82	3.369 9	1.027 8
23	1.636 5	1.509 0	53	1.992 7	1.277 6	83	3.500 4	1.022 3
24	1.642 6	1.503 7	54	2.013 3	1.268 1	84	3.651 9	1.017 2
25	1.649 0	1.498 1	55	2.034 7	1.258 7	85	3.831 7	1.012 7
26	1.655 7	1.492 4	56	2.057 1	1.249 2	86	4.052 8	1.008 6
27	1.662 7	1.486 4	57	2.080 4	1.239 7	87	4.338 7	1.005 3
28	1.670 1	1.480 3	58	2.104 7	1.230 1	88	4.742 7	1.002 6
29	1.677 7	1.474 0	59	2.130 0	1.220 6	89	5.434 9	1.000 8
						90		1.000

$$K(k)=\int_0^{\pi/2}\mathrm{d}x/\sqrt{1-k^2\sin^2 x}$$

$$E(k)=\int_0^{\pi/2}\sqrt{1-k^2\sin^2 x}\,\mathrm{d}x$$

当 $\varphi=\pi$ 时，$K(k,\pi)=2K(k)$

$$E(k,\pi)=2E(k)$$

$$k^2=\frac{a^2-b^2}{a^2}$$

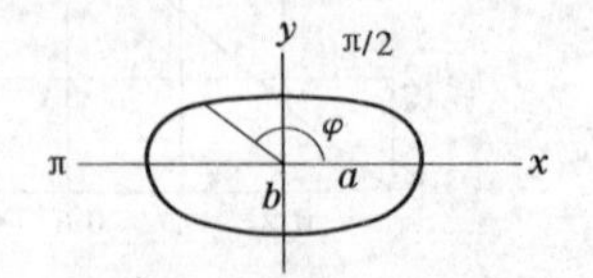

表 6-3-5　*F* 值表

a	$a/2b$	F	a	$a/2b$	F	a	$a/2b$	F
0	0	1.12	2.42	0.385	0.64	6.68	1.063	0.39
0.32	0.051	1.09	2.89	0.459	0.58	8.99	1.430	0.33
0.65	0.104	1.03	3.20	0.509	0.55	11.29	1.797	0.30
0.96	0.153	0.95	3.64	0.578	0.52	13.59	2.163	0.27
1.23	0.195	0.88	4.36	0.693	0.48	15.89	2.530	0.25
1.49	0.237	0.81	4.88	0.776	0.45	18.20	2.896	0.23
1.76	0.281	0.75	5.58	0.887	0.42	20.50	3.263	0.22
2.06	0.328	0.69	5.99	0.952	0.41			

$$K_{\mathrm{I}A} = M_c \cdot P\sqrt{\pi b}/E(k) \tag{6-3-27}$$

$$M_c = \left[1 + 0.12(1 - \frac{b}{a})^2\right]\sqrt{\frac{2B}{\pi b}\tan\frac{\pi b}{2B}}$$

式中右边$[1+0.12(1-\frac{b}{a})^2]$为切成半无限体(前表面)的修正系数。$\sqrt{\frac{2B}{\pi b}\tan\frac{\pi b}{2B}}$为背面切一刀的修正系数。若$\frac{a}{B}\ll 1$,也可以不考虑切开的影响。切成半无限体后,可以切成不同有限尺寸,但每切一次均乘一次$\sqrt{\frac{2B}{\pi b}\tan\frac{\pi b}{2B}}$修正值。$M_c$ 查图 6-3-20。

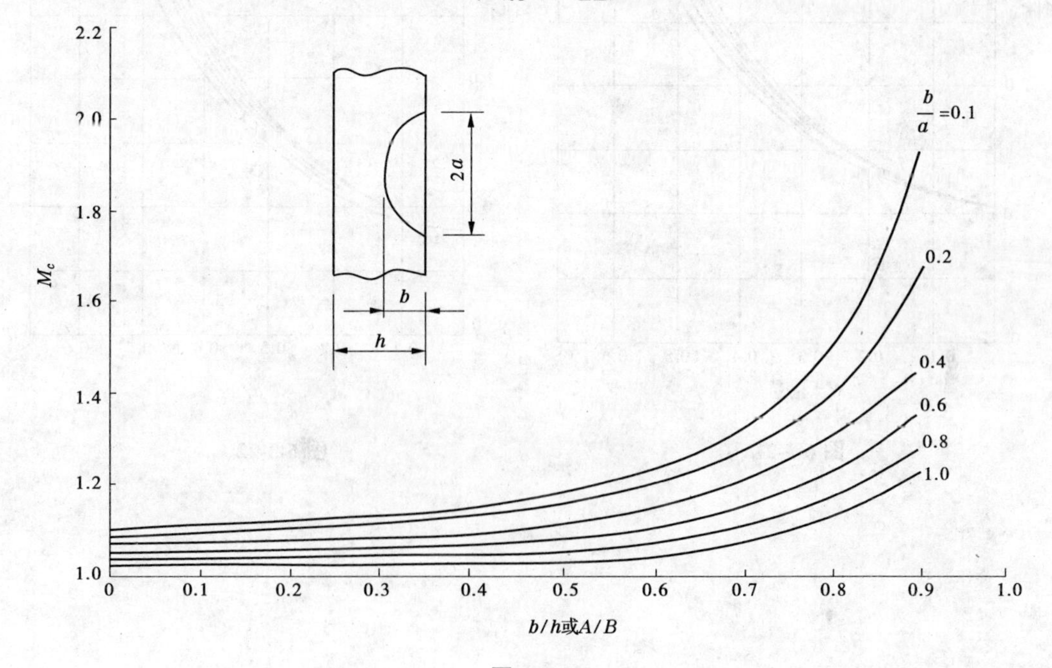

图 6-3-20

(9)宽度为 $2b$ 的无限长板条。由于推导不同,有四种表达式,K_{I} 亦不同。

$$K_{\mathrm{I}} = F \cdot \sigma \sqrt{\pi a} \tag{6-3-28}$$

最小值

$$F = \sqrt{\frac{2b}{\pi a} \tan \frac{\pi a}{2b}}$$

最大值

$$F = \sqrt{\sec\left(\frac{\pi a}{2b}\right)}$$

(10)梯形平面边缘裂纹。K_{I} 计算式及图形见图 6-3-21 及图 6-3-22。

另有一些较常用的 K_{I} 计算式见表 6-3-6,其中序号 10~12 近似用于并缝混凝土的并缝钢筋 K_{I} 计算。

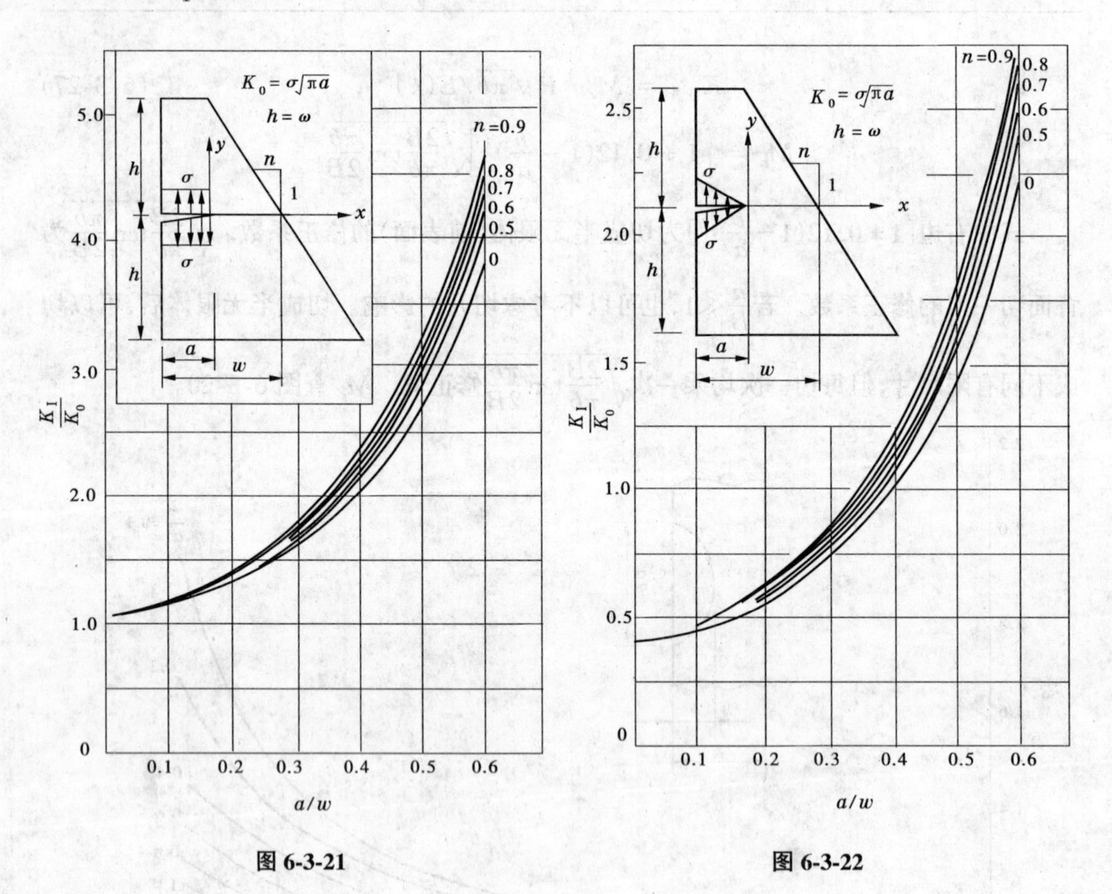

图 6-3-21　　图 6-3-22

表 6-3-6 K_{I} 值表

<table>
<tr><th>序号</th><th>裂纹及应力情况</th><th>K_{I} 计算式</th></tr>
<tr><td>1</td><td>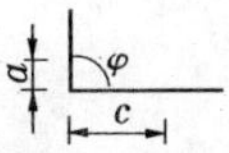
无限体 $\frac{1}{4}$ 椭圆形裂纹均布应力 σ</td><td>$K_{\mathrm{I}}=C\dfrac{\sigma\sqrt{\pi a}}{\dfrac{3\pi}{8}+\dfrac{\pi}{8}\dfrac{a^2}{c^2}}\left(\sin^2\varphi+\dfrac{a^2}{c^2}\cos^2\varphi\right),C=1.2$</td></tr>
<tr><td>2</td><td>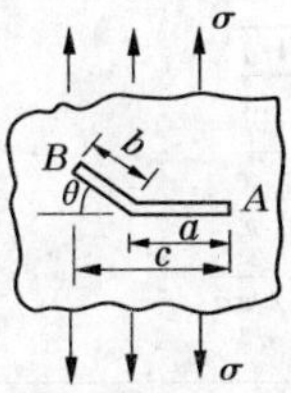
无限平面折线裂纹
$c=a+b\cos\theta$</td><td>$K_{\mathrm{I}A}=F_{\mathrm{I}A}\sigma\sqrt{\pi c/2},\theta=45°$时,$F_{\mathrm{I}A}$为
<table><tr><td>h/a</td><td>0.01</td><td>0.10</td><td>0.2</td><td>0.5</td><td>0.8</td><td>1.0</td><td>1.5</td><td>2.0</td></tr><tr><td>$F_{\mathrm{I}A}$</td><td>1.0</td><td>0.998</td><td>0.995</td><td>0.988</td><td>0.985</td><td>0.985</td><td>0.988</td><td>0.993</td></tr></table>$0\sim45°,b/a>0.3$,近似 $K_{\mathrm{I}B}=\sigma\sqrt{\pi c/2}\cos\theta$
$b/a<0.3,K_{\mathrm{I}B}=F_{\mathrm{I}B}\sigma\sqrt{\pi c/2}$,$F_{\mathrm{I}B}$为
<table><tr><td rowspan="2">h/a</td><td colspan="4">θ_0</td></tr><tr><td>15</td><td>30</td><td>45</td><td>60</td></tr><tr><td>0.1</td><td>0.954 0</td><td>0.824 5</td><td>0.633 9</td><td>0.410 6</td></tr><tr><td>0.2</td><td>0.949 6</td><td>0.807 6</td><td>0.598 3</td><td>0.358 3</td></tr></table></td></tr>
<tr><td>3</td><td>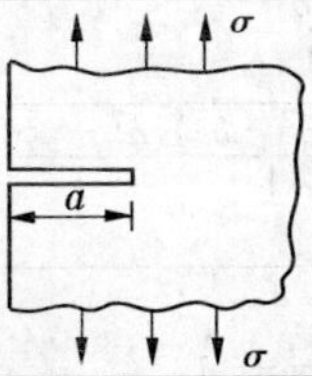
半无限平面边缘裂纹</td><td>$K_{\mathrm{I}}=1.121\,5\sigma\sqrt{\pi a}$
$K_{\mathrm{II}}=1.121\,5\tau\sqrt{\pi a}$</td></tr>
<tr><td>4</td><td>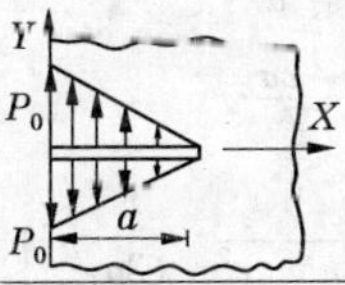
线性分布应力
$P=P_0\left(1-\dfrac{x}{a}\right)$</td><td>$K_{\mathrm{I}}=0.439P_0\sqrt{\pi a}$</td></tr>
<tr><td>5</td><td>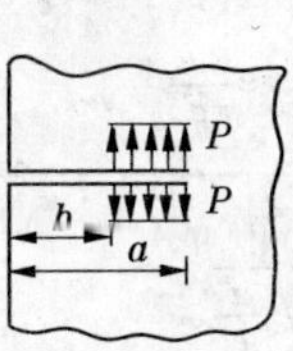</td><td>$K_{\mathrm{I}}=\dfrac{2}{\pi}\cos^{-1}\left(\dfrac{b}{a}\right)\left[1+F\left(\dfrac{b}{a}\right)\right]P\sqrt{\pi a}$
$F(b/a)$表
<table><tr><td>b/a</td><td>0</td><td>0.10</td><td>0.20</td><td>0.30</td><td>0.40</td><td>0.50</td></tr><tr><td>$F(b/a)$</td><td>0.121 47</td><td>0.109 84</td><td>0.097 33</td><td>0.084 43</td><td>0.071 50</td><td>0.058 74</td></tr><tr><td>b/a</td><td>0.60</td><td>0.70</td><td>0.80</td><td>0.90</td><td>1.0</td><td></td></tr><tr><td>$F(b/a)$</td><td>0.046 24</td><td>0.034 08</td><td>0.022 44</td><td>0.013 83</td><td>0</td><td></td></tr></table></td></tr>
<tr><td>6</td><td>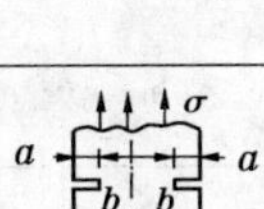
宽度2b无限长板条对称边缘裂纹</td><td>$K_{\mathrm{I}}=F\sigma\sqrt{\pi a}$
$F=\left[1+0.122\cos^4\left(\dfrac{\pi a}{2b}\right)\right]\sqrt{\dfrac{2b}{\pi a}\tan\dfrac{\pi a}{2b}}$</td></tr>
<tr><td>7</td><td>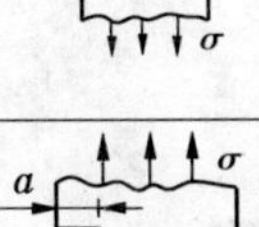</td><td>$K_{\mathrm{I}}=F\sigma\sqrt{\pi a}$
$F=\sqrt{\dfrac{2b}{\pi a}\tan\dfrac{\pi a}{2b}}\cdot\dfrac{0.725+2.02\left(\dfrac{a}{b}\right)+0.371\left(1-\sin\dfrac{\pi a}{2b}\right)^3}{\cos(\pi a/2b)}$</td></tr>
<tr><td>8</td><td>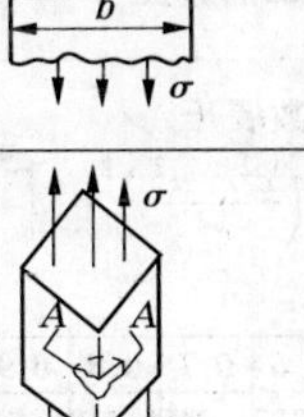 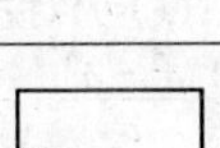
A—A
方杆圆角裂纹</td><td>$\theta_0=0°$及$90°$
$K_{\mathrm{I}}=1.414\sigma\sqrt{\pi a}$
$\theta=45°$
$K_{\mathrm{I}}=1.245\sigma\sqrt{\pi a}$</td></tr>
</table>

续表 6-3-6

<table>
<tr><th>序号</th><th colspan="2">裂纹及应力情况</th><th>K_I 计算式</th></tr>
<tr><td>9</td><td>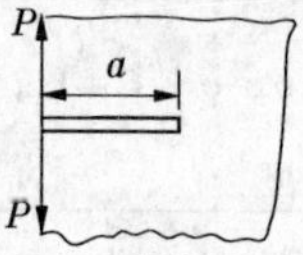</td><td>半无限大平板边缘集中力</td><td>$$K_{\mathrm{I}}=1.294\,5\,\frac{2P}{\sqrt{\pi a}}$$</td></tr>
<tr><td>10</td><td>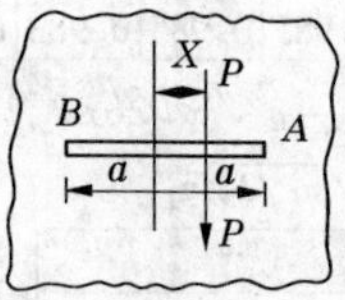</td><td>无限体中集中力</td><td>$$K_{\mathrm{I}A}=\frac{P}{\sqrt{\pi a}}\sqrt{\frac{a+x}{a-x}}$$ $$K_{\mathrm{I}B}=\frac{P}{\sqrt{\pi a}}\sqrt{\frac{a-x}{a+x}}$$ $x=0$ 时，$K_{\mathrm{I}}=P/\sqrt{\pi a}$</td></tr>
<tr><td>11</td><td>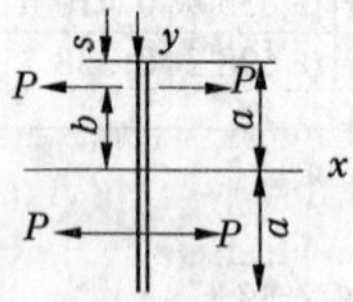</td><td>无限体中一长缝</td><td>$$K_{\mathrm{I}}=\frac{2P\sqrt{a}}{\sqrt{\pi}\sqrt{a^2-b^2}}$$ $y=b$，开度 2δ $$2\delta=\frac{4P}{\pi E}\ln\left[\frac{2a^2-b^2-y^2+2\sqrt{(a^2-b^2)(a^2-y^2)}}{\lvert b^2-y^2\rvert}\right]$$</td></tr>
<tr><td>12</td><td>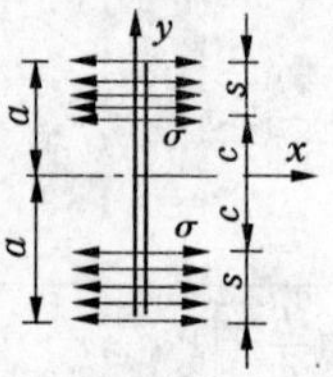</td><td>无限体中一长缝</td><td>$$K_{\mathrm{I}}=\frac{2\sigma\sqrt{a}}{\sqrt{\pi}}\cos^{-1}\left(1-\frac{s}{a}\right)$$ 当 s/a 小时，$K_{\mathrm{I}}=\frac{2\sqrt{2\sigma}}{\sqrt{\pi}}\cdot\sqrt{s}$
$y=c$ 时 $$2\delta_c=\frac{8\sigma}{\pi E_c}\left\{\left[\frac{\pi}{2}-\sin^{-1}\frac{c}{a}\right]\sqrt{a^2-c^2}-C\ln\frac{a}{c}\right\}$$ 当 s/c 小时，$2\delta_c\approx\frac{8\sigma s}{\pi E_c}$</td></tr>
<tr><td>13</td><td>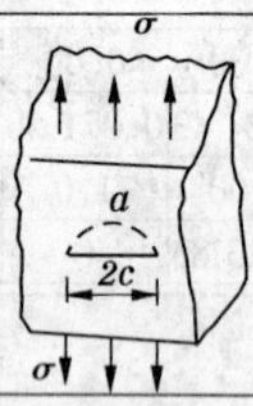</td><td>半无限空间表面椭圆裂纹</td><td>$$K^c_{\mathrm{I}}=1.12\,\frac{\sigma\sqrt{\pi a}}{\Phi}\sqrt{\frac{a}{c}}$$ $$K^a_{\mathrm{I}}=\frac{\sigma\sqrt{\pi a}}{\Phi}$$</td></tr>
<tr><td>14</td><td></td><td>$a\neq a'$</td><td>$$K^c_{\mathrm{I}}=1.2\,\frac{\sigma\sqrt{\pi a}}{\Phi}\sqrt{\frac{a}{c}}$$ $$K^a_{\mathrm{I}}=1.2\,\frac{\sigma\sqrt{\pi a}}{\Phi}$$ $K^h_{\mathrm{I}}=\frac{\sigma\sqrt{\pi a'}}{\Phi}$，$a'$ 为内部的缝长</td></tr>
<tr><td></td><td colspan="2"></td><td>$\Phi=E(k)$ 可以按级数展开 $$\Phi=\frac{\pi}{2}\left[1-\frac{1}{4}\frac{c^2-a^2}{c^2}-\frac{3}{64}\left(\frac{c^2-a^2}{c^2}\right)^2\cdots\right]$$ 列表为<table><tr><td>a/c</td><td>0</td><td>0.1</td><td>0.2</td><td>0.3</td><td>0.4</td><td>0.5</td><td>0.6</td><td>0.7</td><td>0.8</td><td>0.9</td><td>1.0</td></tr><tr><td>Φ</td><td>1.000</td><td>1.016</td><td>1.051</td><td>1.097</td><td>1.151</td><td>1.211</td><td>1.277</td><td>1.345</td><td>1.418</td><td>1.493</td><td>1.571 1</td></tr></table></td></tr>
</table>

第四节 混凝土裂缝的防止措施

大体积混凝土很难完全防止裂缝,但如果重视温控设计并注意改善影响的各种因素,最大限度地减少裂缝及避免严重裂缝是可以做到的。对于重要部位超过温控标准可能发生裂缝的情况,最好进行裂缝的稳定分析,提出临界缝长及临界温度应力,采取重点防护措施,避免产生大缝(超过临界缝长)及严重缝,做到防患于未然。

一、施工进度与坝体施工布置

混凝土施工进度安排应重视温控要求,若安排不当,不仅可能促使裂缝产生,而且也带来很大开支(增大冷热容量设备及运转费)。从温控角度出发,最好是各坝段按一定速度全面上升浇筑,避免大面积长时间的混凝土表面裸露。采用坝体缺口导流及坝体留作长时间的交通道、门机定点浇筑等,均不能保证混凝土均衡浇筑上升,邻块高差过大对温控不利。浇筑应优先考虑黄金季节(非冬季的低温季节)施工,有利于节约温控费用及降低混凝土最高温度。对于一些大体积多孔洞或框架结构混凝土,各部分温度需要很好协调才可避免产生过大的温度应力,进度更应考虑对它有利的起浇时间及间歇期。

二、原材料的选择与加工

原材料不仅决定混凝土的力学指标,也影响温控要求的难易程度。较理想的原材料是导温系数大,收缩性小,弹模适中,碱反应及水化热低,抗拉强度与极限拉伸值高与良好性能的骨料及水泥。通过实践,人工石灰石骨料及抚顺低碱微膨胀大坝水泥被认为是较理想的材料。使用这些材料的工程均收到温控较易而裂缝较少的效果。

水泥须协调各种矿物成分使之达到强度高、水化热低、适当的水化速度,并满足混凝土其他性能,故选择水泥品种时,不应采用产生水化热高的早强水泥。加粉煤灰可减少水泥用量,降低水化热,但降低弹模,早期强度也较低,应加强养护,宜选用细度小含碳量低的优质粉煤灰。不能掺氯化物(如氯化钙)的防冻早强剂,以防引起钢筋锈蚀。

骨料中的软弱物质含量将降低混凝土的强度,如果调整好级配有可能满足设计标号要求。某坝软弱骨料含量最高达 14.4%(规范规定不超过 5%~7%),通过混凝土试验,认为含量在 20%以下仍可作出 400 号混凝土,极限拉伸反而提高;抗冻抗冲虽较差,但采用措施仍可满足设计要求。但从防裂来说,软弱骨料即是混凝土中存在的缺陷,易于裂缝并易串成长缝。尤其是大粒径软弱骨料危害更大。根据试验,坚硬骨料混凝土多在砂浆中拉裂,而软弱骨料混凝土则在骨料中拉裂。另外,软弱骨料吸水率大(有的达到坚硬骨料的 5 倍),使水灰比难掌握,并为碱骨料提供水源,加剧了碱反应,造成膨胀裂缝。

骨料筛分运输卸料如造成超逊径过多、冲洗不干净、拌和称量不准等,均将改变混凝土配比,可能提高了水化热,降低了混凝土强度,从而为裂缝发生创造了基本条件。

原材料温度高低也应予以很好的重视,往往因料堆高度不够,原材料保温隔热不好,提高了混凝土出机温度。

三、做好混凝土试验研究工作

这是基础资料,不但要可靠而且选择数据要准确合理,既要满足结构要求又不增加温控难度。同时还要经济合理,尤其对于水泥水化热及水泥(胶凝材料)用量必须慎重处理。

一般来说,混凝土标号不能过高,否则水泥用量增加过多,高标号的抗拉强度增加的比例不大,过高标号对温控并不一定有利。

四、搞好施工工艺,保证混凝土质量

没有质量就谈不上温控的效用。即使原材料及拌和的混凝土质量良好,若仓面骨料分离、振捣不实,仓面泌水、冻结、表面保护不好等引起裂缝(包括水平缝)是屡见不鲜的。某坝气候干燥多风未作表面保护,引起大量龟裂,最后发展成严重裂缝,不得不停工数月进行研究。有的一期水管降温速度太快(1 天降 1℃多),促使水平缝发展。乌江渡采用仓面喷雾,仓面可降温 3～4℃,相对湿度增加 1 倍,蒸发量从 4～5kg/(m^2·h)降到 0.5～1.0kg/(m^2·h),效果很好。

五、通过温控设计,分析两个指标以比较温控的优劣

两个指标是抗裂安全度和热强比。计算式即式(3-3-29)。抗裂安全度反映温控设计是否合格。如安全度小于1.0,说明裂缝机会多;热强比大表示混凝土配比不理想,水泥选择不当,增加温控困难,也会使抗裂安全度减小。

六、水工结构设计要适于防止裂缝

如基岩务求平整,结构外形简单,棱角少,避免应力集中;坝段上游止水适当下移,增加库水对坝体的侧向压力,抵消上游面拉应力有利于防裂。

防裂是多方面措施的综合效果,必须对诸多因素均予重视才能达到目的。

第七章　混凝土碳化分析

混凝土工程运用一定时间后，碳化裂缝是一个普遍存在的问题。这些问题有的非常严重，影响工程的安全运行及寿命，不仅需不定期维修，甚至因而报废。

一、已建工程碳化裂缝的严重性

新中国成立后已建的混凝土工程历时数十年，出现碳化现象的比较普遍。治淮工程修建于20世纪50～60年代，1987年调查其水库上的82座闸，正常运用的仅23.1%，碳化严重的为39%，最大碳化深度达103mm，一般40～65mm。其中某闸碳化面积达95%，深度已穿透保护层，使钢筋锈蚀率为75%，混凝土顺筋开裂脱落。浙江1983年调查76座闸的894根混凝土构件，碳化损坏率占56%～58.8%。一般混凝土工程在建后10年，最快3～5年即开始碳化裂缝。华南18座钢筋混凝土码头，碳化损坏的占89%。湛江港码头建后十年，钢筋锈蚀、混凝土破裂，维修费用太大，只好报废。河南嵩县陆浑水库输水洞塔架，于1960年底建成，1967年即发现裂缝，1975年裂缝加重，1979年加固时，混凝土脱落，每平方米表面缝长13.4m，最宽25mm，一般碳化深度5～10mm，最深穿透保护层50～70mm。1987年又产生了裂缝，最深39.9mm，平均10.05mm。该水库其他建筑物历时15～25年亦均有碳化裂缝，但较塔架少而浅。河南南部昭平台水库输水洞塔架亦是如此，1960年竣工，1980年对其加固，可不到几年又开始裂缝。

其他各地的工民建、水利交通的混凝土工程亦有不少碳化裂缝。如果进行一次大规模调查，碳化裂缝的危害程度一定是惊人的。

二、碳化机理

混凝土在一定配比及水灰比的条件下，凝固后均有一定的空隙(包括胶凝体内空隙)，空隙主要为空气占住的孔隙及多余水占住的毛细孔，毛细孔是空隙中的大部分。为了方便混凝土施工操作，一般都加入了超过水泥水化作用所需的水量，使用的水灰比比实际需要的水灰比(一般约为0.4)大得多。这样，多余的水所占的体积，当水蒸发后就形成毛细孔。混凝土表面的这些孔隙直接与空气中的 CO_2 接触，在气压作用下，CO_2 渗入混凝土中引起化学反应：$CO_2 + Ca(OH)_2 \rightarrow CaCO_3 + H_2O$，产生碳酸钙，析出水。$CO_2$ 在毛细孔中互相扩散，碳化开始后会引起连锁反应，碳化不断进行，最后深入混凝土内部。只有外界干燥(如湿度25%)，毛细孔内水快速蒸发，或外界湿度很大，孔内水不能蒸发出去，使蒸发压力达到饱和值，外界气温很低时，碳化才不会发生。

生成的 $CaCO_3$，体积膨胀，使混凝土产生裂缝。在钢筋混凝土中，如裂缝穿透保护层，碳化析出的水促使钢筋生锈，锈体膨胀又使碳化裂缝扩大。二者恶性循环，使裂缝破坏更快。

判定是否有碳化裂缝时，将缝凿开，吹去灰渣，用喷雾器喷浓度0.1%(可以试验确定)的酚酞酒精溶液。未碳化的混凝土仍有游离的 $Ca(OH)_2$,呈淡红色,掺粉煤灰混凝土呈紫红色;碳化部分的混凝土颜色则不变。

根据试验,混凝土龄期 7 天即能发生碳化反应。它的发生发展时间及其程度受诸多影响因素的制约,目前很难掌握它的规律。

三、影响碳化的因素

影响碳化的因素是多方面的,设计、施工、管理及环境等均有影响。

(1)建筑物设计成薄体积棱角多的体形,采用较大的水灰比,使之孔隙多,体形表面积大,CO_2 易渗入。据观测:筒形比框架结构,大构件比小构件,厚壁比薄壁结构的碳化程度低,破坏较轻微。

(2)混凝土密实度也是碳化的主要影响因素。它的好坏决定于施工工艺及监测的力度,应力争施工各个环节都合格,达到高密度的混凝土。不同密实度的混凝土在 CO_2 浓度为 0.05%~0.06%情况下推算的碳化深度见表 7-1,以密实与中等密实相比较的 X 值相差约 70%。

表 7-1 不同密实度的混凝土在 CO_2 浓度为 0.05%~0.06%下推算的碳化深度

密实情况	30 年 X(mm)	50 年 X(mm)	比值	
			30 年	50 年
非常密实	8	10	1.00	1.00
密实	30	40	3.75	4.00
中等密实	50	65	6.25	6.50
不密实	770	770	78.75	79.00

注:X 为碳化深度。

(3)水灰比($\frac{W}{C}$)。$\frac{W}{C}$的大小直接影响混凝土孔隙率的大小。某些试验得出:当$\frac{W}{C}=$ 0.6 时,毛细孔量达 1 000;而当$\frac{W}{C}=0.5$ 时,毛细孔量只有 400,其比值达 2.5。如以$\frac{W}{C}=$ 0.5 的 X 为 1.0,可推算出不同$\frac{W}{C}$的 X 值,如表 7-2 所示。

表 7-2 $\frac{W}{C}=0.5$ 的 X 为 1.0 时推算出的不同$\frac{W}{C}$的 X 值

W/C	0.4	0.5	0.6	0.7
X	0.54	1.00	1.46	1.92

陆浑水库塔架加固时,为施工方便将第三层的$\frac{W}{C}=0.55$ 改为 0.61,浇三层以上的混凝土。推算出的 X 值增大约 25%。8 年后检测,第三层几乎没有裂缝,三层以上碳化面积达 4 450m^2,成网状分布的严重裂缝有 6m^2。缝最长 2.8m,最宽 1.5mm,平均每平方米缝长 5.21m。

(4)水泥品种。从抗碳化出发,最好选用普通水泥。抗硫酸盐水泥的碳化深度比普通水泥大 50%,矿渣水泥则大 2 倍,粉煤灰水泥也会加剧碳化。但若掺优质粉煤灰(细度高,烧失量少),掺量适当(≤30%),养护好,混凝土将产生大大超过普通水泥混凝土的孔径为 200 埃以下的细孔,则可减低 CO_2 的有效扩散,从而减轻 CO_2 的危害程度。

(5)水泥标号。水泥用量及水泥与混凝土标号的配比要适当,若配比不当均有可能有利于碳化。表 7-3 为标准 50 年的碳化深度。由表可知,二者的配比以 1:1~1:1.5 较为合适。若水泥标号过高,混凝土的孔隙将会增多;过低,水泥用量增大,总用水量也大,毛细孔将增加,均不利于抗碳化。水泥量过少使混凝土的 pH 值降低,若 pH<9(正常为 12.5~13.5),将破坏钢筋钝化膜,钢筋就易生锈,加剧碳化。

(6)养护期。养护的作用在于保持毛细孔内的湿度,以有利于在孔壁内进行水泥水化作用,水合物充填毛细孔,使之不能发生碳化反应。达此目的的养护时间见表 7-4。一般规定的 15~30 天养护期,水灰比大于 0.5 时均不能满足要求。

表 7-3 不同水泥混凝土标准 50 年碳化深度

混凝土标号	水泥标号			
	300	400	500	600
200	2.5	3.2	3.7	4.1
300	1.2	2.2	2.8	3.3
400		1.2	2.0	2.5
500			1.2	1.9

表 7-4

W/C	养护(d)
0.4	3
0.5	14
0.6	180
0.7	365

(7)环境条件。当外界湿度为 45%~70%时,CO_2 渗入速度快,尤以 50%时碳化速度最快;外界湿度为 25%及 100%时碳化停止。小构件对环境湿度比较敏感,碳化可能是间断进行的,而大体积混凝土则可能是较稳定地进行反应。

温度与压力同期变化能加速碳化。混凝土迎风面比背风面的碳化速度快 1.5~2 倍。水位变化区湿度大,冬季毛细孔内冻结,碳化冻融加剧裂缝。这就是某些建筑物迎水面、迎风面比背面裂缝更厉害的原因。

(8)混凝土温度越高碳化越快。夏季比冬季(未冻结)破坏更严重,蒸汽养护利于碳化,以 22℃及 -8℃做试验,前者比后者碳化快 5 倍。但混凝土在 0.1℃时已冻结,碳化停止。

四、碳化深度计算

CO_2 渗入混凝土后形成完全碳化区、反应区及未反应区。完全碳化区可依下式计算。

(1)基本计算式

$$X = B\sqrt{n_0 t} \tag{7-1}$$

$$B = \sqrt{\frac{2D}{m_0}}$$

式中 X——完全碳化区碳化深度;

n_0——外界 CO_2 浓度;

D——CO_2 在混凝土中的扩散系数；

m_0——单位混凝土体积化学反应吸收 CO_2 的体积浓度；

t——混凝土龄期，天。

B 可通过实际资料反求，即可进行工程的预测计算，同时 B 也就包括了各种影响因素。

(2)由试验资料推出

$$X = X_1\sqrt{\frac{n_0 t}{n_1 t_1}} \tag{7-2}$$

式中 n_1——试验室内 CO_2 浓度；

X_1——试验室内混凝土碳化深度；

t_1——龄期，天；

n_0——工程现场的 CO_2 浓度；

X——工程现场碳化深度；

t_0——工程现场的龄期，天。

在农村一般地区 $n_0=0.03\%$，工业区城市 n_0 为 0.1%或实测。

(3)日本浜田稔以 $\frac{W}{C}=0.4\sim0.7$ 的碳化试验整理出的公式。

CO_2 浓度 0.1%以下

$$t = \alpha\cdot\beta\cdot\gamma\frac{258.1}{100\frac{W}{C}-22.16}X^2 \quad (天) \tag{7-3a}$$

CO_2 浓度 0.03%以下

$$t = \alpha\cdot\beta\cdot\gamma\frac{148.8}{100\frac{W}{C}-38.44}X^2 \quad (天) \tag{7-3b}$$

式中 X——平均碳化深度，最大深度为 $X_{max}=4.05X^{0.72}$；

α——混凝土质量系数，密实养护好为 1.0，较好为 0.75，一般为 0.5，较差为 0.25；

β——外表保护系数，无保护 1.0，涂料为 2，砂浆为 4，贴面砖为 7；

γ——环境系数，一般地区为 1.0，较差为 0.75，恶劣为 0.5～0.25。

如仅考虑 $\frac{W}{C}$ 不同的影响，以 $\frac{W}{C}=0.5$ 的 $X=1.0$，其他的 $\frac{W}{C}$ 的 X_0 相对值依下式计算

$$X_0 = 4.6\frac{W}{C}-1.3 \tag{7-4}$$

其他还有考虑各影响因素的公式及 B 为各影响因素相乘的公式。碳化的影响因素多又互相影响，计算的结果都不是绝对准确的，主要是反映它的危害程度。上述三式各有特点：式(7-1)比较准确，因为 B 包括了现场各种情况，而有些情况是不易定量的，新建工程的预测可以找类似条件的已碳化的工程反求 B，也是比较接近实际的；式(7-2)仅以试验资料推求，似太简单，但混凝土配比相同，CO_2 浓度等因素已包括在内；式(7-3)也是考虑了主要因素，但其他系数以等级概念计入比较模糊。不过式(7-2)、式(7-3)也可从实际

工程资料反求进行修正，利用它们的简单公式进行不同$\frac{W}{C}$或n 的计算，以便进行防止碳化设计。

五、防止碳化的措施

防止碳化应从设计、施工及管理三个方面予以重视，使危害程度减至最少。

(1)工程设计时应收集分析有关碳化的各项资料，综合防碳化、温度控制及结构应力要求，选择混凝土原材料，进行混凝土配比研究；提出防碳化的论述；避免选择复杂的工程体形；考虑工程寿命期内，外部有大于碳化深度的保护层厚度，使之不危及建筑物的应力条件。

(2)严格控制施工操作，不随意加大$\frac{W}{C}$，采用有利于提高混凝土密实度的施工技术。

(3)管理单位应监测工程环境中 CO_2 浓度及其他侵蚀混凝土的有害介质，定期观测碳化情况，及时采取防护措施，遏制恶化。现已实施或试验有防护效果的措施有如下几种：①喷砂浆(严重碳化，混凝土脱落，可采用喷混凝土)，增加表面密实度。硅粉砂浆比普通砂浆好，其吸水率仅为后者的20%～30%。江苏嶂山闸，原为170号混凝土，$\frac{W}{C}=0.7$，6.25年后平均碳化深度20.4mm，喷砂浆后17～19年进行检查，碳化深度仅3～5mm，最大10mm。②表面涂料种类很多，如环氧树脂、EP-1环氧砂浆、EP-2环氧聚酰胺、PWC高效防腐涂料、二硫化聚乙烯等均有很好的防渗、耐水、抗碳化及抗其他侵蚀介质的性能。山东文登市米山水库输水洞表面蜂窝麻面达90%，运用15年即不能使用。采用先涂1mm厚的环氧基液再涂一层环氧砂浆，又运行15年，未发现裂缝，而且减少过水糙率，提高过水能力1.43%。华南港采用环氧类涂料：H801环氧漆，WR112防锈漆，环氧沥青铝粉漆和苯丙砂浆，多次涂于表面，一次可保护5～10年，费用低，约占码头建造费的4%。③新建工程或加固损坏工程的混凝土采用真空模板，混凝土密实度大为提高，其孔隙率仅为普通模板施工的15%～20%。④表面粘贴其他材料的面板，以隔断毛细孔直接与空气中 CO_2 接触。⑤为确定建筑物抗碳化的混凝土安全厚度，需开展研究 CO_2 在大气压力下能渗入孔隙多深，也就是最大碳化深度。钢筋保护层大于此深度或建筑物应力不计此深度，则虽有碳化，工程还是安全的。

介质侵蚀造成的危害，据苏联调查一般工业区的损失达固定资金的16%。多数情况建筑物使用2～10年后，为维持其工作能力所花费的修理费远远超过结构本身的造价。新中国成立50多年来，水利、交通、工民建的混凝土建筑物很多，可想而知，其加固修理费也是惊人的，某些建成多年的混凝土公路桥，在未超载的汽车驶过时突然断裂，碳化裂缝使钢筋锈蚀与裂缝的扩展软化的综合作用可能是其原因。应引起有关当局及广大土建技术人员的重视。应当改变过去重设计轻施工、不问管理的思想，改变只收集地形、地质等直接用于设计的资料，不考虑建筑物地区的环境条件、有害介质等资料，似乎建筑物因有害介质造成的破坏与己无关，使国家遭到经济损失，建筑物不能充分发挥其经济社会效益。坏了就重建，这是一种被忽视的不增效益的重复建设。

第八章　工程实例

第一节　小浪底工程混凝土温度控制

小浪底工程位于黄河最后一个峡谷的出口、河南省孟津县与济源市交界处，混凝土总用量约 300 万 m^3，混凝土建筑物主要有进水塔、消力塘、洞群衬砌混凝土、溢洪道、电站厂房等。

小浪底工程进水塔由 3 座发电排沙洞进水塔（简称发电塔）、3 座孔板泄洪洞进水塔（简称孔板塔）、3 座明流泄洪洞进水塔（简称明流塔）和 1 座灌溉洞进水塔（简称灌溉塔）组成，最大塔高 113m，塔顶高程 283m，塔群前缘总宽度 285.5m；最大单体塔宽 48.3m，最大单塔长度（顺水流向）约 70m。由于抗震要求，塔群 230m 高程以下采用接缝灌浆使各塔相互紧贴。进水塔混凝土总量约 100 万 m^3。由于发电、排沙及泄洪的取水高程不同，塔身水平向孔洞多；塔身中闸门井、电梯井又形成了多座竖井。既有一般的大体积混凝土，也有板、墩交错组成的多次超静定结构，又有多个连成一体的筒状结构，是目前世界上最大、最集中、最复杂的进水塔之一。

小浪底工程左岸洞群密布，主洞有 18 条，是世界上地下洞群布置最密集的水利工程之一。由于水流速度高、泥沙水流磨损严重等原因，混凝土衬砌厚度大（0.8～4m）、混凝土等级高（C30～C70），洞身部分 C70 硅粉混凝土约 29 万 m^3、C40 混凝土约 3.5 万 m^3、C30 混凝土约 18.9 万 m^3，泄槽部分 C70 混凝土约 20 万 m^3（均为设计量）。

进水塔及高标号隧洞衬砌混凝土是本工程温度控制的重点，本节主要介绍其温度控制设计及实施情况。

一、基本资料

（一）气象特征和基岩特性

小浪底工程坝址位于东经约 112°，北纬约 35°，属温带大陆性半干旱季风气候。利用坝址南 20km 孟津县气象站（1963～1988 年）26 年的统计资料，全年月平均气温 13.6℃，月平均最高气温 26.2℃，月平均最低气温 -0.4℃，瞬时最高气温 43.7℃，瞬时最低气温 -17.2℃。寒潮频繁，2～3 天降温 6～8℃以上的次数平均每月出现 1～2 次；日均气温低于 -5℃的每年约 5 天；多年月平均风速 2.1～3.2m/s；多年月平均湿度为 51%～78%。

进水塔基岩主要为硅钙质细砂岩、硅质中细砂岩及粉砂岩等；洞群区域岩性主要为硅钙质粉细砂岩及粉砂岩等，埋深 50～150m。参照硅钙质中细砂岩特性，确定基（围）岩热学参数及力学参数，导热系数 λ 为 10.47kJ/(m·h·℃)，比热 C 为 0.71kJ/(kg·℃)，导温系数 a 为 0.005 63m^2/h，热膨胀系数 α 为 0.8×10^{-5}1/℃，比重 γ 为 2 730kg/m^3，容重 ρ 为 2 620kg/m^3，水平方向弹性模量 E 为 $11\times10^3\sim15\times10^3$MPa，泊松比 μ 为 0.25。

(二)混凝土原材料性能参数

1. 水泥

主要采用洛阳铁门水泥厂的普通硅酸盐 425R、525R 水泥。经试验分析,洛阳 425R 水泥 7 天水化热为 283.7J/g,推算最终水化热为 304.3J/g;洛阳 525R 水泥推算最终水化热为 340J/g,水泥发热速率为 0.52 1/d~0.847 1/d。该水泥具有早强性,混凝土早期温度应力相对较大。

2. 粉煤灰

主要采用洛阳首阳山电厂、焦作电厂、平顶山姚孟电厂等厂家的Ⅱ级以上粉煤灰。

3. 混凝土骨料

混凝土骨料主要采用连地滩天然砂砾石骨料,品质合格但级配不良,需进行人工调配。调配后的骨料岩性成分为:二级配至四级配混凝土中玄武岩占 42%~55%,砂岩占 30%~45%,安山岩、流纹岩、花岗岩及石英岩占 7%~10%。经试验分析,骨料碱活性反应是安全的;掺加粉煤灰后,膨胀率降低。

(三)混凝土性能参数

进水塔主要为 C25 三级配混凝土,隧洞衬砌主要为 C70、C30 二级配混凝土。经试验分析,混凝土导热系数 λ 为 10.57kJ/(m·h·℃),比热 C 为 0.988kJ/(kg·℃),导温系数 a 为 0.004 4m^2/h,热膨胀系数 α 为 1.1×10^{-5} 1/℃。混凝土热膨胀系数较一般混凝土大,主要是因为混凝土骨料中砂岩占 30%~45%,砂岩的线膨胀系数较高所致。混凝土热膨胀系数大对混凝土温度控制非常不利。

混凝土力学参数试验值见表 8-1-1,混凝土的徐变试验值见表 8-1-2。

表 8-1-1　混凝土力学参数试验值

混凝土等级	弹性模量($\times10^4$ MPa)			轴拉强度(MPa)			极限拉伸值($\times10^{-4}$)		
	7d	28d	90d	7d	28d	90d	7d	28d	90d
C25 三级配	2.12	2.61	2.85	1.77	2.27	2.81	0.79	0.91	0.96
C30 二级配	2.66	3.05	3.30	2.04	2.77	3.29	0.86	1.01	1.04
C40 二级配	2.82	3.06	3.38	2.83	3.42	3.63	1.05	1.08	1.18
C70 二级配	3.09	3.68	3.80	3.84	4.46	4.73	1.42	1.68	

表 8-1-2　混凝土徐变试验值　　(单位:$\times10^{-6}$ 1/MPa)

龄期 τ	持荷时间 $t-\tau$(d)							
(d)	3	7	15	30	60	90	120	180
3	25.48	33.98	40.27	46.73	50.03	53.39	55.14	56.00
7	18.11	24.83	28.41	33.26	38.77	41.92	43.37	44.50
28	12.25	15.69	18.32	21.79	25.26	26.88	28.73	30.64
90	6.35	7.78	10.32	12.30	14.60	16.31	17.71	19.00
180	4.79	6.33	7.37	8.48	10.29	11.34	11.88	

注:本表结果采用洛阳普通水泥 C25 混凝土。

二、温度控制标准

(一)进水塔温度控制标准

1. 进水塔允许最高温度

对一般混凝土坝,基础温差是温度控制的主要指标,而进水塔由于受结构影响,在常规基岩约束范围外,仍存在较大的温度应力区,其温控标准通过计算分析确定。进水塔上部筒状结构,主要控制内外温差,由内外温差及有限元分析确定最高温度。

参照有限元应力计算分析结果、实测资料反馈分析及工程实践经验,根据各部位结构不同,小浪底进水塔最高温度控制标准见表 8-1-3。

表 8-1-3 进水塔允许最高温度、最大层厚及最小层间歇值

序号	建筑物		最高温度(℃)	最大层厚(m)	最小层间歇(d)
1	1 号、2 号、3 号发电塔	高程 171~180m	28	1.5(底板),2.5(墩墙)	7
		高程 180~183m	30	1.5	7
		高程 183~195m	32	1.5	7
2	1 号、2 号、3 号孔板塔	高程 171~175m	28	1.5	7
		高程 175~195m	32	3.0	7
		高程 195m 以上	37	3.0	7
3	1 号明流塔	高程 175~190m	28	3.0	7
		高程 190~195m	28	2.0	7
		高程 195~210m	30	3.0	7
		高程 210m 以上	37	3.0	7
4	2 号明流塔	高程 175~183m	29	1.5	7
		高程 183~190m	32	3.0	7
		高程 190~209m	37	1.5	7
		高程 209m 以上	37	3.0	7
5	3 号明流塔	高程 200m 以下	26	3.0	7
		高程 200~206m	29	1.5	7
		高程 206~212m	32	1.5	7
		高程 212~225m	37	2.0	7
		高程 225m 以上	37	3.0	7
6	灌溉塔	高程 200m 以下	26	1.5	7
		高程 200~207m	29	1.5	7
		高程 207~214m	32	1.5	7
		高程 214m 以上	37	3.0	7

2.表面保护时段及保护标准

表面保护除冬季防冻外,其他季节可抵御寒潮(每月 1~2 次)侵袭和防止年气温变幅引起的裂缝。另外,对结构变形不协调部位,适当的表面保护可减缓一些部位的降温速度和幅度,减小结构变形不协调的影响。表面保护对防止早期裂缝效果尤为显著,对进水塔中的薄壁结构和混凝土板、墩、墙,早期裂缝发展易形成贯穿裂缝,故其作用更为重要。

经有限元计算和对实际采用的保温措施分析,为防止冬季混凝土受冻,冬季浇筑的 C25 混凝土在龄期 21 天内,需采取 $\beta<12.6$kJ/(m^2·h·℃)的保护, C15 混凝土在龄期 28 天内,需采取 $\beta<6.3$kJ/(m^2·h·℃)的保护。为抵御典型寒潮(3 天降温 14.3℃)侵袭,C25 混凝土龄期 28 天内需采取 $\beta<10.45$kJ/(m^2·h·℃)的保护, C15 混凝土在龄期 28 天内,需采取 $\beta<8.3$kJ/(m^2·h·℃)的保护。

进水塔冬季实际采用的措施:采用木模板浇筑,拆模后立即用塑料薄膜和 1 层或 2 层黑色聚乙烯泡沫保护。经测算,保护基本满足要求。

3.基础部位起浇时限

根据应力分析并结合国内外温控的现实水平,确定 3 座发电塔宜于 10 月~翌年 2 月间起浇; 3 座孔板塔宜于 9 月~翌年 4 月间起浇;1 号、3 号明流塔宜于 9 月~翌年 5 月间起浇;2 号明流塔全年均可起浇。

4.进水塔温控考虑的特殊因素

(1)钢筋在抵抗温度应力中的作用。进水塔的大部分部位属钢筋混凝土结构,目前规范及有限元计算均未考虑钢筋在抵抗温度应力中的作用。钢筋与混凝土的热膨胀系数很接近,近似可按两者变形相容进行分析,即 $\sigma_s/E_s=\sigma_c/E_c$($E_s$、$\sigma_s$ 为钢筋弹性模量及其承受的温度应力,E_c、σ_c 为混凝土弹性模量及其承受的温度应力),钢筋单位表面积与其影响混凝土的当量断面面积之间存在一比例关系,对于进水塔中使用较多的 ϕ36mm 钢筋,其影响混凝土当量断面的半径为 0.17m, 在影响范围内,混凝土的抗拉强度一般提高 0.2 ~0.3MPa。这样,钢筋影响范围内混凝土的允许最高温度可提高 2℃。钢筋不能防止裂缝的发生,但它能限制裂缝的发展延伸, 在应力集中范围内,适当增设温度筋是必要的。钢筋影响范围见表 8-1-4。

表 8-1-4　不同直径钢筋影响范围

钢筋直径(mm)	36	32	28	25	22	20
影响半径(m)	0.17	0.16	0.15	0.14	0.13	0.12

(2)混凝土软化分析。从 20 世纪 70 年代开始,随着试验技术的提高,混凝土的软化性能越来越受到人们的重视。混凝土在刚性试验机上达到抗拉强度时并不立即断裂,而是随着变形的增加应力逐渐降低,如果考虑混凝土软化这一有利因素,对某些温控难度较大的部位,混凝土最高温度可适当放宽 1~2℃。

(二)隧洞衬砌混凝土温度控制标准

经计算分析,隧洞衬砌混凝土温控标准应是综合性的,应包括最高温度、表面保护等,同时对分段长度应进行限制。

1. 隧洞衬砌混凝土允许最高温度

由差分法和有限元法确定的不同衬砌厚度的允许最高温度见表 8-1-5。

表 8-1-5　小浪底隧洞衬砌混凝土允许最高温度

隧洞衬砌厚度 h(m)	允许最高温度(℃)	
	C70 混凝土	C30 混凝土
$h \leqslant 1$	43℃	35℃
$1 < h \leqslant 2$	50℃	40℃
$h > 2$	54℃	44℃

2. 表面保护时段及保护标准

C70、C30 混凝土衬砌厚度超过或接近 1m 时,若早期不进行表面保护,早期内外温差引起的温度应力有可能将混凝土拉裂,特别是混凝土衬砌厚度超过 2m 时,早期温度应力更是突出。

C70、C30 混凝土衬砌厚度超过或接近 1m 时,拆模前后混凝土表面散热系数不大于 6.2kJ/(m^2·d·℃),表面保护时间不少于 7 天。

3. 衬砌分段长度

C70 混凝土衬砌分段长度宜在 6m 内,C30 混凝土衬砌分段长度不大于 9m。

三、温控措施及效果

(一)进水塔主要温控措施及效果

进水塔混凝土于 1996 年 9 月 3 日开盘浇筑,1999 年 7 月底全部封顶。采取的主要温控措施如下。

1. 优化混凝土配合比

使用最小水泥用量,同时掺加粉煤灰。在 C20 和 C15 混凝土中,粉煤灰最大含量为总胶结量的 40%,其他等级的混凝土粉煤灰最大含量为 25%,夏季使用中热水泥。大部分混凝土的粉煤灰掺量达到了我国规范规定的最大极限。

C25 混凝土实际采用配比为($1m^3$ 混凝土):水泥 190kg,粉煤灰 37kg,水 96kg,砂 716kg ,石 1 357kg。

C20 混凝土实际采用配比为($1m^3$ 混凝土):水泥 116kg,粉煤灰 77kg,水 101kg,砂 478kg ,石 1 634kg。

C15 混凝土实际采用配比为($1m^3$ 混凝土):水泥 98kg,粉煤灰 64kg,水 82kg,砂 497kg ,石 1 697kg。

2. 降低出机温度

夏季主要采取了加冰拌和、冷水拌和及水冷、风冷粗骨料等措施。高程 195m 以下(约 24m 的高度范围内)混凝土春秋季也一直在加冰。①冷水拌和:水温 4~8℃;②加冰拌和:春秋季节每立方米混凝土加 30~40kg 的片冰,夏季加 50~60kg 的片冰;③预冷骨料:水冷和风冷联合运用,水冷骨料一般自 5 月中旬开始,冷却水温度 4~8℃之间。夏季实测出机温度达 13~17℃,春秋季 3~5 月及 9~11 月实测出机温度 11~13℃。

3. 削减水泥水化热温升

在进水塔高程 230m 以下均埋设了冷却水管,钢管间排距 1～2m,钢管直径 2.5cm,混凝土浇筑后通水冷却 1 周。为控制冷却水与混凝土的温度,前 3 天通 7～10℃的冷水,3 天后通 15～20℃的地下水。

4. 冬季施工措施

(1)表面保护。部分浇筑块拆模后及时覆盖 1cm 厚的黑色泡沫保温板,有些部位覆盖两层,并用木条等固定。个别部位在混凝土拆模后,用一层塑料薄膜、一层麻袋、一层 1cm 厚的黑色泡沫覆盖。

(2)搭设暖棚。在混凝土浇筑前,部分仓号用热风机进行预热,提高环境温度,防止混凝土受冻,在仓面用帆布搭设封闭性的帐篷,用电动燃油热风机向棚内吹热风,棚内温度达到 5～10℃。

由于水泥温度较高,冬季出机温度一般在 10℃以上,未采取加热水拌和的措施。

5. 进水塔混凝土温控效果

进水塔中共埋设了 283 支温度计,其中 205 支为施工期临时性的;同时埋有 40 支测缝计及应变计、钢筋计等,除温度计外其他观测仪器也具备观测温度的功能。进水塔大部分浇筑块最高温度在允许范围内,个别仓号实测温度较高,主要原因是洛阳水泥温度较高(水泥罐内水泥最高达 100℃),致使加冰拌和及骨料预冷未能达到应有的效果,出机温度未降到位。

小浪底水库进水塔混凝土施工历时近 3 年, 1 号、2 号、3 号发电塔基础部位(高程 171～184m)浇筑时间为 1996 年 9 月至 1997 年 4 月,实测出机温度 9.0～12.9℃之间;实测最高温度(点温度)大多在 30℃以下,个别点温度在 30℃以上,出现少量表面裂缝。裂缝主要在浇筑块的侧壁上,这些裂缝宽度在 0.5mm 以下,长度 1～3m 不等,随着季节的变化,有些能自行闭合,相邻混凝土块浇筑后,裂缝不会再继续发展,这些裂缝未进行处理。2 号发电塔中墩的 175～180m 和 3 号发电塔边墩的 175～178m 浇筑层,均于 1996 年 12 月 29 日浇筑,2 天后拆模时,均发现竖向劈裂性裂缝(墩厚约 3.5m),主要原因是采用了泵送混凝土,水泥用量大增,浇筑后又遇大风降温,保温措施不够,实测内部最高温度达 50～52℃,按要求进行了处理。除此之外,到目前各塔均未发现危害性裂缝。

(二)隧洞衬砌混凝土主要温控措施及效果

导流洞衬砌混凝土于 1996 年 1 月 23 日开盘浇筑,1997 年 8 月 31 日结束。3 条导流洞设计混凝土总量 26.2 万 m^3,其中 C70 混凝土 15.7 万 m^3, C30 混凝土 10.5 万 m^3。洞身衬砌厚度有 2.5、2.0、1.2、1.0、0.8m,成洞洞径 14.5m。中闸室以前洞身衬砌为 C30 混凝土,衬砌厚度为 1.0～2.5m;中闸室以后洞身衬砌为 C70 混凝土,衬砌厚度为 0.8～1.2m。导流洞身衬砌分段长度一般为 12m。下面重点介绍导流洞的实施情况。

1. 优化混凝土配合比

隧洞衬砌混凝土在满足强度等设计指标要求的情况下,尽量减少水泥用量,普遍掺加接近 25%的粉煤灰,经大量现场试验,混凝土实际采用配合比见表 8-1-6。C70 混凝土 525R 水泥用量 350kg/m^3 左右,与其他工程相比,水泥用量比较低,有利于温度控制。

同时为了增加混凝土的可泵送性,掺加了高效减水剂、塑化剂等多种外加剂。

表 8-1-6　每立方米衬砌混凝土实际采用配合比

混凝土类别	水泥(kg)	粉煤灰(kg)	砂子(kg)	碎石(kg)	水(kg)
C30(二级配)	230	98	780	1 084	152
C70(二级配)	350	120,另加硅粉 34	668	1 167	77

2. 降低出机温度

为降低出机温度,夏季主要采取了加冰拌和、冷水拌和及预冷粗骨料等措施。①冷水拌和,采用 4~8℃ 的水拌和;②加冰拌和,C70 混凝土春秋季节每立方米混凝土加 30~40kg 的片冰,夏季加 50~60kg 的片冰,冬季加冰 20~30kg;③预冷骨料,水冷骨料一般自 5 月中旬开始,运输骨料的皮带以 0.5m/s 的速度通过 90m 长的喷水冷却廊道,喷水温度 4~8℃;风冷骨料 6 月初开始,即经过水冷的骨料,脱水后进入储料仓,向料仓中通 -20℃ 的冷风,骨料经水冷、风冷后,进入拌和仓时其温度可降至 10℃ 左右。导流洞实测出机温度 C70 为 10.3~25.6℃,C30 为 14.4~19.8℃。

3. 采用养护剂养护

导流洞 C70 混凝土温度高达 50~60℃,拆模后采用洒水养护,出现了大量表面裂缝,后来均采用涂一层保水养护剂保湿养护,禁止洒水养护。

4. 其他措施

冬季为防止空气对流,提高洞内环境温度和降低混凝土内表温差,洞口采用帆布、草席等封堵。实施过程中,基本未进行表面保护。

5. 温控实施效果

1)实测最高温度

导流洞混凝土个别浇筑块最高温度超出了设计要求,C70 混凝土最高温度 46.1~67.8℃(测点温度);C30 混凝土最高温度 44.6~65.9℃(测点温度)。出现了不同程度的裂缝。

2)裂缝情况

经初步统计,3 条导流洞裂缝 101 条,长度约 404m,裂缝宽度大于 0.5mm 的约占一半。绝大部分裂缝出现在 C70 混凝土衬砌段;冬季施工的混凝土出现的裂缝多;中闸室内长而厚的直墙比圆形洞身段出现的裂缝多;新老混凝土间隔时间长时,上层混凝土易产生裂缝;早期裂缝多,后期新增裂缝少。

3)裂缝原因分析

有些部位拆模时(龄期 2~3d)已出现裂缝,有些部位拆模后 1~2d 内出现裂缝,这是明显的早期裂缝。混凝土后期裂缝主要由围岩约束等引起,与混凝土最高温度、块体尺寸、混凝土弹模、围岩弹模等因素有关,后期裂缝多数与早期裂缝位置重合,使裂缝继续扩展,综合分析主要有以下原因。

(1)衬砌混凝土拆模后,表面温度高达 50℃ 左右,有些部位采用洒水养护,表面受冷击很快出现裂缝。

(2)未采取表面保护措施,根据计算分析和小浪底导流洞个别段的经验,拆模前后采取一定的表面保护措施,对防止早期裂缝非常有效。但明流洞、排沙洞和导流洞的大多部位都未采取表面保护。

(3)衬砌分段较长,根据水工隧洞设计规范,隧洞衬砌分段长度一般为6~12m。据计算分析,C70混凝土分段长度宜在6m以内,而实际采用的多是12m。

(4)高标号混凝土早期抗裂性能差,高标号混凝土由于水泥用量大,导致水化热温升很高,致使混凝土最高温度很高,同样条件下,高标号混凝土早期内外温差增幅很大,而早期抗拉强度增幅有限,很容易出现早期裂缝。

(5)早强水泥对温度控制不利,洛阳铁门水泥具有早强性,即水化速度快,根据实测资料,高温峰值多在浇筑后第2~3d出现,经试验水泥发热速率在0.52~0.85l/d,一般普通水泥的发热速率0.4l/d左右。早强水泥拌制的混凝土,由于温度上升快,内外温差的高峰值出现时间早,容易产生早期裂缝。

(6)混凝土骨料膨胀系数大,混凝土骨料中砂岩占30%~45%,砂岩的膨胀系数较大,同样的降温幅度产生较大的拉应力。

(7)硅粉干缩,硅粉混凝土较一般混凝土干缩率大,容易产生干缩裂缝,这些裂缝虽然大多是小裂缝,但在其他不利因素叠加的情况下,易发展成为危害性裂缝。

另外,衬砌混凝土存在个别部位振捣不充分的问题,混凝土施工振捣较好的部位裂缝较少,而一些振捣时间不足或时有漏振的部位,裂缝很难控制。

四、小浪底工程温控总结

(一)进水塔温控总结

1.进水塔中框架结构温度控制

水工混凝土框架结构,尤其是基岩约束区内的框架结构,其温度应力较一般柱状大体积混凝土大且分布复杂,其温控标准应在一般重力坝标准基础上适当加严。允许基础温差取重力坝的下限或更低。框架结构除温度自生应力(一般温度应力)外,还存在结构变形不协调产生的结构温度应力。欲减小结构温度应力,除对结构本身进行优化外,可对结构的不同部位采取不同的保温或降温措施,使结构各部位的温度变形趋于协调,并采取必要措施推迟最大温度应力出现的时间,利用混凝土后期强度提高抗拉能力。针对不同的工程必须进行具体分析。

2.进水塔中筒状结构温度控制

小浪底进水塔上部为多个联成一体的筒状结构,壁厚1.5~4m,其平剖面亦为框架结构,其允许最高温度主要受内外温差控制。由于各筒体均为薄壁结构,各部位的温度变形基本协调,温度应力不大。但薄壁结构的表面裂缝易发展形成贯穿裂缝,受结构布置条件的限制,裂缝处理非常困难,故亦要引起足够的重视。对筒体这种薄壁结构,关键要做好早期表面保护,表面保护除冬季防冻外,其他季节可抵御寒潮侵袭和防止昼夜温差等引起的裂缝,对防止早期裂缝效果更为显著。

(二)衬砌混凝土温控总结

高等级混凝土早期抗裂性能差,很容易出现早期裂缝,要引起足够重视。高等级衬砌混凝土必须进行温控设计,采取必要的温控措施。

1.衬砌分段长度

衬砌分段长度取规范的中下值。水工隧洞设计规范中衬砌分段长度一般为6～12m，C30及其以上等级混凝土衬砌厚度大于1m时，分段长度一般应在6～9m，混凝土等级越高，分段长度越小。

2.不宜采用早强水泥

早强水泥拌制的混凝土，由于温度上升快，内外温差的高峰值出现时间早，容易产生早期裂缝。

3.表面保护及养护

当衬砌厚度接近1m或大于1m时，早期需采取表面保护措施，表面保护时间不少于7d。高等级超厚衬砌混凝土不能采用洒水养护，混凝土表面受冷击易出现裂缝。

4.确保施工质量

衬砌混凝土钢筋密布，要有足够的振捣时间，振捣时间不足或时有漏振的部位，裂缝很难控制。

第二节　万家寨混凝土重力坝温度控制

一、概述

(一)枢纽布置

万家寨水利枢纽工程位于黄河北干流上段的托克托龙口峡谷河段内，坝址左岸为山西省偏关县，右岸为内蒙古自治区准格尔旗。工程的主要任务是供水结合发电调峰，同时兼有防洪、防凌作用。枢纽大坝为半整体式混凝土重力坝，重力坝最大坝高91m，坝顶长443m，坝体混凝土总量181万m^3。大坝共分22个坝段，从左至右依次为左岸挡水坝段、引黄取水口坝段、表孔坝段、底孔坝段、中孔坝段、隔墩坝段、电站坝段和右岸挡水坝段，发电厂房布置在坝后。坝体主要采用常态混凝土，在岸坡坝段、导流底孔封堵、预留钢管槽回填及厂房蜗壳等部位采用低热微膨胀混凝土约10万m^3。

坝段横缝间距16～24m，最大浇筑块尺寸24m×24.15m。

(二)气象条件及混凝土性能

万家寨坝址位于北纬39.6°，地处温带大陆性季风性气候的西北黄土高原区。该地区冬季气候寒冷，夏季炎热，气温季节变化和昼夜变化均较强烈；冬季时间长，春夏秋三季多有寒潮，气温骤降频繁且降温幅度大，气候条件比较恶劣。多年平均气温7.0℃，月平均最高温度22.8℃，绝对最高温度38.1℃，月平均最低温度－11.5℃，绝对最低温度－31.0℃；多年平均气温骤降次数22.38次，气温骤降实测最大值20.6℃，多年平均地面温度9.5℃，多年平均河水温度9.7℃。

坝体主要为C15混凝土，混凝土导热系数λ为11.18kJ/(m·h·℃)，比热C为1.004 8kJ/(kg·℃)，导温系数a为0.004 4m^2/h，热膨胀系数α为1.0×10^{-5}1/℃。混凝土泊松比0.167，28天极限拉伸值0.7×10^{-4}，弹性模量2.4×10^4MPa。

二、温控标准

坝体稳定(接缝灌浆)温度为8～12.5℃,下部低,上部高;上游部位低,下游部位高。

基础温差如表8-2-1所示。由基础温差和坝体稳定温度,即可确定基础部位允许最高温度。

表8-2-1 基础温差 (单位:℃)

块长(m)	30	25	21	19
强约束区(0～0.2L)	19	21	22	23
弱约束区(0.2～0.4L)	22	24	25	26

内外温差:脱离了基础约束的混凝土,根据其内外温差确定允许最高温度。内外温差控制在15～25℃之间,允许最高温度如表8-2-2所示。

表8-2-2 基础约束区之上坝体的允许最高温度 (单位:℃)

月份	1	2	3	4	5	6	7	8	9	10	11	12
允许温差	25	25	24	18	16	15	15	15	16	19	24	25
最高温度			25.1	27.2	32.3	36.0	37.8	35.8	30.8	26.8		

新、老混凝土上下层允许温差:老混凝土上浇筑新混凝土,在薄层短间歇均匀连续上升时,上下层允许温差为18℃,浇筑块侧面长期暴露时为18℃;老混凝土上浇新混凝土为薄层长间歇时,上下层允许温差为14℃。

三、温控措施及效果

(一)降低水泥水化热的措施

(1)优化混凝土配合比,减少水泥用量。配合比优化后,水泥用量为162kg/m^3,减少16kg/m^3。

(2)掺加高效减水剂。各标号混凝土掺加高效减水剂后,减水率均大于12%,降低水泥用量15%左右。

(3)掺加粉煤灰。基础部位混凝土掺加粉煤灰20%,坝体内部为35%。

(4)使用低水化热水泥。基础约束区采用抚顺425号普硅中热水泥,1号、2号、21号岸坡坝段、导流底孔封堵、预留钢管槽回填及厂房蜗壳等部位采用清水河低热微膨胀水泥。

(5)其他措施。在采取上述措施的同时,对不同部位分别采取了加大混凝土骨料粒径、选定合适的砂率、采用低流态混凝土等措施,均有利于减少水泥用量。

(二)夏季温控措施

本工程6～8月为夏季施工,主要温控措施有:加冷水和片冰拌和,加冰30～60 kg/m^3;预冷骨料;坝体内部通水冷却。同时采用加大料堆高度,预冷混凝土及运送混凝土设施隔热保冷,夜间浇筑及减小分层厚度等。

(三)冬季温控措施

每年11月～翌年3月底为冬季施工,主要温控措施有:

(1)提高浇筑温度。当日平均气温为3～5℃时,露天浇筑,浇筑温度不低于日平均气温;当日平均气温-5～3℃时,露天浇筑,浇筑温度不低于5℃;当日平均气温低于-5℃时,如需施工,须搭设暖棚,棚内温度6～10℃,混凝土入仓温度5～10℃。采用料仓预热、60℃热水拌和等措施提高混凝土出机温度。在基岩或老混凝土上浇筑时,如温度为零下时,将10cm深度内加热为0℃以上。

(2)加强表面保温。覆盖草帘、帆布等保温材料,冬季不拆除。

(3)其他措施。掺加防冻剂;在10月底以前储备一定的混凝土骨料,加大料堆高度;及时清理仓号的积雪、冰块;封闭坝内孔洞、廊道以避免冷空气侵袭等。

(四)春秋季温控措施

5月、9月加冷水拌和;春秋季气候多变、气温骤降频繁,采取塑料薄膜等材料进行表面保护;同时加强温度监测。

(五)温控效果

万家寨大坝混凝土于1995年开盘浇筑,至1999年7月完工,历时4年多。据统计,大坝混凝土裂缝40多条,大多为表面裂缝,极少为深层裂缝,未发现危害性的贯穿性裂缝,所有裂缝均按要求进行了处理。

四、万家寨混凝土温度控制总结

万家寨水利枢纽工程气候条件恶劣,温度控制难度大,但在采取了种种措施后,达到了减少裂缝及节约水泥用量的目的。

低热微膨胀水泥原计划在万家寨水利枢纽工程大面积应用,全坝拟采用补偿收缩混凝土60万m^3,后因水泥研制和供应不及时,部分科研成果滞后,导致实际工程运用范围缩小。因此,新材料、新技术的研制与应用,需各方通力合作。

第三节　黄河上游混凝土重力坝温度控制

一、刘家峡混凝土重力坝

(一)枢纽布置

刘家峡枢纽挡水建筑物包括左岸副坝、河床主坝、右岸副坝、连接副坝及黄土坝。主坝为混凝土重力坝,最大坝高148m,最大底宽120m,当时为国内最高的混凝土坝。主坝坝顶全长204m,混凝土量76万m^3,一般分块尺寸为21m×22m,最大21m×26.5m。一般浇筑层厚3～5m。右岸重力坝最大坝高43m,最大底宽31.5m,混凝土量15万m^3。1966年4月开始浇筑基础部分混凝土,到1968年10月拦洪蓄水。

(二)温控特点及原因分析

由于种种原因,施工过程中未能满足设计的温控要求,基础温差均超过了规范和设计的允许值。主坝15个基础块中的12个达到或超过了30℃,个别实测值达到40.8℃。然而运行多年并未发现基础贯穿性裂缝,经分析主要有以下几个原因。

(1)实际基岩约束小。温度应力分析一般不考虑基岩降温变形的影响,由于基岩后期的降温变形是收缩,相对的可在浇筑块内产生压应力,将会减小浇筑块内拉应力;由于竖向节理的存在,基岩实际的刚性和约束作用比设计考虑的小,实际的约束应力较小。

(2)本工程混凝土抗裂性能好。根据试验室测定结果,混凝土中心受拉极限拉伸值比设计取用值约高 30%。本工程混凝土质量较好,混凝土抗拉强度和极限拉伸较高,热强比较低。

(3)实际的基础温差较设计值小。库水温度是确定坝体稳定温度场的上游边界条件,一般设计中都假设深水水库下部水温为 4℃,因为 4℃水温水的密度高,将占据下部。在多泥沙河流上,由于汛期上游来的挟沙水流密度较 4℃水更高,将取代 4℃水面留在水库下部,并使得坝体实际稳定温度明显地较设计值大。19 世纪 40 年代美国胡佛坝也有这方面的经验。

刘家峡水库上游泥沙主要产区在支流洮河流域,洮河泥沙集中于汛期夏季。设计坝体稳定温度场时考虑这一因素,将水库下部水温定为 6℃,比一般假定值高 2℃。但坝体挡水后的长期运用经验表明,水库下部因泥沙淤积,使坝体上游面温度达到了 13℃。这样坝体稳定温度提高,使得实际的基础温差减小。

(4)坝址河谷较窄,主坝坝轴线较短,浇筑仓面较少,有利于及时覆盖上层混凝土,减少了发生表面裂缝的机会,也就减少了在不利条件下发展为贯穿性裂缝的机会。

(5)现行规范以极限拉伸值来控制温度防止裂缝,实际上已利用了应力—应变曲线线性关系破坏后的一般变形能力,而线性关系的破坏正是由于混凝土内微裂缝的发展,此时混凝土并未开裂,进一步的论证可采用断裂力学理论。

(6)混凝土自生体积变形与温度变形同时产生,同样会引起约束应力。自生体积变形如是膨胀,将产生压应力是有利因素。本工程采用的大坝水泥和抗酸水泥,前者自生体积变形是膨胀,后者是收缩。

二、龙羊峡混凝土重力拱坝温度控制

(一)工程布置

枢纽由混凝土重力拱坝、两岸重力墩、两岸副坝、泄水建筑物、电站引水系统及坝后厂房等组成,电站装机 4×320MW,主体工程混凝土总量 318.5 万 m^3。混凝土重力拱坝(主坝)最大坝高 178m,最大底宽 80m,混凝土量 156.7 万 m^3,主坝前缘长 396m,分 18 个坝段。河床中部 7~10 坝段为标准段,上游面弧长 24m,坝内埋有压力钢管,直径 7.5m。第 2~6 坝段、11~16 坝段为岸坡坝段,坝段间的横缝除个别坝段外均沿径向设置,坝体最大断面设置 3 条纵缝。

(二)气象特征及混凝土性能

龙羊峡水电站位于青海省海南藏族自治州,属高寒大陆性气候,年降水量 271mm,而蒸发量高达 2 030mm,全年寒冷期长达半年,年平均气温 5.8℃,元月份平均气温 −9.3℃,7 月份平均气温 18.2℃,风沙大,最大风速 34m/s,6 级以上大风年平均 80 次。寒潮频繁,全年各月均有出现。对于高寒地区,应特别注意提高混凝土的耐久性与防裂性。

(三)温控标准

坝体稳定温度7℃左右,基础温差20℃,坝体基础部位允许最高温度27℃。坝体上部根据允许的内外温差确定允许最高温度。

(四)温控措施

选择合适的水泥,采用永登525号大坝硅酸盐水泥,具有早期强度高、抗硅酸盐侵蚀、质量稳定等优点;掺加适量减水剂及粉煤灰,减水剂减水率达22%,主坝混凝土掺15%~30%的粉煤灰。

6~8月控制基础部位混凝土浇筑温度不大于13℃,相应出机温度不大于11℃,为此主要采取了加大地垄高度(大于6m)、加冷水及片冰拌和,每立方米混凝土加冰20~45kg;埋设冷却水管,通水时间10~15d;6~8月,混凝土表面铺草袋洒水养护7~10d。

12月~翌年2月上旬,坝体必须采用暖棚法施工,冬季其他时间采用蓄热法施工,控制混凝土浇筑温度5~8℃。对重要部位混凝土加强冬季保温,混凝土热交换系数β不大于1kJ/(m^2·h·℃);对5月、9月浇筑混凝土拆模后,立即挂一层草袋保温,在当年10月底完成保温覆盖工作;10月~翌年4月浇筑的混凝土,不予拆模,保温过冬,其中11月~翌年2月4个月浇筑的混凝土需覆盖6cm厚的玻璃棉,10月和4月浇筑的混凝土保温标准减半;上游面终年采用岩棉被或泡沫塑料板贴面保温,于蓄水前拆除,下游面覆盖岩棉被,竣工前拆除。

(五)温控效果

主坝混凝土于1982年6月开始浇筑,1988年浇筑完毕。1986年10月15日下闸,施工过程中共发现裂缝229条,较长或较深的裂缝近40条,没有发现贯穿性裂缝。

三、青铜峡闸坝式电站温度控制

(一)枢纽布置

青铜峡水利枢纽主要有河西重力坝、河西渠首电站、河床电站、溢流坝、河东渠首电站、河东重力坝等组成。采用闸墩式电站,河床电站与闸墩相间布置,河床电站总长6×21m,溢流坝总长7×14m,总装机272MW。最大坝高42.7m,混凝土总量68万m^3。

本枢纽结构形式复杂,断面单薄,且呈窄长形超静定结构,给温度控制带来许多困难。

(二)气象特征

青铜峡水利枢纽位于宁夏青铜峡县境内,属大陆性气候,年平均气温10.2℃,元月份平均气温-6.1℃,7月份平均气温25.4℃,气温变幅15.75℃;年降水量208mm,而蒸发量1 500mm以上;冬春两季大风多,最大风速22.2m/s。

(三)温控标准

早期对必要的温控措施未予充分考虑和重视,出现了大量规律性裂缝,此后开始控制混凝土浇筑温度,温控标准见表8-3-1。

(四)温控措施

(1)减少水泥用量,降低水化热温升。加塑化剂,掺量1%~3%;加掺合料粉煤灰和胶泥,胶泥用在低标号混凝土中;采用低流态混凝土,水泥用量最多降低50kg/m^3;混凝土中埋设块石,埋设量15%左右。

表 8-3-1 青铜峡温控标准 (单位:℃)

部位	基础温差		内外温差	
	0～0.25L	0.25～0.5L	h<0.5L	h>0.5L
溢流坝	24	27	20	23
电站	21	24	20	23

注:L 为混凝土浇筑块长边尺寸。

(2)降低浇筑温度。采用加冷水和冰(天然冰和人工冰两种)拌和;骨料堆搭棚遮阳;采用循环水预冷骨料。减小浇筑分层,基础部位分层厚度 1.5～2.0m;埋设一期冷却水管,降温 5℃左右。

(3)防止混凝土超冷和保温。闸墩式电站系薄壁结构,孔洞多、系超静定框架结构,墩墙厚度为 1～3.5m。施工期混凝土温度可降至 -2～-8℃,远低于运行期稳定温度,这就是混凝土超冷现象。混凝土温控若以此为基点,降温措施无法满足,经济上也不合理,为此提出防止混凝土超冷和保温的要求,以免混凝土开裂。

混凝土冬季施工,初期以蓄热法为主,后期以简易暖棚法加火炉为主。保温范围及措施:已浇电站部位,封堵所有孔洞,内部设蒸汽暖气片,温度维持在 2～3℃;对溢流坝、护坦分别采用干砂、砂卵石、草帘覆盖;对电站及溢流坝的新浇混凝土的外露面覆盖厚 20cm 草帘。

(五)温控效果

电站、溢流坝混凝土 23.75 万 m^3,共发现裂缝 1 148 条,其中电站 957 条、溢流坝 191 条,平均每万立方米混凝土裂缝 48.29 条,裂缝情况相当严重。

出现裂缝的主要原因是:冬季保温措施不力,混凝土超冷严重(如 3 号溢流坝混凝土内部实测温度降幅达 54℃),分层分块不尽合理等。本工程揭示了闸坝式电站的温度控制不容忽视。

附表　有关计算单位换算表

名称	单位名称	单位符号	换算式
力	牛	N	1N = 0.101 972kg
			1kg = 9.807N≈10N
压力	帕[斯卡]	Pa	$1Pa = 1N/m^2$, $1MPa = 10.197kg/cm^2$
			$1kg/cm^2 = 9.807\times10^4 Pa = 0.098\ 07MPa \approx 0.1MPa$
			$MPa/mm = N/mm^3$
	巴	bar	$1bar = 10^5 Pa = 0.1MPa$
	标准大气压	atm	1atm = 101 325Pa≈0.1MPa
	工程大气压	at	$1at = 9.807\times10^4 Pa$
	毫米水柱	mmH_2O	$1mmH_2O = 9.807Pa$
	毫米汞柱	mmHg	1mmHg = 133.322Pa
热量	焦耳	J	1J = 0.238 846cal
			1cal = 4.186 8J(蒸汽表卡)
			$1cal_{th} = 4.184J$(化学卡)
放热			$1W/m^3 = 0.859\ 845kcal/(m^3\cdot h)$
传热			$1kcal/(m^2\cdot h\cdot ℃) = 5.678\ 26W/(m^2\cdot ℃)$
导热			1kcal/(m·h·℃) = 1.163W/(m·℃)
功率	瓦[特]	W	1W = 1J/s
			1kcal/h = 1.163W
			1J = 0.101 972kg·m, 1Nm
			$1kg\cdot m = 2.724\ 0\times10^{-6} kW\cdot h$
			$1kg/cm^{3/2} = 9.807kN/m^{3/2}$, $0.009\ 87MN/m^{3/2}$, $0.310\ 1N/mm^{3/2}$
			$1MPa\cdot cm = 1\times10^4 N/m$
			$1N/m = 1\times10^{-4} MPa\cdot cm$, $1\times10^{-6} MPa\cdot m$
	兆	M	10^6
	微	μ	10^{-6}
	吉[咖]	G	10^9

参考文献

[1] 朱伯芳.水工混凝土结构的温度应力与温度控制.北京:水利水电出版社,1976
[2] 蔡正咏.混凝土性能.北京:建筑出版社,1979
[3] 惠荣炎.混凝土的徐变.北京:中国铁道出版社,1988
[4] 吴中伟.膨胀混凝土.北京:中国铁道出版社,1990
[5] 张书农.环境水力学.南京:河海大学出版社,1988
[6] 陈世训.气象学.广州:中山大学出版社,1993
[7] (美)垦务局.混凝土坝冷却.侯建功译.北京:水利电力出版社,1958
[8] 潘家铮.混凝土坝的温度控制计算.上海:上海科技出版社,1959
[9] 汪胡桢.水工隧洞的设计理论和计算.北京:水利电力出版社,1977
[10]徐芝纶.弹性力学.北京:人民教育出版社,1982
[11] 张锡祥.建坝新途径.北京:水利电力出版社,1987
[12] (苏)布拉耶夫斯基.水工建筑物混凝土工程冬季施工法.北京:燃料工业出版社,1954
[13] 潘家铮.重力坝设计.北京:水利电力出版社,1987
[14] 燃料化学工业部化学工业设计院.蒸汽喷射制冷设计手册.北京:中国建筑工业出版社,1972
[15] 王铁梦.建筑物的裂缝控制.上海:上海科技出版社,1987
[16] 何崇璋.空腔壳基础.北京:科学出版社,1985
[17] H. L. Ewalds.断裂力学.朱永昌译.北京:北京航空航天大学出版社,1988
[18] 余天庆.损伤理论及其应用.北京:国防出版社,1993
[19] 褚武扬.断裂力学基础.北京:科学出版社,1979
[20] 洪启超.工程断裂力学基础.上海:上海交大出版社,1987
[21] 中国航空研究院.应力强度因子手册.北京:科学出版社,1981
[22] 范天佑.断裂力学基础.北京:科学出版社,1990
[23] 王仁东.断裂力学理论和应用.北京:化学工业出版社,1984

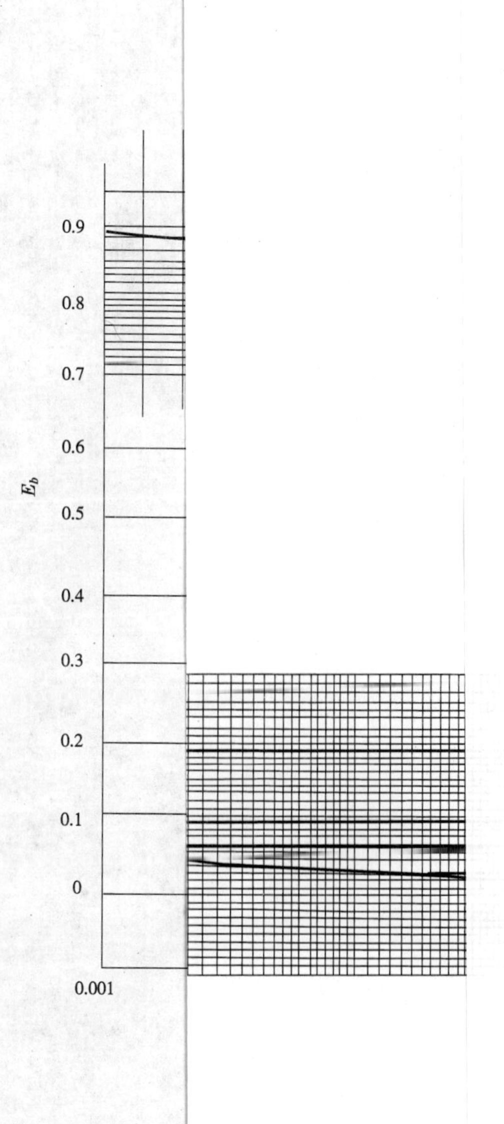
0.9
0.8
0.7
0.6
E_b
0.5
0.4
0.3
0.2
0.1
0
0.001

图 4-6-2 煤槽固定热源平均温度残留比曲线